Lied van de woestijn

Senait Mehari

Lied van de woestijn

Vertaald door Bonella van Beusekom

ARENA

Oorspronkelijke titel: *Wüstenlied*
© Oorspronkelijke uitgave: 2006 Droemer Verlag
© Nederlandse uitgave: Arena Amsterdam, 2007
© Vertaling uit het Duits: Bonella van Beusekom
Omslagontwerp: DPS, Amsterdam
Foto voorzijde omslag: Andreas Hosch
Foto achterzijde omslag en foto's binnenwerk: © Lukas Lessing
Typografie en zetwerk: CeevanWee, Amsterdam
ISBN 978-90-6974-832-0
NUR 302

Inhoud

Atbara

Nijl

Atbara

Sahel

Berka

Keren

Akordat

Massaw

Bisha

Kassala

ERITREA

Asmara

Khartoem

Ādi K'ey

SOEDAN

Gesh

Wad Medani

Gedaref

Ras Dasjan
▲
4620 m

Witte Nijl

Kosti

Blauwe Nijl

Gondar

Tanameer

Blauwe Nijl

Debra Markos

ETHIOPIË

AFRIKA

Addis Abeb

Gore

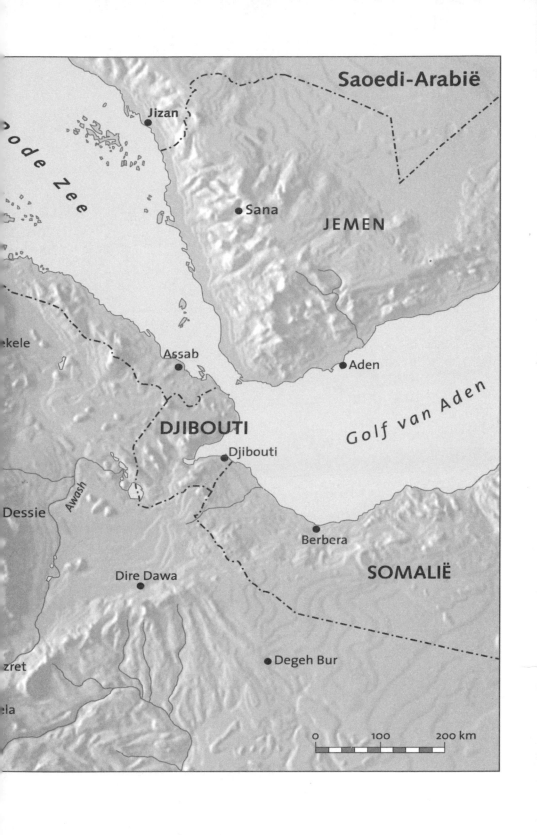

Proloog

Ik herkende Luul meteen. Aan zijn manier van lopen, aan zijn postuur en zelfs aan zijn gelaatstrekken, toen hij nog zover van mij verwijderd was dat ik ze nauwelijks kon onderscheiden. Ik herkende Luul omdat het eigenlijk Ghebrehiwet was die hier de straat overstak, ons beider vader. Misschien lijkt hij wel een beetje op hem, had ik van tevoren nog gedacht, en kan ik hem daardoor herkennen. Ik was er niet op voorbereid geweest dat hij er precies zo uitzag.

Luul liep onzeker en slungelig voorbij. Hij keek niet mijn kant op omdat het oversteken van de straat al zijn aandacht opeiste, want de automobilisten stoven zo hard ze konden voorbij en een onschuldige voetganger was voor niemand reden om gas terug te nemen. Zo kon ik Luul in alle rust bekijken. Hij had zijn haren kortgeschoren, zijn tanden en ogen stonden net zo naar voren in zijn gezicht als bij onze vader, hij had net zulke flaporen en hij droeg net zo'n snor. Luul was alleen nog magerder, bijna vel over been, met ingevallen wangen en een gebogen gang. Hij zag er veel jonger uit dan onze vader, maar niet veel gezonder.

Met een kordate sprong wist Luul zich voor een paar aanscheurende auto's aan mijn kant van de straat in veiligheid te brengen en hij keek vervolgens zoekend om zich heen. Ik zat op het terras van een klein cafeetje, dat hij had voorgesteld als ontmoetingsplaats, en glimlachte naar hem. Het duurde lang voor zijn heen en weer dwalende blikken op mij vielen. Snel en praktisch is Luul kennelijk niet, dacht ik. Maar toen hij me eindelijk in het oog kreeg was hem direct duidelijk dat hij zijn zus had gevonden.

'Luul?!' riep ik hem toe en hij straalde over zijn hele gezicht, zodat er twee lange rijen spierwitte tanden zichtbaar werden. Ik bedacht me dat dat bij ons volk weinig voorkwam en vroeg me af of hij de traditionele stokjes gebruikte om zijn tanden te reinigen. Op belangrijke momenten schoten me altijd de idiootste dingen te binnen, waarmee ik kennelijk mijn onzekerheid voor mezelf probeerde te verbergen.

'Senait?' vroeg Luul op zijn beurt zachtjes. Hij stond voor me, keek alleen maar naar me en glimlachte nog breder dan daarvoor. Hij wist niet waar hij zijn handen moest laten, stopte ze in zijn zakken, haalde ze er weer uit en liet ze onhandig hangen.

Ik was mijn schrik te boven zodra ik mijn naam hoorde. Die was als de derde sleutel in het derde slot van mijn meervoudig beveiligde deur gegleden, die nu eindelijk kon openspringen. 'Luul!' Ik schreeuwde zijn naam bijna uit, sprong op en omarmde mijn broer.

'Senait,' zei hij nog een keer, een beetje harder, en omhelsde me onhandig.

Zo stonden we een tijdje op een terrasje in Addis Abeba, tot grote verbazing van de serveerster en drie of vier gasten, want een man en een vrouw omarmen elkaar niet in het openbaar. Dat is alleen gepast voor twee mannen of vrouwen die bevriend of familie zijn, maar niet voor echtparen of voor stelletjes. Luul wist dat en daarom geneerde hij zich waarschijnlijk. Ik was er ook van op de hoogte, maar mij kon het niets schelen. Ik kon er immers ook niets aan doen dat de anderen niet wisten dat wij broer en zus waren.

'Adhanet,' zei Luul, toen ik twee stappen achteruit deed om hem beter te kunnen bekijken. 'Je ziet er net zo uit als Adhanet!'

Die opmerking was een klap in mijn gezicht, want ik had duistere herinneringen aan onze moeder. Duister omdat onze levenswegen ons voor slechts een paar uur bij elkaar hadden gebracht, maar ook duister omdat mijn moeder altijd een zwarte vlek in mijn leven was geweest: de onbekende die mij als zuigeling had verlaten. Die me koel had ontvangen toen ik op mijn achttiende een paar dagen in Addis op bezoek was. Die met de bus in een ravijn was gereden voor ik haar als echt volwassen vrouw weer terug kon zien. En ik zag er net zo uit als zij?

Maar ik was niet de enige die op iemand leek. 'Ghebrehiwet,' zei ik tegen Luul. 'Jij ziet eruit als Ghebrehiwet!'

Omdat we dezelfde ouders hadden, moesten we eigenlijk ook wel op elkáár lijken. Was dat ook zo?

'Lijk jij op mij?' vroeg ik aan Luul, maar die vraag konden we nu niet beantwoorden. Niet terwijl we hier stonden en iedereen toekeek. Het viel me alleen op dat we dezelfde mond hadden, ook al stonden mijn tanden niet zo naar voren – dat hoopte ik tenminste.

'Laten we toch gaan zitten.'

Daar zaten we dan als versteend naar elkaar te staren. Het is heel eigenaardig om eenendertig jaar na je geboorte voor het eerst iemand voorgeschoteld te krijgen die behoorlijk veel op je zou moeten lijken. Een soort levende spiegel, die antwoorden gaf. Zou ik me in hem herkennen? Zou ik iets anders in hem herkennen?

Er gebeurde iets heel merkwaardigs: het gevoel groeide in me dat ik Luul al eens eerder had gezien. En ik bedoelde dat niet in overdrachtelijke zin, ik bedoelde echt gezien. Het was maar een zaadje, maar het ontkiemde snel en nam steeds meer ruimte in mijn gedachten in. Ik had Luul al eens gezien. Maar waar? Wanneer? Ik zei tegen mezelf dat het niet mogelijk was, dus ik roerde het niet aan. Misschien was het ook maar zinsbegoocheling, opgeroepen door zijn gelijkenis met mijn vader. Maar daarna vroeg ik mezelf opnieuw af: verdraaid, waar had ik Luul toch eerder gezien?

I
De zoektocht naar mijn jeugd

TIJDEN

Vier jaren van mijn jeugd leefde ik in het stenen tijdperk. Ik sliep op stenen en tijdens de ergste hitte van de dag school ik met de andere kinderen zo goed en zo kwaad als het ging in de schaduw van grote rotsblokken. Ik bad dat de rotsen ons voor de ogen van de vijanden zouden verbergen en deed mijn behoefte achter stenen. Stenen moesten vriendinnen, zussen en meubels vervangen. We zaten op stenen, we legden onze weinige spullen erop. We stapelden onze lepels op stenen, die meestal ook als servies dienden, want buiten die paar lepels, bekers en een zwartgeblakerde pan, die diende om koffie te roosteren, hadden we geen keukengerei.

Elke keer als we een nieuwe slaapplaats betrokken, moest ik met de andere kinderen een enorme steen aanslepen, die als *mogogo* diende. Zo heten de ronde platen waar mijn in het stenen tijdperk teruggevallen volk zijn belangrijkste gerecht op klaarmaakte – *enjera*, de deegpannenkoeken die wij elke dag eten. Zo'n steen moest zo groot en plat mogelijk zijn. Niet te dik, zodat het vuur er niet urenlang voor nodig had om hem door en door te verhitten, en ook niet te ongelijk, zodat de brei van *tef*-meel, water en zout gelijkmatig over de hete steen kon worden verdeeld.

Van de kinderen die moesten helpen sjouwen, was ik met mijn zeven of acht jaar meestal de jongste. Ik woonde toen in een streek van Eritrea waar behalve stenen, zand, hitte, ongedierte en wapens niets in overvloed was. Wij kinderen waren allemaal zo mager dat we de *mogogo*-stenen, ook met vereende krachten, haast niet omhoogkregen. Toch moesten we ze vaak honderden meters ver slepen omdat er in de buurt van het kamp geen geschikte steen te vinden was. Zodra we het gevaarte naar het kamp hadden weten te krijgen, tilden we het op drie of vier andere stenen, zodat eronder een kleine holte ontstond waar het vuur moest branden. Daar was ik verantwoordelijk voor.

Als jongste moest ik altijd het rotste werk doen. Dat was meestal niet alleen het minst geliefde, maar ook het zwaarste werk, en brandhout sprokkelen en water halen hoorden er ook bij. Als ik geluk had, vergezelde mijn twee jaar oudere zus Tzegehana me, als ik veel geluk had ging zelfs mijn oudste zus Yaldiyan met ons mee. Maar soms moest ik er ook moederziel alleen op uit.

Dan nam ik onze machete en een van lompen genaaide zak mee en ging op pad. De machete was niet meer dan een mes vol inkepingen, dat met een stuk ijzerdraad aan een kromme stok was gebonden. Het mes bewoog gevaarlijk heen en weer als ik ermee op een wortelstok of op een dorre tak insloeg, en ik wist nooit zeker of de houten greep of het mes niet met een klap op mijn voeten terecht zou komen. Toch hakte ik op struiken en bomen in, omdat ik met iets brandbaars terug moest komen. Als ik met een lege zak kwam aanzetten, kreeg ik klappen. Dan moest ik nog een keer de hitte, de doorns en het stof in om iets brandbaars te halen. Dus zette ik het liever meteen op een hakken tot mijn handen ervan bloedden.

Er was geen andere manier om aan brandhout te komen. Elk afgebroken takje was allang opgeraapt, elke tak die los aan een boom hing was er door kinderen op zoek naar brandhout allang afgetrokken. In Eritrea heerste toen al twee jaar droogte omdat de zomerregens ofwel geheel waren uitgebleven ofwel veel minder water hadden gebracht dan normaal. Het gras stak in dorre bosjes uit de gescheurde aarde omhoog, de weinige bomen lieten hun grijze bladeren vermoeid hangen. Maar niet alleen het klimaat, ook al het andere leek op drift.

De oorlog, die werd uitgevochten tussen de rivaliserende Eritrese bevrijdingslegers ELF (Eritrean Liberation Front – Eritrees Bevrijdingsleger) en EPLF (Eritrean's People's Liberation Front – Bevrijdingsfront van het Eritrese Volk) onderling en tegelijkertijd tussen het Ethiopische regeringsleger en de rebellen, had het hele land in beroering gebracht. Net als bij een mierenhoop waar een paar boosaardige jongens met stokken op in hebben geslagen, was iedereen in beweging. Boeren die normaal gesproken sedentair waren, weidden hun kudden op de vlakten van de provincie Gesh Berka in West-Eritrea omdat hun dorpen door regeringstroepen waren gebombardeerd, omdat de soldaten hun beesten wilden stelen of omdat hun weidegronden niets meer opleverden. Hun wegen kruisten die van de door troepenbewegingen verdrongen nomaden, die zich door de opdrogende drinkplaatsen steeds verder op onbekend terrein waagden. Zo was er een heuse volksverhuizing aan de gang, waarbij de laatste grashalm werd vertrapt, de laatste jaagbare antilopen werden verdreven en de weinige gemakkelijk beschikbare brandstofreserves bij elkaar werden geschraapt.

Dat was nou mijn probleem geweest: hoe moest ik onder die omstandigheden aan hout komen?

Als ik in het kamp mijn takken kon overhandigen, was ik daarom des te gelukkiger. Op dank hoefde ik niet te rekenen, maar ik kreeg een oud conservenblik vol troebel vocht, dat je alleen als drinkwater kon beschouwen als je allang geen echt water meer had gezien. Maar voor mij betekende dat het toppunt van geluk. Tevreden ging ik in het stof zitten, dronk en genoot en voelde hoe het nat binnen in me naar mijn maag stroomde, terwijl om me heen de gebruikelijke onbelangrijke gesprekken van mijn kameraden en het vertrouwde, doffe geratel van het nabije front te horen waren.

Maar nu hoorde ik nog iets anders. Het was onmerkbaar begonnen, maar het werd steeds sterker. Vervolgens begon de lucht te dreunen. Er ging een gebrom door het uitgestrekte dal waar we gelegerd waren.

'In dekking!' brulde een van de volwassen, maar toen was het al bijna te laat. Er spoot vuur door de lucht, bliksemschichten, er steeg rook op, er regenden zand en stenen op ons hoofd, dat we met onze handen beschermden, zoals we het op school bij de rebellen hadden geleerd.

De Ethiopische vliegtuigen waren er. Ze behoorden tot de door de Sovjets royaal geschonken wapens, die de marxistische Ethiopische regering inzette om de noordelijkste, droogste, schraalste en grondstofarmste provincie niet kwijt te raken aan de marxistische rebellen.

Op mijn zevende was ik samen met mijn zussen Tzegehana en

Yaldiyan, die twee en vijf jaar ouder waren dan ik, door mijn vader, een overtuigd aanhanger van het ELF, naar de opstandelingen gebracht om met hen voor onze zogenaamde vrijheid te vechten. Eerst als manusje-van-alles, later als kindsoldaat voor de Eritrese zaak. Voor een land in hongersnood op de drempel van het stenen tijdperk.

Nu renden we allemaal naar de vooruitstekende rotsen achter het kamp. Niemand keek op of om, niemand bekommerde zich om zijn kameraden, zijn vrienden en zijn broers en zussen. We hadden maar één doel: zelf onder de zogenaamd veilige rotsen te komen, ons daar voor de verschrikkingen en voor het vuur te verstoppen.

Midden onder het lopen schrokken we terug, want ineens kwam het vuur ook van voren. Een bom had de rotsen voor ons getroffen, en een grote boom die er zonet nog had gestaan veranderde in een vuurzuil.

'Terug!' brulde een van onze aanvoerders. 'Terug!' brulde hij telkens maar weer. Maar waarheen? Waar moesten we in godsnaam naartoe?

TIJD VAN DROMEN

'Waarheen? Maar waarheen?!' Badend in het zweet schoot ik overeind en viel op mijn knieën. Doodsbang keek ik om me heen maar ik kon niets verontrustends ontdekken – alleen mijn Berlijnse kamer. Mijn matras, de Ikea-kast, de zorgvuldig dichtgetrokken gebloemde gordijnen, de computer met al mijn muziek, mijn teksten en ideeën. Het hoge gestuukte plafond, het keurige rauhfaser, het glimmende parket. Alles was zoals het moest zijn, er was in de verste verte niets gevaarlijks te zien, afgezien van de televisie: er was nieuws op de buis. Er werd geschoten, gebombardeerd en gestorven. Oorlog, geweld en leed bepaalden elke aflevering van het nieuws, het maakte niet uit op welke zender.

Uitgeput maar ook opgelucht zakte ik in de kussens terug. Ik dankte God dat Hij mij de verschrikkelijke beelden alleen had laten dromen. Dat ik er niet meer middenin zat, dat ik niet meer in die waanzin leefde, zoals vroeger als kind. De beelden van verwoesting en dood, de barstende stenen, het vuur, de stervenden – het was geen fantasie, het waren herinneringen, ze maakten deel uit van mijn jeugd.

Misschien was de nachtmerrie die de oude beelden uit mijn onderbewustzijn omhoog had gehaald veroorzaakt door het televisieprogramma, maar dat was onvermijdelijk. Ik word panisch van angst als het om me heen volledig donker of stil, of nog erger, allebei tegelijk is. Op dat soort momenten word ik gekweld door beelden uit het verleden.

Omdat ik die beelden niet kan verdragen, laat ik 's nachts altijd de televisie aanstaan. De stemmen uit het apparaat stellen me gerust, de muziek, de menselijke geluiden. Ik moet ermee leven dat er soms ook onaangename geluiden bij zijn, dat de geluiden van nieuwsuitzendingen mijn onderbewuste binnendringen, want het flakkeren van de televisie heeft voor mij dezelfde functie als een kampvuur in de Afrikaanse wildernis dat reizigers onderweg aansteken om zich wilde dieren, slangen en ook boze geesten van het lijf te houden, waarvan ze volledig terecht vermoeden dat die zich in de enorme duisternis ophouden. In een donker dat de mensen dreigt te verslinden, in een land zonder straatverlichting, zonder reclameborden, zonder verlichte etalages, zonder verlichte bussen of telefooncellen en ook zonder het zachte, vriendelijke schijnsel van woonkamerramen. Met ontsteltenis denk ik terug aan de zwarte Afrikaanse nachten, waarin we geen vuur mochten maken om de vijanden niet op ons kamp te attenderen.

Maar ik heb vooruitgang geboekt. De beelden van de gruwelen staan me nog steeds bij, maar ze verbleken en vergelen zienderogen. De beelden van alles wat ik sindsdien heb meegemaakt zijn eroverheen gaan liggen, want ook mijn leven ging verder. Ik ging naar Duitsland, sloot nieuwe vriendschappen, ging relaties aan en verbrak ze weer, werkte, zong, had verdriet, lachte, huilde en deed alles wat ieder ander ook doet.

Ik woon nu bijna twintig jaar in Duitsland en na de definitieve breuk met mijn vader leid ik al vijftien jaar een relatief veilig bestaan. Ik leef net als andere mensen. Ik woon in een land dat zijn burgers over het geheel genomen vrede en veiligheid garandeert. In een land waar kinderen niet naar het front worden gestuurd, maar naar school gaan. Ik woon in een land waar de mensen kunnen zeggen wat ze denken, zonder dat ze daardoor gevangenisstraf of vervolging riskeren. Ik hoef niet bang te zijn voor honger, dorst, bommen of nachtelijke hinderlagen. Ik verdien met mijn muziek zelf mijn geld, ik ben verzekerd tegen arbeidsongeschiktheid, heb recht op pensioen en recht op een ziekenhuisbed als ik mijn been breek – dingen die in Afrika allemaal ongelooflijk en onbekend zijn.

Toch heb ik vaak het gevoel dat de grond onder mijn bestaan zo kan wegzakken. Elke keer als ik in een lift stap, spreek ik een schietgebedje uit en adem zo diep mogelijk in. Dan houd ik mijn adem in en denk krampachtig aan iets moois. Ondertussen staar ik naar de bordjes en hoop vurig dat de lift niet blijft steken. Zo vergaat het me ook in een opstijgend vliegtuig, in een auto met een chauffeur die de bochten te sportief neemt of in een metro die te lang onder de grond blijft. Niet dat ik ooit slechte ervaringen met liften, vliegtuigen of auto's heb opgedaan. In principe ben ik dol op techniek, ik heb er geen bezwaar tegen me aan een machine toe te vertrouwen, maar ik beschik niet over veiligheidsreserves. Ik heb gemerkt hoe snel de menselijke orde ineen kan storten. Ik heb met eigen ogen gezien hoe smal de grens tussen leven en dood is, hoe gemakkelijk een mens de lichte voor de donkere kant kan verruilen. Ik weet weliswaar dat die grens in Europa een beetje beter en steviger is. Ik weet dat de sociale ordening hier stabieler is dan in Afrika, maar als je ooit hebt meegemaakt dat alle zekerheden, alle veiligheid, alle familiebanden wegvallen, krijg je nooit dat basisvertrouwen dat Europeanen hebben. Dan leun je in een hogesnelheidstrein nooit zo achterover alsof je thuis op de bank zit en zul je altijd een restje twijfel houden of een anoniem systeem je op een dag echt voldoende geld zal geven, zodat je op je oude dag geen honger of kou hoeft te lijden.

Dat betekent niet dat ik geen vertrouwen heb in de verzorgingsstaat en zijn instellingen, maar alleen dat ik me hier nog niet helemaal thuis voel. Dat komt niet alleen doordat mijn uiterlijk zwart is, maar ook doordat in mijzelf een grote zwarte rest zit, die alle angst en alle gevaar en alle onzekerheid van het zwarte continent in zich draagt. Alle angsten die ik daar heb uitgestaan. Alle gruwelen die ik daar dag in dag uit moest aanzien. Alle nachten dat ik geen dak boven mijn hoofd had om me tegen de gigantische duisternis te beschermen.

En toch waren lang niet al mijn nachten in Afrika verschrikkelijk. Zo lig ik doodmoe in bed en probeer me op de mooie dingen uit mijn jeugd te concentreren, tot ik de lichte beelden weer begin te zien. Waarschijnlijk speelt er dan tijdens het inslapen een glimlachje om mijn lippen.

TIJD VAN SPELEN

In de wereld van mijn dromen zie ik mezelf weer bij mijn oma in de tuin, in Maitemenai, een mooie buitenwijk van Asmara, de hoofdstad van Eritrea. Mijn oma zit op een klein krukje dat niet veel hoger is dan een baksteen, ik zit op mijn hurken tegenover haar op de grond. Mijn oma maakt *enjera* klaar, het lekkerste eten van de wereld, dat wij Eritreeërs en ook de meeste Ethiopiërs elke dag eten, ons hele leven lang – als we iets te eten hebben.

Ze goot het beslag, dat ze de vorige dag al had aangemaakt, voorzichtig op haar *mogogo*. Wat een luxe: mijn grootouders hadden een oven die vanzelf heet werd, zonder dat iemand hout hoefde te halen of stukken houtskool hoefde te sjouwen. Het was niet eens nodig om vuur te maken, de hitte kwam door een snoer uit de woonkamer naar het erf toe. In het huis kwam het meteen uit de muur, zonder dat die heet aanvoelde. Mijn oma zei dat het vuur elektriciteit heette.

Enjera klaarmaken is een hele toer. De pannenkoeken mogen niet te dik zijn, niet dikker dan een theedoek, maar ook niet te dun, omdat ze anders scheuren. Het beslag mag niet te vers zijn, anders ruikt het alleen naar meel, zonder de licht gistende, zurige nasmaak. Op de een of andere manier vormen zich op het oppervlak van de pannenkoek allemaal kleine blaasjes, die kratertjes worden als het beslag op de hete plaat ligt te stomen.

Mijn oma kon het als de beste! Ik keek bewonderend toe. Ik was toen vier of vijf en had tot op dat moment in weeshuizen gewoond. Ik wist nog niet waarom dat zo was en instinctief durfde ik er niet naar te informeren, omdat ik vermoedde dat ik op vragen naar mijn ouders geen prettige antwoorden zou krijgen. Op het laatst, de tijd waaruit mijn meeste herinneringen stamden, was ik bij Italiaanse nonnen geweest en daar had ik gegeten als een Italiaantje: spaghetti, kaas, witbrood en melk – tot mijn tante Mbrat me uit het tehuis had gehaald en naar mijn familie had gebracht. Nu was ik eindelijk niet meer de kleine zwarte melaatse onder vele blanken, maar een klein Afrikaans meisje onder de Afrikanen en mocht ik van mijn oma leren hoe de mensen van mijn volk, de Tigrinja, leefden.

Lang hield ik het niet bij de *mogogo* uit. Van de lekkere pannenkoeken mocht ik niets eten tot oma ze allemaal klaar had en het tijd was voor het gezamenlijke avondeten. *Enjera* at je sowieso koud, met hete saus. Dus rende ik achter mijn katje aan, dat net als ik door de etensgeur werd gelokt. Met een paar sprongen bracht het katje zich in veiligheid in de kruin van de boom die onze tuin beschaduwde, maar mijn broers en zussen kwamen me snel te hulp. Samen schoven we een paar planken tegen de boomstam aan en bouwden daarop een soort menselijke piramide met mij helemaal bovenaan – het was tenslotte mijn katje en bovendien was ik van alle kinderen verreweg het kleinst en lichtst.

Dat waren overigens niet mijn echte broers en zussen, maar de kinderen van mijn ooms en tantes, van wie er een paar bij ons in huis woonden en de anderen in de buurt. In totaal waren we met z'n elven. Het was me niet helemaal duidelijk wie er bij wie hoorde, maar ze waren allemaal aardig tegen me. Ze hoorden allemaal bij de familie en dat was voor mij ook het mooiste, om eindelijk familie te hebben. Met mensen samen te leven die niet, zoals de zusters in het weeshuis, verantwoordelijk waren voor álle kinderen, maar slechts voor een paar. Voor de kinderen van de familie. Voor mijn broers en zussen.

Mijn opa had algauw genoeg van het lawaai dat we maakten. Hij lag op een metalen veldbed in de schaduw van het huis, gewoon zo op de roestige veren. Misschien was het hem te heet op een matras of hadden ze geen matras voor hier buiten.

Dus stormden we de stoffige straat op, die eindigde bij ons huis, en gingen over de velden achter de laatste huizenrij van de stad omhoog het bos in. Dat was ons domein. Hier hadden we onze schuilplaatsen. Dat waren kleine lemen holen in een steile helling, die achter de huizen oprees. Behendig als een wezel kroop ik in het allerkleinste hol, dat ik met een paar vriendinnen zelf gegraven had. De ingang was zo nauw dat de grotere kinderen er niet in pasten. Dat was prima, want af en toe wilde ik ook in m'n eentje zijn, alleen maar stil zitten en met half toegeknepen ogen uit het gat naar de blauwe hemel kijken. Ik wilde aan niets anders denken dan aan hoe mooi ik het had. Dan begon ik meestal een lied te neuriën dat ik in het kindertehuis had geleerd. Zou het een Italiaans kinderliedje zijn geweest?

Hoe ik me ook ook in die sfeer probeer te verplaatsen, er komt geen melodie, geen tekst. Maar ik geniet van de geluidloze herinnering.

TIJD VAN MUZIEK MAKEN

Terwijl mijn vroege kindertijd op me overkomt als een stomme film, klinkt mijn huidige leven juist als een soundtrack, waarbij het geluid belangrijker is dan het beeld. Tegenwoordig draait bijna alles in mijn leven om mijn muziek. 's Ochtends zing ik al onder de douche mijn eerste lied, bijvoorbeeld iets van Whitney Houston: 'And I... will always love you, oohh... will always love you, my darling you, mmm-mm...'

Whitney is het helemaal voor mij, ze is mijn heldin. Haar muziek heeft me altijd al diep geraakt en geïnspireerd.

Voor ik een *latte macchiato* voor mezelf klaarmaak, doe ik de computer aan om naar iets moois te luisteren, want ik kan immers niet de hele dag zingen, ook al zou ik er veel zin in hebben – dat houden zelfs de sterkste stembanden niet vol. Ik sla al mijn muziek op mijn laptop op, mijn liedjes, mijn teksten, de producties die af zijn. Vaak ga ik met een dampende kop koffie voor me aan het werk en vijl een song bij of lees de laatste regels van een tekst die ik de vorige avond heb geschreven en die me nog niet voor honderd procent bevallen telkens maar weer door. Ik publiceer alleen werk dat me voor honderd procent aanstaat, anders heeft het geen zin.

Vroeger, toen ik nog veel te weinig idee had van de muziekbusiness, liet ik me door platenfirma's wel eens liedjes of optredens aan-praten. Ik was jong en naïef en dacht dat het vast wel ergens goed voor was. Maar dat was niet altijd het geval. Strikt genomen is dat meestal niet zo, tenminste, bij mij niet. Ik kan alleen songs zingen waar ik helemaal achter sta. Ik treed alleen op met liedjes met tek-sten waarmee ik me kan identificeren, met melodieën die ik licha-melijk voel, die in mijn ziel weerklinken. Anders komt het onge-loofwaardig over. Gekunstelde dingen accepteert niemand van me, ikzelf al helemaal niet.

Daarom schrijf ik alle teksten zelf, componeer ik al mijn liedjes en arrangeer ze ook meteen. Dat is een enorm karwei, maar voor mij is het kinderspel. Wat een luxe: ik kan de hele dag in een behaaglijk warme studio zitten, alleen of samen met mijn musici, en dingen uitproberen waar ik plezier aan beleef. Ik ben niemand rekenschap verschuldigd, ik krijg iets te drinken als ik dorst heb, ga naar de kantine als ik honger heb en 's avonds wacht er een schoon bed op me in mijn hotelkamer. Is het niet paradijselijk?

Ik geloof dat de meeste kunstenaars of andere creatieve mensen die zo leven zich er helemaal niet van bewust zijn hoe goed ze het hebben. Ze maken zich zorgen of er wel een publiek is voor wat ze maken, of het wel goed gaat met hun carrière en of er wel genoeg geld op hun bankrekening staat. Dat zijn natuurlijk zaken die mij niet koud laten, maar ze zijn niet het allerbelangrijkste voor me. Ik ben waarschijnlijk voor de rest van mijn leven zo sterk beïnvloed door de ervaringen uit mijn verleden, dat ik het niet meer als van-zelfsprekend beschouw dat ik te eten heb. Dat ik te drinken heb. Dat niemand me dwingt dingen te doen die ik niet wil.

Voor mij is het niet de gewoonste zaak van de wereld dat ik in vrijheid leef. Dat is voor mij een genade die ik elke dag opnieuw ervaar, een goddelijke genade, die reële wortels heeft – in het maat-schappelijke systeem dat de mensen in Duitsland hebben opge-bouwd en dat ik, dankzij een paar gunstige omstandigheden die de Almachtige mijn leven met al zijn kronkels heeft binnengesmok-keld, mede mag vormgeven.

Vanaf het moment dat mijn muziekcarrière op gang kwam, beschikte ik niet alleen ogenschijnlijk over alle ingrediënten van het geluk, ik wás echt gelukkig, ook al ontbrak er altijd iets. Dat lag niet aan mijn angsten voor het donker, voor kleine ruimtes, voor het overgeleverd-zijn – die angsten kan ik steeds beter in toom houden als ik situaties vermijd die zulke gevoelens oproepen. Nee, het lag aan mijn onbevredigde verlangen.

Op momenten die ik niet onder controle had flakkerde dat verlangen op. Het spookte door mijn onderbewuste als ik afweek van mijn dagelijkse routine. Bijvoorbeeld als ik zo onvoorzichtig was om mijn gedachten de vrije loop te laten. Als ik moest wachten tussen twee interviews. Op weg van de studio naar huis. In de metro, als ik niet wist of ik naar de zwarte ramen van de wagons of in de vermoeide gezichten van de mensen moest kijken. Als mijn belastingadviseur me bedolf onder de cijfers die ik niet kon of zelfs wilde snappen.

Op dat soort momenten ontglipte het leven van alledag met al zijn zekerheden me. Dan dwaalden mijn gedachten af en voor ik erop bedacht was vond ik mezelf terug in de schaduw van een baobab, uitrustend na een lange mars door de hitte, als ik mijn voeten uit mijn rubberen sandalen trok en ermee door het rulle zand wroette. Of ik bevond me ineens in de tuin van mijn oma bij de andere kinderen die onder het dak van het huis met ballen speelden die ze met oude stukken touw om hun pols hadden gebonden om ze niet kwijt te raken. Of mijn bewustzijn ging op reis naar Khartoem waar het neerstreek in het huis van mijn oom om daar samen met mijn zussen Yaldiyan en Tzegehana voor een oude radio enthousiast naar Arabische popmuziek te luisteren.

Op dat soort momenten wist ik dat er iets ontbrak aan mijn geluk: de liefde. Niet de liefde voor een bepaald iemand, niet die voor een minnaar, maar het gevoel op zich. De liefde die je keel dichtknijpt. Die uitstijgt boven het normale. De liefde als kracht die je leven bij elkaar houdt.

Het is geen toeval dat bijna al mijn liedjes over de liefde gaan. Dat is nu eenmaal het meest universele gevoel van de mens, de belangrijkste emotie als honger en dorst zijn gestild. Door de liefde blijft al het andere draaien. Het was iets waarvan ik toen in Duitsland te weinig kreeg. Relaties had ik zeker wel – ook al was de ware, de juiste er niet bij – maar de beslissende kick ontbrak er altijd aan. Het verlangen dat groter was dan het moment. Dat me in de zevende hemel zou hebben gebracht. De liefde dus.

Soms zat ik in mijn kamer na te denken over dat gemis. Ja, natuurlijk had ik graag een nieuwe partner gehad om mijn leven mee te kunnen delen, want soms voelde ik me erg eenzaam. Soms wilde ik gewoon alleen maar dat iemand zijn armen me heen sloeg, ik wilde vertrouwen, op adem komen – maar dat was niet alles, dat vermoedde ik toen al.

Want elke keer als dat soort gedachten bij me opkwamen, verschenen voor mijn geestesoog ook heel specifieke beelden. Dan zag ik zwarte gezichten, zwarte armen, kroeshaar. Ik zag volle lippen met grote, witte tanden erachter, donkere silhouetten met daarachter veel licht. Schelle zon, zinderende hitte, grijze stenen, een staalblauwe lucht. Ik zag Afrika.

In één klap ontwaakte ik uit mijn schemertoestand en ging rechtop zitten. Ik sprong van mijn matras, rukte het raam open en liet de koele Berlijnse herfstlucht de kamer binnenkomen om me wakker te maken. En dat terwijl het eigenlijk helemaal niet meer nodig was, want ik was al klaarwakker. In mijn hoofd had zich een heel heldere en duidelijke gedachte genesteld: ik moet terug naar Afrika. Ik wil weten hoe het zit met dat continent en mij. Ik wil die eindeloze warmte voelen die ervan uitgaat. Die warmte die niet van een paar vluchtige zomerdagen komt die telkens worden gevolgd door een paar regendagen, maar dieper gaat. Tot ver de grond in, tot in het laatste hoekje van elk huis en tot diep in de zielen van alle mensen. Misschien wachtte in Afrika een stuk van dat grote gevoel waarnaar ik zocht op me.

REIZEN

Een hele stroom Afrikaanse beelden trok aan mijn geestesoog voorbij toen ik de gedachte aan een reis naar Afrika eindelijk had toegelaten. De plaatjes van zonovergoten straten, lachende gezichten en palmen die zachtjes meedeinden op de wind zetten zich in me vast en beheersten niet alleen mijn dromen, maar mijn hele leven. Midden in een gesprek met een medewerker van mijn platenfirma zat ik plotseling in de woestijn, bibberend van de kou, wachtend op de verlossende zonsopgang. Terwijl ik op het elektrische fornuis spaghetti klaarmaakte, betrapte ik mezelf erop dat ik me bukte om het vuur te controleren. Stukje bij beetje schoten me tekstregels te binnen die ik zelf maar half begreep omdat het Arabische teksten waren. En zo mompelde ik ineens woorden in een taal die ik vroeger een beetje had beheerst, maar nauwelijks nog verstond – geen wonder: ik had de laatste twintig jaar bijna geen woord Arabisch gehoord.

Ik kreeg niet alleen een steeds sterker verlangen naar Afrika, maar ook een onbedwingbare zin in reizen. Ik was in die tijd weliswaar veel op stap, maar dat was niet de manier van reizen waar ik naar verlangde. Ik werkte toen aan mijn boek *Strijden voor mijn land* en aan mijn muziek en ik moest telkens weer naar de studio in Bremerhaven, naar mijn toenmalige platenmaatschappij in Hamburg en naar de uitgeverij in München. Ik was voor interviews in Keulen, in Frankfurt en weer in München of Hamburg. Ik trad op voor Menschen für Menschen, UNICEF en andere organisaties die zich inzetten voor de rechten van kinderen of die actievoeren tegen het inzetten van kindsoldaten.

Maar ik hield er niet zo van om in hogesnelheidstreinen met airconditioning het landschap als in een stomme film aan me voorbij te laten razen – geluidloos, reukloos en zo snel dat geen beeld zich in mijn hart kon nestelen. Ik rook geen herfstbladeren, proefde geen regendruppels, zag niemand een trein nazwaaien en wist soms niet in welke stad ik wakker werd. Ik vond het niet opwindend om 's ochtends op vliegveld Tegel samen met honderdvijftig slechtgehumeurde mannen in pak en vijftig gereserveerde dames in mantelpakjes op het vliegtuig naar Frankfurt te wachten. Het beviel me niet om mijn dagen tot op de seconde te plannen: 6.30 uur opstaan, 7.30 uur taxi bellen, 8.30 uur vertrek met het vliegtuig, 9.45 uur metro, 10.30 uur interview, 12.15 uur lunch met huppeldepup, 15.00 uur taxi... Dat was niet de manier van reizen die ik uit mijn jeugd kende.

De grootste reis uit die tijd had me met mijn grootouders voor mijn doop naar Jeruzalem gebracht. Mijn grootouders waren zeer gelovige mensen, ze waren net als de meeste Eritreeërs in Asmara en het aangrenzende hoogland Ethiopisch-orthodox. Veel mensen noemen die religie ook 'koptisch', maar in het midden van de twintigste eeuw heeft de Ethiopische kerk zich afgesplitst van de Egyptische kopten en is een zelfstandige kerk geworden. Veel van mijn Duitse vrienden weten niet dat de christelijke kerk in Ethiopië of Eritrea heel oud is, veel ouder dan de kerk in Duitsland. Al in de derde of vierde eeuw werd de leer van Jezus door kooplieden naar het toenmalige koninkrijk Aksoem gebracht en kon zich in de Hoorn van Afrika verspreiden op een moment dat de oude Germanen nog geen idee hadden van Jezus en het christelijk geloof.

Maar mijn grootouders wisten wat ze hun God verschuldigd waren. Dus reisden ze met mij naar de oorsprong van ons geloof en dat was zeker geen tochtje met de hogesnelheidstrein. We zaten dagenlang in overvolle bussen, brachten een paar dagen door op het dek van een schip dat ons over de Rode Zee bracht en gingen vele kilometers te voet omdat er toen nog geen bussen naar de oude binnenstad van Jeruzalem reden. Het was een vermoeiende reis: smoorheet, met overdag felle zon maar met ijskoude nachten. Het had iets van de uittocht van de joden uit het Beloofde Land, die reisden wel niet met bussen, maar ik geloof dat wij het niet veel gemakkelijker hadden.

Toch hield ik meteen van die manier van reizen: het passieve staren naar de langzaam voorbijtrekkende woestijn, de boottocht, vergezeld van een lichte misselijkheid, over de eindeloze watervlakte. Hoewel iedereen een doel had – een taak of familie die op de plek van bestemming op hem wachtte – en iedereen dus een beetje haast had, ging het er nooit jachtig aan toe. Er heerste totaal geen onrust, ik herinner me geen geduw, gedrang of gevecht om zitplaatsen. Als er iemand wilde uitstappen, stopte de bus. Als de chauffeur iemand vanaf de stoeprand zag zwaaien, remde hij om hem mee te nemen. Als een paar passagiers hongerig waren, werd er gestopt om te rusten en als passagiers hun behoefte deden, wachtte de chauffeur net zo lang tot iedereen weer aan boord was.

Natuurlijk kwam je op die manier niet stipt op tijd aan, maar er was sowieso niemand met een horloge om de minuten bij te houden. Het was alleen belangrijk dat je op de juiste dag aankwam zodat je de volgende dag het schip haalde waarmee je de reis voortzette. Dat was een manier van verplaatsen die in harmonie was met de natuur, en dan vooral met de menselijke natuur. Naar die manier van reizen verlangde ik.

VADERLAND

Mijn Afrikaanse dweepzucht werd gevoed toen ik mijn levensverhaal begon te schrijven. Ik had een methode ontwikkeld om beelden uit mijn geboorteland op te roepen. Eerst zetten ze zich langzaam en schokkend in beweging, als een slechte videoband, maar al na een paar dagen of weken schrijven liepen ze steeds beter, tot ze veranderden in een compacte kleuren- of zwartwitfilm, die ik alleen nog maar hoefde op te schrijven.

En nu wilde ik weten hoe die beelden zich verhielden tot het werkelijke leven in het Afrika van nu. Zouden de nieuwe beelden over de oude heen gaan liggen, ze wegwissen, uitschakelen? Of zou het omgekeerd gaan?

Ik wilde weten hoe het de mensen was vergaan die ik in Eritrea moest achterlaten toen oom Haile mij, Tzegehana en Yaldiyan hielp vluchten uit het kamp van het ELF. We zouden zeker dood zijn gegaan als we bij dat rebellenleger waren gebleven. De onafhankelijkheidsbeweging was weliswaar succesvol en kon in 1993, tien jaar na onze vlucht, een eigen Eritrese staat uitroepen, maar onze vader had ons bij het verkeerde leger aangemeld: een paar maanden nadat de broer van mijn vader ons in Khartoem in veiligheid had gebracht, werden de jammerlijke restanten van het ELF door Ethiopische regeringstroepen en het uiteindelijk zegevierende EPLF, dat tot op de dag van vandaag het land regeert, in de pan gehakt.

Het eerste deel van mijn reis was een rit met de Berlijnse metro naar Pankow, naar de voormalige ambassadewijk van Oost-Berlijn. Daar staan een paar grauwe betonkolossen waar tegenwoordig nog de vertegenwoordigers van landen resideren die het zich niet kunnen permitteren te verhuizen naar de diplomatenwijken in Berlin-Zoo en in Grunewald. Het zijn de ambassades van de armste landen ter wereld, waarvan Eritrea waarschijnlijk wel weer een van de armste is.

In Pankow valt mijn land tenminste niet uit de toon, dacht ik, terwijl ik langs de rij ambassades liep die vergeten leken te zijn door de geschiedenis. Het excentrieke wapen van Eritrea met de kameel erop paste goed bij de wapens van landen als Moldavië, Bosnië en Ghana, die ook niemand kent die er geen speciale band mee heeft.

'Mijn land?' Terwijl ik de klink van het roestige tuinhek naar beneden drukte, vond ik mijn eigen betiteling al belachelijk. Eritrea, mijn land?

Natuurlijk voelde ik me verbonden met dat kleine land in de Hoorn van Afrika, omdat ik er geboren was, omdat ik er de eerste jaren van mijn leven had doorgebracht, omdat mijn vader ervandaan kwam. Omdat ik het Tigrinja beheerste, de taal van de gelijknamige volksstam, de taal van de Kebessa, de Eritrees-Ethiopische hooglanden, die tegelijkertijd de belangrijkste taal van Eritrea is. Het is mijn vaderland – maar is het nodig om te sterven voor de vrijheid van je vaderland, wat dat ook maar zou mogen zijn? Is het nodig dat je voor de vrijheid van je vaderland als kind naar het front wordt gestuurd in plaats van naar school? Is het nodig dat je je zonder eten, zonder water en zonder schoenen, maar wel met een kalasjnikov in je hand tegen indringers verdedigt die dezelfde taal spreken, die er net zo uitzien, tot hetzelfde volk behoren, maar alleen niet dezelfde politiek leider volgen?

Toen ik dat schoolkind zonder school maar met een wapen in de hand was dat zijn vaderland moest verdedigen, was er niemand die mij vroeg wat ik ervan vond. Dan mag ik nu wel vraagtekens zetten bij het begrip 'vaderland', dacht ik, toen eindelijk iemand de zoemer indrukte om me de voortuin van de Eritrese ambassade in Berlijn binnen te laten.

Mijn wens om naar Afrika te reizen schonk me niet alleen voldoe-
ning, maar bezorgde me ook buikpijn – ik wist niet wat me te
wachten stond. Wat bezielde me in 's hemelsnaam om terug te
keren naar het schouwtoneel van het inferno van mijn jeugd? Voor
dat soort sombere gedachten was het nu echter te laat. De deur van
de *Plattenbau* sloot zich achter me en ik had het gevoel of ik al in
Afrika was. Hier was iedereen zwart, ze hadden allemaal dezelfde
hoge jukbeenderen en licht kroezend, zwart haar, net als ik en ze
spraken allemaal Tigrinja, een taal die je in Berlijn anders alleen
obers in Eritrese restaurants of studenten op Afrikaanse culturele
verenigingen hoort spreken.

Zouden ze me hier arresteren, folteren of laten verhongeren
omdat ik vroeger voor het ELF had gevochten, de belangrijkste
tegenstander van het EPLF, dat nu in Eritrea en waarschijnlijk ook
in deze ambassade de scepter zwaaide? Ik vreesde alweer het ergste
toen een medewerker me toelachte zoals alleen Afrikanen dat kunnen: met hun mond, hun tanden, hun ogen, hun neus en ook nog
hun oren. Het hele gezicht lacht, ook al gaat het maar om een simpele vraag: 'Waarmee kan ik je van dienst zijn?'

Ik haalde diep adem. Rustig, Senait, heel rustig, ging het door me
heen, alles is in orde. Je bent aan het goede adres.

Ik schoof mijn bezwaren naar een heel ver hoekje van mijn
bewustzijn en glimlachte terug. Toen moest ik eerst vertellen wie ik
was, waarom ik naar Eritrea wilde en wie ik daar wilde bezoeken:
mijn oudtante, mijn neven en nichten en misschien de nonnen bij
wie ik in het tehuis was opgegroeid. Ik vertelde dat niet omdat ik
het wettelijk verplicht was, maar omdat ik er zin in had – en omdat
ik voelde dat de man van de visa-afdeling te nieuwsgierig was om
me zonder antwoord op die brandende vraag te laten gaan. Zo is
dat bij ons in Afrika: de mensen zijn verschrikkelijk nieuwsgierig en
gek op verhalen. Als iemand een goed verhaal voor ze heeft gooien
ze alles aan de kant om het helemaal te horen.

'Bij ons in Afrika' – wat was er met me aan de hand? Zonet
beschouwde ik mezelf nog als Duitse. Mijn god, waar zou deze reis
me naartoe brengen?

De volgende ambassade, de Ethiopische, ligt in een luxe villawijk aan de andere kant van de stad, heel dicht bij het kasteelpark Lichterfelde. Daar waren de mensen weliswaar ook heel vriendelijk, maar toch was ik daar al snel in tranen. De vrouwelijke ambtenaar achter het kogelvrije veiligheidsglas wilde me geen visum verstrekken omdat in mijn Duitse paspoort Asmara als geboorteplaats stond, de hoofdstad van Eritrea. De vrouw achter het loket keek glimlachend toe hoe ik in huilen uitbarstte, vertelde me vol begrip dat het haar heel erg speet, maar dat ze hier geen visa verstrekten aan buitenlanders die in Eritrea waren geboren.

Met ontsteltenis werd me duidelijk dat ik dus niet de laatste woonplaats van mijn moeder en de overgebleven leden van haar familie in Addis Abeba kon bezoeken. Minstens even treurig werd ik door het wurgende gevoel uit mijn jeugd, dat ineens weer opkwam. Het gevoel als een bastaard te worden behandeld, een ongelukkige kruising tussen een Eritrese vader en een Ethiopische moeder te zijn. Mijn moeder was me in mijn jeugd in Eritrea altijd als schandvlek voorgehouden – en toen ik als tiener Ethiopië bezocht, stond mijn Eritrese vader me op dezelfde manier in de weg.

Als kind voelde ik me al heen een weer geslingerd tussen de twee identiteiten die zo vijandig tegenover elkaar stonden, nu ondervond ik opnieuw aan den lijve dat de waanzin die Ethiopië en Eritrea al meer dan dertig jaar in zijn greep had nog steeds niet tot het verleden behoorde. Tegenover deze vrouw achter haar glazen ruit hielpen geen uitvoerige veroordelingen van de oorlog tussen de twee landen, het had geen zin om aan te komen met mijn Ethiopische moeder, om erop te wijzen dat Senait een Ethiopische naam is, om vol te houden dat Asmara op het moment van mijn geboorte een Ethiopische provinciestad was – ze begreep het weliswaar allemaal, maar ik had er niets aan omdat zij, net als de meeste ambtenaren, niet naar de geest van de wet kon beslissen, maar alleen naar de letter.

Toch glimlachte ze vriendelijk. 'Het is ons verboden,' zei ze. 'We mogen het niet doen.'

'Is er dan geen andere mogelijkheid?' smeekte ik haar – het kwam tenminste op me over als smeken, ook al klonk het voor haar misschien als ongeduldig aandringen.

Ze kon mijn visumaanvraag per post naar het ministerie in Addis Abeba sturen, waar vervolgens gecontroleerd werd of mensen zoals ik in orde waren, zei ze.

Dat antwoord stemde me niet echt milder. Mensen zoals ik? Wat voor mensen waren dat dan?

'Er moet worden vastgesteld of de aanvrager tegen Ethiopië heeft gevochten.'

Nu wist ik niets meer te verzinnen. Moest ik haar uitleggen dat ik als meisje van acht in de woestijnsteppe van Gesh Berka voor Ethiopische kogels had moeten wegduiken? Dat ik brandhout voor Eritrese rebellen had verzameld? Dat ik had moeten proberen met een kalasjnikov te schieten, wat me gelukkig niet lukte omdat ik elke keer omver werd geworpen door de terugslag? Moest ik haar vragen of ik daarom vijfentwintig jaar later, als volwassen vrouw, een staatsvijand van Ethiopië was?

Terwijl ik nog nadacht over wat ik kon doen, voegde de ambtenaar, die mijn onzekerheid zag, eraan toe: 'Die controle duurt lang, minstens twee maanden.'

Een andere vrouwelijke ambtenaar achter het glas maakte een afwijzend gebaar. Zij had net een geval gehad waarbij de aanvrager al veel langer op zijn visum wachtte, terwijl er nog steeds geen antwoord uit Ethiopië in zicht was. Natuurlijk wilde geen van beide vrouwen de moeite doen zinloze formulieren in te vullen en uitvoerige begeleidende brieven op te stellen en te verzenden, dus restte me niets anders dan weer naar huis te gaan.

Hier had ik geen kans, daar veranderden mijn tranen ook niets aan. De bezorgdheid om mijn reis beklemde me minder dan het gevoel van onmacht.

'De verzoening kan nog lang duren,' zei de vrouw achter het glas en maakte daarmee duidelijk dat ík er niet op hoefde te wachten. Waarschijnlijk zouden zelfs mijn kleinkinderen het niet meer meemaken.

Ik kon natuurlijk ook in Addis Abeba op het vliegveld een visum aanvragen, voegde de vrouw er ineens in een vlaag van praktisch denken aan toe. Ze had wel eens gehoord dat mensen op die manier het land binnen waren gekomen, al was het maar voor een paar dagen. Ik spitste mijn oren.

'Hoogstens voor een paar dagen,' voegde ze eraan toe, 'soms ook maar voor een paar uur.' In die gevallen zouden de douanebeambten het paspoort op het vliegveld houden. Soms lukte het, soms ook niet. Niemand kon het van tevoren zeggen, niemand kende de bepalingen. Misschien waren er voor dit geval wel helemaal geen bepalingen en was het gewoon ter beoordeling aan de douaniers. Of een kwestie van de hoogte van de steekpenningen – maar dat zei ze er natuurlijk niet bij. Waarschijnlijk hing de beslissing ook af van het humeur van de beambte, een zeer Afrikaanse oplossing van het visumprobleem. Ik moest het maar gewoon op me af laten komen, want van tevoren kon toch niemand zeggen wat er in Addis Abeba zou gebeuren.

Maar de ambassade zou niet een klein stukje Afrika midden in Berlijn zijn, als er niet toch plotseling een wonder was gebeurd, hoe klein ook.

'Er is nog een mogelijkheid,' zei de vrouw. 'Ken je iemand in Ethiopië die je kan uitnodigen? Heb je er familie?'

Het was een piepklein wonder, maar ik had er weinig aan, want mijn moeder was allang dood en mijn familie in Ethiopië kende ik nog niet, want daarom wilde ik er immers naartoe. Ik wist alleen dat ik een broer had, maar meer dan een naam, een adres en een wazige, stokoude zwartwitfoto, die me door het Ethiopische Rode Kruis was gestuurd, had ik niet. Ik wist niet eens of het echt mijn broer was of een van de talloze Afrikanen die elke strohalm vastklampten om contact met de fantastische eerste wereld te krijgen. Nee, die broer zou de toets van de naspeuringen van het ministerie van Buitenlandse Zaken zeker niet doorstaan.

De beambte verdween een zijvertrek in en ik begon hulpeloos iets op mijn mobieltje in te toetsen. Ik voelde de aandrang iemand te bellen, hoewel ik niet wist wie en waarom. Ik toetste nog steeds nummers in – misschien om de schijn te wekken dat ik iets zinvols deed of om mijn verbijstering te verbergen – toen de beambte alweer terugkwam. Met een brede glimlach zei ze: 'Er is nog een mogelijkheid, ik heb ernaar geïnformeerd.'

Dus toch een Afrikaans wonder, midden in Berlijn-Lichterfelde?

'Die is speciaal ingesteld voor zulke gevallen als jij,' zei ze, overtuigd dat het zou slagen, en deed een greep op een plank met tientallen verschillende formulieren om er een paar uit te vissen. Ze had het over een Ethiopisch legitimatiebewijs voor 'half-Ethiopiërs', waarmee je zonder problemen een visum kon krijgen. Dat konden ze hier op de ambassade afgeven, heel eenvoudig, er hoefden slechts een paar formulieren voor te worden ingevuld.

En het addertje onder het gras?

Nu glimlachte de vrouw onzeker. 'Tja, het is best duur.'

Ze zweeg even.

'Maar je kunt het in twee termijnen betalen. Of zelfs in nog meer.'

Toen kwam ze ermee voor de dag – het legitimatiebewijs kostte meer dan vijfhonderd euro. Ze wilden me mijn niet land binnenlaten omdat de verkeerde geboorteplaats in mijn pas stond, maar als ik ze vijfhonderd euro gaf was alles geregeld?

'O, er is nog een mogelijkheid,' zei de vrouw achter het loket snel toen ze merkte dat ik met die gekochte onschuld niet zo gelukkig was.

Langzamerhand had ik het gevoel of ik op de markt was – met om de twee minuten een nieuwe speciale aanbieding.

'Zijn er hier in Duitsland mensen die weten dat je moeder Ethiopisch was?'

Bood dit hoop? 'Natuurlijk!'

'En zijn dat ook Ethiopiërs?'

Ik bevestigde het, maar het addertje liet vast niet lang op zich wachten. En daar was het al: 'Hebben ze een Ethiopisch paspoort?'

'Maar natuurlijk,' zei ik, gewoon om de vrouw achter het glas haar triomf niet te gunnen.

Ze legde me vervolgens uit dat drie van die mensen op een formulier moesten bevestigen dat mijn moeder Ethiopisch was en waar mijn getuigen de kopieën van hun paspoorten naartoe moesten sturen, maar het was volkomen zinloos. Bijna alle Ethiopiërs en Eritreeërs die ik in Duitsland kende, allemaal kennissen en familie die ook mijn familie kenden, woonden al lang in Duitsland en hadden allang Duitse paspoorten – anders mochten ze immers niet eens in Duitsland blijven. Het was dus een behoorlijk onmogelijke eis om drie mensen te vinden die mijn vroegere gezinssituatie kenden, die Ethiopisch waren, die in Duitsland woonden en ook nog een Ethiopisch paspoort hadden.

Berustend stopte ik de stapel formulieren die de vrouw me over-handigde in mijn tas en strompelde Afrika weer uit, de donkere, gasverlichte zijstraat in Lichterfelde weer in. Er was dus toch geen wonder gebeurd, maar ik had een gevoelsdouche uit mijn vader-land over me heen gekregen: wat stond ik machteloos tegenover nationalistische haat! Een stugge bureaucratie waar niet doorheen te breken viel. Nagenoeg onwrikbare vooroordelen, waar ze niet van af te krijgen waren...

Wat werkte de verguisde Duitse bureaucratie dan snel! Ik was nog maar twee dagen voor mijn rondgang langs de ambassades bij de burgerlijke stand geweest om een reservepaspoort aan te vragen, omdat ik een deel van de ellende al had voorzien en wist dat de Ethiopiërs me hun land niet zouden binnenlaten als ze een Eritrees inreisstempel in mijn paspoort zagen staan – en omgekeerd. Dat niet alleen een verkeerd stempel mijn toegang tot het land kon ver-hinderen, maar zelfs een 'verkeerde' geboorteplaats, had ik nooit gedacht.

Weliswaar had ook bij de burgerlijke stand een van de oudere, afwijzende dames het me moeilijk willen maken. Ze zei dat het niet zo snel kon als ik wilde, het ging 'weken duren'. Ik denk dat ze het op haar heupen kreeg omdat ze geen jong, zwart grietje wilde hel-pen. Het was haar duidelijk aan te zien dat ze daar moeite mee had. Maar, omdat ik wist dat het uitgeven van een paspoort normaal veel sneller ging, hield ik voet bij stuk en wilde haar baas spreken.

Toen zat de vrouw echt op de kast: 'Die zal u hetzelfde vertellen,' snauwde ze me toe. 'Daar valt niets aan te doen!'

Maar het liep anders. Ze moest me wel naar haar baas toe bren-gen. Nadat ik een minuut met hem had gesproken, was alles in kan-nen en kruiken en een dag later kon ik het nieuwe paspoort afhalen.

Dat is het verschil tussen de Duitse en de Afrikaanse bureaucra-tie: slechtgehumeurde ijzervreters heb je overal, maar in Duitsland kun je je ertegen verzetten. Als je echter bij een Afrikaanse instantie een klacht kwijt wilt, kun je net zo goed tegen de muur praten.

VOORBEREIDINGEN

Ook al was Ethiopië voorlopig van de baan, het stond me vrij naar Eritrea te reizen. Nu moest ik al mijn moed nog bij elkaar rapen om ook te gaan. Hoe meer de vertrekdatum naderde, hoe meer mijn moed leek te slinken. Om mezelf duidelijk te maken hoe ver ik met de voorbereidingen voor de reis was, legde ik op een avond alles wat ik had verzameld voor me op tafel. Mijn ticket. Het paspoort met het kamelenstempel erin: mijn Eritrese visum. Het spiksplinternieuwe inentingsbewijs, waar ik in het instituut voor tropische geneeskunde meteen een paar stempels in had verzameld – polio, difterie, tetanus, kinkhoest, hepatitis A, tyfus, gele koorts. Een paar dagen had ik mijn armen door de prikken en de zwellingen nauwelijks kunnen optillen en er was een draaierig gevoel door mijn lichaam gegaan, dat volgepompt was met de beste vaccins die er te krijgen waren.

Ik vond het pervers dat ik me op mijn reis beschermde met medicamenten waarvan Afrikanen alleen maar konden dromen omdat ze zich die niet konden permitteren. Is het niet absurd dat de mensen die hun hele leven zijn blootgesteld aan tropische ziekteverwekkers meestal niets kunnen doen om zich ertegen te beschermen, terwijl wij rijke Europeanen ons volstoppen met alle denkbare middelen, ook al verblijven we maar een paar dagen of weken in Afrika? Ik had vroeger in Eritrea zonder enige medische verzorging geleefd – niet in schone hotelkamers met airconditioning, maar net als de meeste andere mensen in huizen die in Europa in het beste geval voor schuur zouden doorgaan, vol ongedierte, muggen en kleine knaagdieren. Ik had onder de blote hemel geslapen, in tenten, in gebrekkige onderkomens en niemand van ons had muskietennetten, antimuggensprays of tegen insecten geïmpregneerde kleding – ik denk dat niemand van ons toen wist dat er überhaupt zulke dingen bestonden.

Dat lag nu allemaal voor me op tafel: No-Bite-spray, Autanlotion, malariapillen voor het geval ik ook door de laagvlakte in het westen van Eritrea zou reizen waar veel malaria heerste, pillen tegen misselijkheid en diarree, aspirine en zelfs tabletten om water te desinfecteren. Dat was weliswaar een behoorlijke collectie, waar elke

Afrikaanse apotheek trots op zou zijn geweest, maar in de strijd tegen de schaduwen van mijn verleden, tegen mijn onzekerheid en tegen mijn gevoel van verscheurdheid tussen twee culturen waren het in het gunstigste geval placebo's.

Ik was niet bang dat ik in Afrika zou worden overvallen, bestolen of ontvoerd. Ziektes, wilde dieren en ook menseneters vormden geen bedreiging voor me. Ik was alleen bang dat mijn familie me zou afwijzen en dat was bedreigender voor me dan welke struikrover, leeuw of alligator ook. Stel dat mijn oudtante beledigd was omdat ik zo lang niets van me had laten horen? Stel dat mijn stiefmoeder Abrehet, de moeder van Yaldiyan en Tzegehana, me niet wilde ontvangen omdat ze van haar dochters de vreselijkste dingen over me had gehoord? Stel dat ze me de toegang zou ontzeggen tot alle familieleden die ik nog wilde leren kennen?

Als ik me voorstelde wat er allemaal kon gebeuren trok mijn maag zo samen dat ik zin had het doosje maagtabletten aan te breken. Ik had ze al in mijn hand toen een innerlijke stem me beval ze weer in mijn reisbagage te stoppen. O, kon ik dat duiveltje in me, dat me constant belaagde, maar tot zwijgen brengen!

Toen bezwaren, angstfantasieën en boze vermoedens me de avond voor mijn vertrek al bijna op de rand van een crisis hadden gebracht, besloot ik tegengas te geven. Ik nodigde een paar vrienden uit om mijn afscheid te vieren in een Eritrees restaurant bij mij in de buurt. De verhalen van de anderen leidden me af van mijn eigen verhaal, de *enjera* smaakte bijna net zo goed als die mij de volgende avond in Asmara zou smaken en zowel de Eritreeërs als de Ethiopiërs onder mijn gasten waren ontroerd bij het idee dat ik over een paar uur al in het vliegtuig naar Afrika zou zitten. Niemand van mijn vrienden geloofde dat ik iets negatiefs van mijn familie kon verwachten, iedereen dacht dat ze enorm blij zouden zijn me te zien, ook al hadden ze al lang niets meer van me gehoord.

Bij het horen van zoveel positieve dingen namen mijn twijfels af. We brachten rijkelijk toosten op elkaar uit en 's avonds laat viel ik in een korte, bijna droomloze slaap, tot de wekker me terughaalde in het hier en nu: het was tijd voor Afrika!

De luchthaven van Frankfurt had ik altijd al angstaanjagend gevonden. Er haasten zich te veel mensen door de gangen, er zijn te veel
verlichte aanwijzingsborden en ik krijg er te weinig lucht. Tussen
twee vluchten door moet je je elke keer door kilometerslange termi-
nals heen ploegen en zie je honderdduizenden gezichten. In die
gangen, die voor mij zo bedreigend zijn, vraag ik me altijd af
waarom mensen zichzelf het reizen zo moeilijk maken. Of is dat
nodig omdat zoveel mensen het thuis simpelweg niet uithouden?

Ondanks die anonieme mensenmassa's gebeurde er in Frankfurt
iets merkwaardigs: hoe dichter ik me naar de vertrekgate toe wist te
bewegen, hoe meer mensen ik herkende. Toen ik nog maar een paar
gates van mijn doel verwijderd was, kwam al snel bijna de helft van
de gezichten me vertrouwd voor en toen ik de stewardess mijn
instapkaart toonde, had ik bijna het gevoel of ik op een verjaardags-
feestje was. Overal vandaan knikten de mensen elkaar toe. Wildvreemde mensen, die ik nog nooit had gezien, glimlachten naar me.
Passagiers die zich uit de grote stroom hadden losgemaakt, die de
mensen van de ene gate naar de andere dreef, en voor dezelfde
vlucht waren gekomen als ik, wierpen me samenzweerderige blikken toe. Er werd gegrijnsd, gezwaaid en gegroet als op een feest van
een heel oude en heel grote familie, behalve dat de gasten bijna allemaal jong leken.

Maar in zekere zin kwamen hier inderdaad de familieleden van
een heel oude en heel grote familie bij elkaar. Wij *hawesja* herken-
den elkaar, wij Eritreeërs, die verstrooid over heel Europa leven,
gevlucht voor de honger in ons vaderland. Wij waren allemaal vertrokken omdat er thuis geen mogelijkheid was om aan een echte
baan te komen, waarvan een gezin niet mondjesmaat maar op wat
langere termijn van kon leven. We waren gevlucht voor de politieke
uitzichtloosheid in Eritrea, hadden de strenge moraal de rug toegekeerd, die daar heerste ondanks alle principes van marxisme, vrijheid en gelijkheid, waar het Eritrese regime prat op ging. Sommigen van ons, die in deze wachtruimte op de Frankfurtse luchthaven
bijeen waren gekomen, waren niet zelf gevlucht, maar behoorden
– net als ik in zekere zin – tot de tweede generatie vluchtelingen, het

waren de nakomelingen van mensen die gevlucht waren voor een realiteit waarin ze voor zichzelf geen mogelijkheden zagen om te overleven.

Wat ons verbond en naar elkaar liet lachen was niet alleen onze gemeenschappelijke geschiedenis, die ons tot vluchtelingen had gemaakt. Wat ons al een band gaf voor we ook maar een woord met elkaar hadden gewisseld, was de wetenschap dat we alweer op de vlucht waren – ook al was het de andere kant op en met andere middelen dan de eerste keer. Deze vlucht zou ons weliswaar niet op ezels door de woestijn voeren, niet op rubbersandalen over doornige steppen of door drooggevallen rivierbeddingen. Ditmaal zwierven we niet over rotsige bergruggen, maakten we ons niet heimelijk uit de voeten, hoefden we ons niet te verkleden als bedoeienen, bedelaars of water zoekende boeren. Ditmaal vlogen we keurig netjes op een rijtje in de economy class van Lufthansa, elk met ons eigen paspoort, een ticket en een instapkaart. We vlogen goed verzorgd met een kippenbout en courgette, met blikjes bier en glazen champagne, met zoute stengels en pinda's. Maar ik denk dat we dat juist wilden ontvluchten. We namen de benen voor de overvloed die we allemaal dagelijks in Europa hadden. Die zelfs de armste uitkeringstrekker onder ons aan den lijve had ondervonden, vergeleken met de armoede bij ons thuis, in Eritrea. We gingen op de loop voor het teveel aan spullen en het gebrek aan gevoelens dat we in ons nieuwe vaderland ervoeren. We maakten ons uit de voeten voor de alomvattende netheid. We ontvluchtten de orde, die zo perfect is dat wij er bijna niet tegen kunnen.

Natuurlijk wisten we allemaal dat die orde, veiligheid en netheid hun goede kant hebben, en natuurlijk wilden we die verworvenheden in geen geval missen. Niemand van ons wilde voorgoed terug naar Afrika – dat nam ik in elk geval aan toen ik mijn glimlachende en westers modern geklede landgenoten op de schone stoelen in de schone lounge zag wachten – maar we hadden allemaal wel een time-out van al die dingen nodig.

Gerustgesteld haalde ik adem. Ja, dit was de juiste film, hier paste ik. Ik dankte God dat hij me niet op het laatste moment had laten terugschrikken voor deze trip naar het verleden, want ineens had ik het gevoel dat niets ter wereld me zo goed zou doen als deze reis.

Tevreden over mijn beslissing liet ik me in de vliegtuigstoel ploffen, deed mijn ogen dicht en genoot ervan om er gewoon te zijn.

Plotseling zei een beleefde vrouwenstem naast me: 'Hallo Senait, ik ken jou.'

Omdat ik van bijna alle mensen aan boord al hetzelfde had gedacht, verbaasde dat me totaal niet. Nog slaperig van de korte nacht keek ik knipperend naar rechts in twee glasheldere ogen, die zo groot waren als kleine meertjes.

'Ik ben Flora,' zei de kersenrode mond die bij de twee ogen hoorde. 'Ik ken je van de televisie.'

Normaal gesproken kan ik er niet zo goed tegen om aangesproken te worden, alleen omdat iemand me in een tijdschrift heeft gezien of in een praatprogramma. Ik houd niet van het oppervlakkige geklets waar het in dat soort situaties meestal op neerkomt: 'Hoe gaat het met je? Wat ga je verder nog allemaal doen? Ik vind je muziek mooi. Wat vreselijk dat je dat allemaal hebt meegemaakt...' Maar terwijl ik dat allemaal – en vooral het medelijden – kan missen als kiespijn, beviel Flora's manier van doen me, die had niets opdringerigs en was toch gekruid met een gezonde, frisse nieuwsgierigheid.

Meestal werd ik overigens herkend door Afrikanen, hoewel heel wat meer Duitsers me in de media hadden gezien, vooral bij mijn optredens rond het nationale Songfestival, waaraan ik een jaar daarvoor had deelgenomen. Dat komt waarschijnlijk doordat blanken zwarten niet goed uit elkaar kunnen houden – voor hen hebben alle Afrikanen dezelfde donkere huidskleur, hetzelfde kroeshaar en dezelfde volle lippen. Zo vreemd is dat niet; voor ons Afrikanen zien alle blanken er ook hetzelfde uit, vooral voor Afrikanen die nog niet zoveel blanken hebben gezien.

Flora en ik kwamen snel in gesprek. Ze woonde in Frankfurt en was onderweg naar de bruiloft van een van haar zussen in Asmara.

Bruiloft? Bij dat woord gingen bij mij de alarmbellen al rinkelen. Flora biechtte me meteen op dat zij er net zo tegenover stond als ik, waarmee het ijs volkomen gebroken was, als er al sprake was geweest van ijs. Eigenlijk had ik mijn buurvrouw al in mijn hart gesloten toen ze me haar naam noemde: Flora. Zo heet ook mijn allerliefste jongste zus, of eigenlijk halfzus, omdat ze wel de dochter van mijn vader is maar een andere moeder heeft dan ik, namelijk Werhid, de derde vrouw van mijn vader. Maar ik heb een hekel aan het woord 'halfzus', het riekt naar amputatie en afgunst en andere vreselijkheden. Dus heb ik besloten dat Flora net zo goed mijn zus is als mijn andere zussen – die overigens ook slechts 'halfzussen' van mij zijn.

Bij het onderwerp trouwen begrepen we elkaar door en door. 'Ik ben zesentwintig en mijn moeder maakt zich al ernstig zorgen of ik niet "overblijf", zei Flora giechelend.

'Ik krijg te horen dat ik nog een oude vrijster word, als ik niet snel een kind krijg,' biechtte ik op en ik moest zo lachen dat de mensen drie rijen verder zich omdraaiden.

Flora en ik praatten algauw alsof we elkaar al jaren goed kenden. We konden ons allebei opwinden over de gebruiken en morele opvattingen van onze Afrikaanse landgenoten en er hartelijk om lachen zonder ze belachelijk te maken, omdat we wisten dat het hun goed recht was om die ideeën te hebben. We vonden echter ook dat wij het recht hadden om naar onze eigen denkbeelden te leven.

Dus knabbelden we verder op onze pinda's en dronken allebei nog een blikje Duits bier en twee glazen gin-tonic. We bedankten Lufthansa voor de uitgebreide verzorging – ons ervan bewust dat die meteen na onze landing in Eritrea zou eindigen. Niet dat daar geen bier of gin was – zelfs al is er in derdewereldlanden verder niet veel, alcohol valt overal te regelen. We wisten echter maar al te goed dat vrouwen daar geen alcohol dronken en dat we in onze families met een mengeling van ontsteltenis en afschuw behandeld zouden worden als we een borrel namen of als ze ons met een sigaret in de hand zouden betrappen. Alcohol en nicotine, aldus een onwrikbaar Eritrees principe, zijn alleen voor mannen. Niet dat we ons daarom nu wilden bedrinken – maar we vonden het gewoon leuk om een keer en nog een keer op ons gemeenschappelijke lot te toosten.

Onze stemming bleef ook goed door het feit dat er bijna alleen zwarten zaten, afgezien van een paar blanke rugzaktoeristen en ontwikkelingswerkers. Dat klinkt misschien niet zo bijzonder, maar dat is het wel voor iemand als ik en waarschijnlijk voor de meeste Afrikanen die in Duitsland leven: niet de enige zwarte onder alleen blanken te zijn. Daar kwam nog het eigenaardige feit bij dat we uitsluitend door blanke vrouwen werden bediend – ook dat is bevreemdend, want als je in Berlijn zwarten ziet, dan zijn het meestal hamburgerbakkers, schoonmaaksters of dienstpersoneel in de breedste zin van het woord, die de rotzooi van de blanken opruimen. Dat betekent niet dat Duitsers racistisch zijn, het betekent alleen dat ik mensen van mijn huidskleur normaal gesproken alleen in een dienende functie zie, wat op den duur niet zonder psychische gevolgen blijft. Dat het aan boord van het Lufthansavliegtuig juist omgekeerd was, was voor Flora en mij aanleiding om nog twee gin-tonics te nemen.

Tussen de drankjes door genoten we van het uitzicht uit het cabineraampje. Het Europese wolkendek had allang plaatsgemaakt voor een hogedrukgebied, waardoor we oneindig ver konden kijken. Een vlakte waar niets anders leek te zijn dan stenen, zand en nog meer stenen.

Hoe verder zuidwaarts we vlogen, hoe dieper de schaduw werd die zich meester maakte van het uitgestrekte land. Terwijl de hemel bloedrood werd, verzonk de aarde in een ondoordringbare duisternis. Toen de zon was verdwenen en de schaduwen omhoogreikten tot in de lucht en maar een klein restje licht overlieten, werd ik me bewust van het bijzondere van dit natuurschouwspel: geen enkel menselijk licht doorbrak de grote duisternis op aarde. Daarbeneden waren geen glinsterende steden te zien, geen snelstromende lichtbanden van snelwegen, geen helverlichte landingsbanen, geen lampen die op felgroene sportvelden gericht stonden – daar beneden was het gewoon alleen maar donker. Het was zo donker als het maar kan zijn in een oneindige nacht, die als een zware deken over een heel continent ligt. Ik stootte Flora nog een keer aan en voelde gewoon lichamelijk dat we op een ander continent zouden landen. In een wereld die volkomen anders was dan de wereld waarvan we vanochtend vergeten waren afscheid te nemen.

AFRIKA!

Die andere wereld doemde op toen we afscheid namen van de Duitse stewardessen. Ze glimlachten routineus en afstandelijk naar ons, alsof we net in Frankfurt of Hannover waren gearriveerd. Ze namen afscheid van ons alsof het hier hetzelfde was als overal elders. Alsof er buiten een bus stond om ons naar de volgende terminal te brengen, vanwaar we verder zouden reizen met de metro of de taxi. En dat terwijl alles hier heel anders was dan in Hamburg, Stuttgart of Paderborn-Lippstadt.

Al bij mijn eerste stap op de vliegtuigtrap voelde ik dat ik in mijn land was aangekomen. Gulzig zoog ik de nachtelijke winterlucht van het Eritrese hoogland in en het scheelde maar weinig of ik huilde toen ik dat heel speciale briesje van Asmara in mijn neus voelde. Doordat het zo veel tijd had gekost om mijn reis te regelen, was de herfst allang afgelost door de winter, zodat ik nog maar een paar uur daarvoor, kort na de middag, bij een paar graden onder nul in het vliegtuig was gestapt. Nu was het bijna elf uur 's avonds en de Eritreeërs sidderden van de kou, die mij weldadig aandeed. Wellicht lag dat aan de enorm lage luchtvochtigheid, aan de hoogte – Asmara ligt bijna tweeduizend meter boven de zeespiegel – of gewoon aan het feit dat ik nog veel te warme kleren aanhad. Het kan echter ook aan mijn opwinding hebben gelegen dat ik geen kou voelde. Ik was zo opgewonden dat ik bijna niet merkte wat er om me heen gebeurde.

Het vliegveld van Asmara moet je je voorstellen als een busstation waar af en toe een vliegtuig aankomt. Alles is klein en overzichtelijk, rustig en ongedwongen, alsof het alleen is ingericht voor een paar reizigers die van Berlijn naar Potsdam zijn gereisd.

De passagiers slenterden te voet naar de terminal, wat geen gevaar opleverde omdat er nergens een voertuig of een ander vliegtuig te zien was. Voor de ingang observeerden een paar jongens in alle rust onze aankomst en knikten vriendelijk naar ons. Werkten ze? Bewaakten ze de landingsbaan? Wachtten ze op vrienden die aankwamen? Je kon het niet aan ze zien, maar dat was verder ook niet belangrijk. Als ik Afrika een beetje ken was het niet eens zeker of ze zelf wel wisten wat ze deden.

Ik haalde nog een keer diep adem, voor de tweede keer in de drie minuten dat ik in Afrika was. Maar het was niet de avondlucht die ik inzoog, het was de rust. De nonchalance die overal overheen lag. Wie zich hier gehaast gedroeg, maakte zich voor dit ontvangst-comité belachelijk. Dus wandelden we heel ontspannen het lage gebouw binnen, waar niet eens 'Asmara' op stond.

Binnen kregen we dan toch nog de gebruikelijke luchthaven-stress te verstouwen: visum, inreisformulier, deviezenverklaring en weet ik wat niet al – de hele papierwinkel die vervolgens op stoffige planken ligt te beschimmelen als hij niet door de in kleine glazen doosjes opgesloten, verveelde beambten meteen na hun dienst in de vuilnisbak wordt getrapt.

Bitter stelde ik vast dat ik hier niet anders werd behandeld dan bij de Duitse douane – mijn paspoort werd door de beambten bij-zonder nadrukkelijk gecontroleerd. De meeste Eritreeërs konden zonder problemen doorlopen en ook de paspoorten van de paar blanken leken de douaniers niet bijster te interesseren. Maar het Duitse paspoort met mijn zwarte gezicht erin en ook nog met de regel 'geboorteplaats: Asmara' leek een bijzondere aantrekkings-kracht op hen uit te oefenen. Telkens weer bladerde de paspoort-controleur erin, hij haalde er vervolgens een tweede beambte bij en daar kwamen de vragen al: 'Waarom heb je een Duits paspoort?' 'Wat wil je in Eritrea gaan doen?' 'Waar kom je vandaan?'

Ik moest me beheersen om niet brutaal te worden: waar moest ik wel vandaan komen als er nergens een ander vliegtuig te bekennen was dan de airbus van Lufthansa? Hoe had ik in Duitsland zonder Duits paspoort moeten leven? Wat zou ik wel in Asmara gaan doen?

'Ik ga op familiebezoek, wat anders?' blafte ik ongeduldig tegen de douanier.

Dat antwoord leek hem op te vrolijken, hij grijnsde over zijn hele gezicht. 'Ah, familie, dat is goed,' zei hij in plat Tigrinja, de taal die ik heel vanzelfsprekend, maar zonder dat het me was opgevallen, had gesproken sinds Flora naast me was komen zitten. 'Ik wens je het allerbeste!' En met een luide knal sloeg hij zijn stempel in mijn pas-poort en op de inreispapieren en liet me vriendelijk doorgaan.

Ik schudde mijn hoofd. Hoe had ik nu al, bij het binnenkomen van het land, kunnen vergeten dat ik weer in Afrika was en dat ik mijn Duitse rationaliteit beter een paar weken kon vergeten?

Achter de deur die de ruimte met de bagageband met moeite afschermde van de aanstormende luchthavenbezoekers en de afhalers, ging er een golf van uitroepen, gekrijs, armen, gezichten en witte doeken over me heen. Een golf mensen, klaar voor de aanval, die zo luidruchtig op de mensen wachtten van wie ze hielden dat een nieuwkomer in Eritrea de eerste twijfels kreeg. Met tegenzin opende zich een pad toen ik noodgedwongen op de muur van mensen afstapte om iets verder mijn land binnen te komen.

Nu moest ik voorlopig afscheid nemen van Flora, die van de armen van de ene broer of zus in die van de andere werd geduwd. Ik voelde me ook een beetje gedeprimeerd omdat geen van de verwelkomend uitgestrekte armen voor mij bedoeld waren, maar zo had ik het zelf gewild en ik had niemand verklapt op welke datum ik aankwam. Ik wilde zelf bepalen wanneer ik eraan toe was om mijn familie onder ogen te komen.

DE TORENKLOK

Voor het vliegveld stonden de hyena's te wachten. Dat zijn niet de ruige roofdieren die in Eritrea alleen nog op het platteland te zien en vooral te horen zijn als ze 's nachts lachend om hun voedselbronnen heen zwerven. Hier op de parkeerplaats zijn de hyena's naar opdrachten hunkerende taxichauffeurs, die passagiers zoeken voor hun gedeukte gele Fiats of hun spiksplinternieuwe gele Kia's. Om die hyena's te ontlopen laten bijna alle passagiers zich afhalen – behalve ik.

Voor de hyena's zich op me konden storten, ontdekte ik Dawit. Normaal gesproken heb ik niet zo'n hoge pet op van mijn mensenkennis, maar soms krijg ik bij iemand die ik voor het eerst zie meteen het juiste gevoel. En deze kleine, naar Eritrese maatstaven bijna gezette taxichauffeur met zijn uitpuilende ogen en zijn kindergezicht kon gewoon niets kwaads in de zin hebben. Dus stapte ik in zijn knalgele Kia voor ik had onderhandeld over het tarief. De hyena's had ik afgeschud, ik was op weg naar de stad – mijn stad! – en dat was de hoofdzaak.

Wat zag Asmara er bij nacht mooi uit! De straten lagen er rustig bij, achter de silhouetten van de palmen waren vaag villa's met kantelen en torentjes te zien, handelshuizen met bogen en balustrades en architectonisch gewaagde kantoren, tankstations en openbare gebouwen uit de jaren dertig en veertig met voorgevels als uit een vroege film van Fellini. Het zag eruit alsof ik hier in het nachtelijk verlaten Rimini, in Ostia of in de Cinecittà van bijna zeventig jaar geleden was beland.

Mijn dromen werden nog meer gevoed toen we over de Liberty Avenue reden, de straat van de vrijheid, de grootste en enige boulevard van de stad. Dat was mijn kleinemeisjesdroom: langs die straat flaneren als ik ooit groot was, ongestoord, zonder toezicht. Hier gewoon op en neer lopen, net als de andere mensen, de Asmarino's, die niet zoals ik in een weeshuis woonden of bij hun oma, die er streng op lette dat je niet het verkeerde pad op ging! Wat had ik de wandelaars bewonderd die het niet om prozaïsche dingen ging als inkopen doen of in een café zitten! Geld had sowieso niemand – op deze straat was alleen zien en gezien worden belangrijk.

Alleen dat telde: met wie ging je uit, wie ontmoette je, door wie werd je begroet? Dat waren de vragen waarmee mijn oudere broers en zussen zich afpijnigden als ze aan de boulevard dachten die toen, nadat de Ethiopische keizer Haile Selassie ten val was gebracht door de nieuwe absolutistische, marxistische heerser over Ethiopië Mengistu Haile Mariam, nog niet Liberty Avenue maar Revolution Avenue heette. In zijn rijk was Eritrea in mijn jeugd niet meer dan de armoedigste, onbelangrijkste provincie in het stenige noorden van het land.

De gele Kia stopte midden op de boulevard. Voor me rees het hoogste gebouw van de stad, ja zelfs van het hele land, op. Het was zo hoog dat ik de spits ervan vanuit de auto niet kon zien. Werktuiglijk stapte ik uit, de rillingen liepen me over de rug. Op de slanke toren van rode baksteen prijkte een grote, witte klok met Romeinse cijfers. Van het hoofddak van een Italiaans aandoende kathedraal zwaaide iemand naar me. Ingespannen staarde ik naar de nachtelijke hemel, maar ik kon de figuur daarboven nauwelijks herkennen, want op het gebouw viel slechts een flauw schijnsel van de straatverlichting dat naar boven in de zwarte nachthemel verdween – in Eritrea heb je geen verlichte gebouwen. Maar het wezen daarboven was waarschijnlijk een vrouwengestalte. Een engel, die de arm in een groet omhooghief.

'We zijn er,' zei Dawit onzeker. Hij merkte dat ik heel ergens anders zat met mijn gedachten. Ik staarde naar de kerk, keek zwijgend naar de trap die omhoogging naar de hoofdingang. Daarna naar de toren en vooral naar de klok daarboven. Als aan de grond genageld stond ik op de uitgestorven boulevard en zag mijn jeugd voor me: hoe ik met de andere kinderen uit het tehuis die trap op was gemarcheerd, altijd met z'n tweeën, hand in hand, vooraan de blanke kinderen, als laatste wij zwarten. Helemaal voorop een non in haar enorm brede habijt, met iets merkwaardigs op haar hoofd, wat ik me niet meer helemaal voor de geest kon halen. Dat moest zo'n gesteven witte kap zijn geweest die kloosterzusters dragen.

Het sterkste gevoel had ik bij de klok op de kerktoren. De witte schijf met Romeinse cijfers had zich onuitwisbaar in mijn geheugen gegrift, en nu ik die klok na bijna vijfentwintig jaar voor het eerst weer zag, kwamen de beelden van toen weer boven. Een half uur geleden had ik nog niets over deze klok kunnen vertellen, en nu herinnerde hij me er als de dag van gisteren aan hoe hij me elke keer aan het piekeren bracht als we met de nonnen naar de kerk gingen om te bidden en voor het taalonderwijs. Als kind was ik al gek op cijfers, waardoor ik ook tegenwoordig nog elk telefoonnummer, elk factuurbedrag en elke geboortedatum meteen kan onthouden. Ik hield ervan om te tellen, te rekenen en klok te kijken. Maar deze kerkklok wilde mij zijn geheim niet prijsgeven omdat ik de Romeinse cijfers niet kon lezen.

'Hoe geeft deze klok de tijd aan?' had ik zuster Florina een keer gevraagd en ik weet haar antwoord nog: 'Senait, dat is te moeilijk voor je. Dat kun je nooit leren.'

Toen heb ik waarschijnlijk gekwetst gezwegen – ik durfde vast niet te protesteren, want we waren gewend onze zusters strikt te gehoorzamen. Maar zuster Florina wakkerde daarmee mijn liefde voor getallen nog meer aan. Ik ga alle getallen van deze wereld leren, dacht ik toen koppig, en nu helemaal.

Ik zag mezelf als kind de reusachtige zwarte buik van de kerk binnengaan. Ik voelde die mengeling van angst en gespannen verwachting weer. Het kwam opnieuw in me boven, het gevoel van machteloosheid tegenover dit machtige bouwwerk, dat me toen bovenaards groot had geleken en dat ik nu nog steeds groot vond, maar ook niet groter dan een gemiddelde bakstenen kerk in Kreuzberg in Berlijn. Een paar momenten stond ik weer als klein zwart meisje onder de hoede van strenge, blanke nonnen en bad vol eerbied en verlangen tot de beelden van de mooie, witte vrouw met de blauwe, met sterren bezaaide mantel die ze allemaal *Madre Maria* noemden. Dat had me emotioneel echter niet bevredigd en deed me alleen maar meer verlangen, want ik was toen al oud genoeg om te begrijpen dat het mij in mijn kleine, zwarte leven vooral aan één ding ontbrak: een moeder.

'Hallo,' zei een stem achter me voorzichtig, 'we zijn bij het hotel.'

Verbaasd draaide ik me om – ach ja, daar stond Dawit, mijn chauffeur, naar me te glimlachen. Ik was niet meer het kleine meisje van toen, ik was een volwassen vrouw op zoek naar zichzelf. Op zoek naar haar Afrikaanse leven. Met moeite maakte ik me los van de aanblik van de toren, dwong mezelf uit alle macht terug te keren in het heden, draaide me om en keek naar het zakelijke gebouw aan de overkant van de straat, waarop boven de ingang in zwak verlichte letters 'Hotel Ambassador' stond.

'Ja,' zei ik tegen Dawit, 'laten we maar eens kijken of ze een kamer voor me hebben.'

AMBASSADOR

Toen ik de volgende ochtend voor het eerst een blik uit mijn kamer op de zesde verdieping op de straat beneden wierp, werden de mijmeringen van gisteravond in één klap weggevaagd. Voorzichtig schoof ik het gordijn opzij om als een detective onbespied naar buiten te kunnen gluren, maar die voorzorgsmaatregel was niet nodig – geen mens leek ook maar de minste belangstelling voor de voorkant van het hotel of voor mijn kamerraam te hebben.

Ik was juist des te geïnteresseerder in mijn omgeving. Met open mond staarde ik naar beneden – de Liberty Avenue was stampvol mensen. De meesten waren te voet onderweg. Op de rijbaan ploegden zich slechts een paar walmende bussen, taxi's en ouderwetse vrachtwagens tussen de voorbijgangers door, slechts heel af en toe reed er een gewone auto doorheen. Het zag er zonnig, heet, levendig en extreem zuidelijk uit, vooral omdat de straat aan beide kanten omzoomd werd door stokoude palmen, die de Italianen tijdens de koloniale overheersing hadden geplant.

Doordat ik een hoekkamer had, kon ik ook een blik achter de coulissen werpen, op de achterkant van de Italiaanse gestuukte voorgevels, die er bij daglicht zelfs op deze afstand behoorlijk vervallen uitzagen. Wat zag Asmara er vanuit mijn tweede raam anders uit! Beneden was een eindeloos uitwaaierend labyrint te zien. Een wirwar van binnenplaatsen, golfplaten daken, waslijnen, vuilnishopen, tralievensters, stoffige straten, borden, televisie-antennes en afbrokkelende muren, met hier en daar mensen die door het labyrint heen liepen, met honden, kippen, katten en een paar gestalde fietsen. Op het dak van een schuur direct onder mijn raam stond een vastgebonden geit, die in een bepaald ritme mekkerde – dat was dus het geluid dat ik half slapend al een paar uur had gehoord, half bewust, half onbewust, zonder te kunnen zeggen of het van een mens, een dier of een machine was, want de geit was door haar gemekker al zo hees dat het nauwelijks meer als zodanig te herkennen was. Arm beest, dat daar zo hulpeloos en zonder water aan het korte touw stond te trekken – waarschijnlijk was de eigenaar niet thuis en had haar daarboven vastgebonden zodat een vreemde haar niet zou stelen.

De eerste blik naar buiten maakte al duidelijk dat ik hier in een andere wereld was, maar het werd nog duidelijker toen ik mijn blik door mijn kamer liet gaan. De vorige avond was ik zo moe geweest dat ik er nauwelijks op had gelet. Nu keek ik beter en stelde vast dat er sinds de jaren zestig of zeventig, toen het hotel was gebouwd, niet veel meer aan was gedaan, er was in elk geval geen onderhoud gepleegd. Het behang kwam van de muren, de vloerbedekking golfde, de kastdeuren hingen scheef, de lampen verspreidden een vaag onderwaterlicht, het televisiebeeld flikkerde en de tegels in de badkamer vertoonden uitgebreide patronen van barsten en krassen. Een ramp, zei het Duitse district van mijn ziel – een kamer die er qua comfort mee doorkan, zei de Afrikaanse zone in me, die de komende dagen de overhand zou krijgen. Een goed hotel, zei die zone, want er was stromend water dat er helder en doorzichtig uitzag en soms zelfs een beetje verwarmd was. Ook was er een doorspoeltoilet, er was wc-papier en zelfs weliswaar verbleekte, maar toch schone handdoeken – mijn liefje wat wil je nog meer? Het Ambassador deed zijn hoogdravende naam alle eer aan.

BOULEVARD

Wat is de grens tussen mijn bescheiden luxe en de wereld hierbuiten smal, dacht ik toen ik uit de donkere lobby de zonovergoten Liberty Avenue op liep. Slechts één matte ruit scheidde de donker ingerichte receptie van de oorlogsinvaliden met hun handgemaakte krukken, die snel over de rijbaan hinkten als er een zwart walmende bus aankwam. Slechts de dunne sluier van een grijs geworden gordijn benam de haveloos geklede kinderen, die op het trottoir voor het hotel stonden te bedelen, het zicht op de slaperige dames achter de met handgeschreven rekeningen bezaaide balie. Slechts een portier in een donker pak weerhield mensen in rolstoelen, beschonken mensen en iedereen die niet westers genoeg gekleed was ervan om binnen een glas cola te drinken.

Als ik die broze grens ben gepasseerd, dacht ik, duik ik onder in de andere wereld daarbuiten. Zodra ik in de Afrikaanse zon ben, ga ik onder in de golven van het straatleven van Asmara. Om niet op te vallen onder de Asmarino's had ik een goedkope spijkerbroek aangedaan, een merkloos t-shirt en een luchtig jasje. Je hoefde geen jas aan, zoals veel plaatselijke bewoners hadden, want het was die winterochtend weliswaar niet erg warm zolang de nevel bleef hangen, maar het was twintig graden – twintig graden warmer dus dan in het winterse Berlijn dat ik net was ontvlucht.

Ik voelde me een toerist terwijl ik tussen alle andere wandelaars onder palmen de boulevard af slenterde. Zonder doel, zonder kennissen, vrienden, familie, net uit het vliegtuig, met een hotel als verblijfplaats. Zo had ik mijn anonieme aankomst in Eritrea ook gewenst: ik wilde me eerst rustig installeren, me oriënteren, er gewoon zíjn en voelen hoe dat was. Zou ik me hier thuis kunnen voelen? Dat was de eerste vraag die ik mezelf had gesteld.

Zo liep ik langs de verbleekte koloniale gevels. Langs winkels die eruitzagen of hun etalages al tien jaar niet waren veranderd en tussen mensen door die gekleed gingen alsof ze al tien jaar geen nieuwe kleren hadden kunnen kopen. De Asmarino's leken zich echter vooral zorgen te maken om het weer. Ze beschermden zich tegen dik twintig graden kou met truien en regenjassen, hoewel het bijna honderd procent zeker was dat het de komende weken niet zou regenen, want de regentijd was allang voorbij. Of ze deden wat ze konden om zich tegen de zon te beschermen; vrouwen, maar ook mannen, hielden een krant, een boek of een handtas schuin voor hun gezicht om het te beschaduwen. Sommige vrouwen liepen zelfs met een paraplu op om niet nog donkerder te worden door de zon, want niets in Afrika staat zo laag in aanzien als een donkere huidskleur.

Het klinkt misschien merkwaardig, maar niet elk zwart is hetzelfde, er zijn honderden verschillende nuances, die alleen de blanken als één pot nat zien, omdat ze ze niet uit elkaar kunnen houden. Wij Afrikanen kunnen dat heel goed. We kunnen niet alleen op grond van de huidskleur, maar ook aan de hand van de haren, de vorm van de lippen of de neus, ja zelfs aan de hand van de lengte of aan de manier van lopen vaststellen uit welk deel van Afrika iemand afkomstig is. Natuurlijk heb je op dit continent ook racisme, net als overal – Noord-Afrikanen voelen zich beter dan Centraal-Afrikanen, Oost-Afrikanen voelen zich superieur aan West-Afrikanen. Dat racisme hoeft niet meteen in bloedige stammenoorlogen te ontaarden – ook al gebeurt dat soms wel – maar het dient als middel om je sociaal te onderscheiden. Het geeft mensen het gevoel dat ze beter zijn, waardoor hele volkeren ten prooi vallen aan het waanidee dat ze verheven zijn boven andere volkeren.

Bij ons in Eritrea en ook in Ethiopië zijn een paar stammen zoals de Tigrinja, waartoe ik behoor, best licht – zo licht dat ze zichzelf niet zwart noemen. Ik heb Eritreeërs vaak over 'zwarten' horen praten, over 'negers' of zelfs over 'Afrikanen' – dan bedoelen ze altijd de anderen, de West- of Centraal-Afrikanen, maar nooit zichzelf.

Pas nadat ik een paar blokken ver was gelopen op de Liberty Avenue en honderden mensen was tegengekomen, werden me twee dingen duidelijk: hier had je geen blanken, alleen Afrikanen, en iedereen zag in één oogopslag dat ik uit het buitenland kwam.

Dat hier geen blanken waren vond ik prima, omdat ik me daardoor normaal voelde en eindelijk geen uitzondering was, maar dat iedereen me als een vreemdeling zag vervulde me met afschuw, want dat deed effect nummer één volkomen teniet.

De mensen beschouwden me volstrekt niet als een van hen, maar staarden me juist aan alsof ik van het andere eind van de wereld kwam – wat ook het geval was, alleen had ik gehoopt dat ze het niet zouden zien. Maar de mensen draaiden zich om en meisjes giechelden achter hun hand, vrouwen namen me streng op. Wat was het toch? vroeg ik mezelf met toenemende bezorgdheid af. Lag het aan mijn spijkerbroek? Waren het de paar lichte strengen kunsthaar die in mijn zwarte manen waren gevlochten? Of lag het aan mijn speciale, bijna mannelijke manier van lopen, wat misschien alleen kwam door de spijkerbroek en de gymschoenen die ik droeg in plaats van een rok en sandalen zoals de andere vrouwen?

Ik was voor het laatst in Afrika geweest toen ik negentien was. Toen had ik voor het eerst sinds ik van Soedan naar Duitsland was gereisd Eritrea en Ethiopië bezocht. Natuurlijk was ik tijdens dat bezoek ook al een vrouw, maar ik was nog heel meisjesachtig en Afrikaans, qua doen en laten, uiterlijk en kleding. Daar was nu geen sprake meer van. Maar waarom baarde ik zoveel opzien, alsof ik een wereldwonder was?

Ik kon onmogelijk iemand op straat gaan vragen waarom ze me allemaal zo aanstaarden. Ik had elke vreemdeling alles kunnen vragen, alleen deed ik dat niet, omdat iedereen meteen om die vraag had moeten lachen. Wie geeft nou toe dat hij iemand anders brutaal heeft aangestaard?

Flora! Dat was mijn redding – het meisje dat ik in het vliegtuig had leren kennen. Zij moest toch ook als vreemdeling worden aangestaard, zij begreep het probleem vast. Ik keerde ter plekke om en liep terug naar het centrum en vandaar in de richting van de betere wijken van Asmara, die zich uitstrekten achter de heuvel met de oude Italiaanse villa's – Flora had me gisteren nog uitvoerig de weg beschreven en me herhaaldelijk op het hart gedrukt bij haar langs te komen. Dat had ze niet zomaar gezegd, zoals dat in Duitsland vaak gebeurt zonder dat men er serieus rekening mee houdt dat de uitgenodigde eerdaags ook echt voor de deur staat. Flora had het oprecht gemeend.

Ze was blij verrast toen ik voor de tuindeur van haar huis stond en vroeg me meteen binnen. Haar familie woonde in een prachtig huis, naar Eritrese maatstaven was het een paleisje, met een lommerrijke tuin, twee verdiepingen, van elkaar gescheiden kamers en waarschijnlijk zelfs stromend water in meerdere vertrekken. Ook haar familie begroette me heel vriendelijk; Flora had haar zussen en haar ouders kennelijk over mij verteld. Ze waren allemaal bezig met de voorbereidingen voor het huwelijk en staken de handen stevig uit de mouwen. Ze waren als gekken aan het koken, schoven meubels heen en weer of bespraken opgewonden wat er nog allemaal gedaan moest worden. Ik was een beetje jaloers – zo'n vrolijke, complete familie die kennelijk goed met elkaar kon opschieten had ik ook graag gehad.

Maar wat was Flora veranderd! Ze droeg nu geen spijkerbroek meer, zoals gisteren in het vliegtuig, maar een wijde, lange, bonte rok. Ze had geen strak truitje meer aan, maar een blouse met lange mouwen en bont borduurwerk – geen Eritrese klederdracht, maar wel de kleding van een Afrikaanse vrouw. Zelfs haar haren stonden niet meer als wilde manen om haar hoofd, maar waren in allemaal nette strengetjes gevlochten. Ze merkte kennelijk dat ik haar uiterlijk aandachtig bestudeerde, want ze begon meteen te giechelen toen alle familieleden begroet waren en we met z'n tweeën konden praten. Omdat in dit huis alleen wij tweeën Duits kenden, hoorde niemand waar het over ging.

'Je zult wel denken dat ik gek ben,' zei ze zonder eromheen te draaien, 'maar dit heb ik liever dan lange discussies met mijn ouders. Je weet immers hoe ze op zulke dingen letten als een meisje nog niet getrouwd is...'

Ik moest lachen – die beste Flora hield ook met iedereen rekening. Tegelijkertijd stemde het me een beetje treurig. Ik zat weliswaar niet verlegen om iemand die me wilde dwingen bepaalde kleren aan te trekken, maar ik miste een familie die me, net als Flora's familie, liefdevol in de gaten hield.

'Is dat geen mooi gevoel?' vroeg ik, maar Flora schudde alleen half verlegen, half geïrriteerd haar schattige vlechtjes. Omdat ze die familie haar hele leven al had, wist ze het niet naar waarde te schatten, dacht ik.

Vanwege de aanstaande bruiloft, waar ze me nog een keer nadrukkelijk voor uitnodigde, konden we maar kort praten, maar het was ook niet meer echt nodig haar naar mijn ervaringen op de boulevard te vragen. Natuurlijk was het mijn westerse verschijning geweest – het losse haar en ook nog met highlights, het strakke jasje, de strakke broek, de losjes omgeslagen tas – die de aandacht had getrokken.

'Het is moeilijk te zeggen of je uiterlijk of je manier van doen de mensen in verlegenheid heeft gebracht,' stelde Flora me gerust. 'Het is alleen maar goed dat ze een keer zien dat onze vrouwen zich ook anders kunnen gedragen, niet alleen als brave echtgenote of als moeder in een traditioneel gewaad.'

ORFAN

Toen Dawit, de taxichauffeur, me zoals afgesproken de volgende ochtend afhaalde, kon hij er ondanks zijn gereserveerde houding niet omheen me een compliment te maken. Ik had dan ook mijn best gedaan. Bij mijn strakke spijkerbroek – andere spijkerbroeken had ik niet – droeg ik over mijn T-shirt een grote doek, die ik zonodig niet alleen over mijn schouders kon gooien, maar ook om mijn hals kon wikkelen of over mijn hoofd kon doen. Mijn haar had ik in een strakke knot bij elkaar gebonden en in plaats van de gympen van de vorige dag droeg ik sandalen. 'Je ziet er heel mooi uit,' zei Dawit en daarmee was me duidelijk dat ik vandaag passender kleding had uitgekozen dan de eerste dag.

In Eritrea is het normaal dat ook mensen die elkaar niet goed of nauwelijks kennen zulke dingen tegen elkaar zeggen. In Duitsland zou ik het opdringerig vinden als een taxichauffeur tegen me zou zeggen dat ik mooi was, maar in Afrika ligt dat anders. Hier kunnen mannen, en ook vrouwen, eerder iets zeggen zonder dat de ander er meteen iets achter zoekt. Hier worden dingen gemakkelijker gezegd

– en daarom zijn ze misschien ook sneller weer vergeten.

Ik had mijn uitmonstering echter niet gekozen om in de smaak te vallen bij mijn taxichauffeur, maar omdat ik die dag van plan was lastige bezoekjes af te leggen: aan mijn twee kindertehuizen, waar ik de eerste vier of vijf jaar van mijn leven had doorgebracht. Ik wilde wat licht in het duister van mijn eerste jaren brengen.

Met angstige voorgevoelens liet ik me naar de zuidelijke rand van Asmara rijden, naar het staatsweeshuis Orfan. Dawit wist meteen waar de rit naartoe ging, want iedereen kende Orfan, een vervloekt oord, net als elders gekkenhuizen of gevangenissen. In Eritrea waren er door oorlog en honger veel wezen en daarom had dat tehuis een dergelijke betekenis. Een tragische betekenis, want in Afrika is de familie alles en iemand zonder familie niets.

Misschien moest het daarom zevenentwintig jaar duren voor ik het aandurfde om de plek van mijn vroegste jeugd weer op te zoeken. Dawit voelde mijn beklemming duidelijk aan en onthield zich van commentaar. Als een rouwend familielid bleef hij telkens een paar passen achter me toen ik praatte met de soldaten voor het traliehek, dat de toegang tot het tehuis versperde. Het beklemmende gevoel hield me zo bezig dat het me eerst niet eens opviel hoe raar het was om kleine kinderen die hun ouders waren kwijtgeraakt door het leger te laten bewaken.

Toen ik eindelijk door het park liep dat om de gebouwen heen lag, werd de brok die ik al een uur in mijn keel voelde nog een paar centimeter dikker. Onthutst bleef ik staan en keek om me heen. Dit was niet de tuin die ik vaag in mijn herinnering had, maar een vuilnisbelt met een paar wegkwijnende bomen die zich hier alles behalve prettig voelden.

Ik stond voor een hoop puin en kon niet anders dan ongeremd huilen. Ik snikte omdat ik het gevoel had dat hier de brokstukken van mijn jeugd lagen. Overal op de verlaten speelplaatsen en waar vroeger groentes en bloemen groeiden, slingerde vuilnis rond: kapotte stoelen, versleten autobanden, uiteengereten jerrycans, verbogen bedframes en gedeukte vaten. Daartussen stonden verroeste speeltoestellen van ijzer dat ooit in felle kleuren gelakt was geweest. Zelfs dit schroot werd nog bewaakt door een paar slechtgehumeurde soldaten in haveloze camouflagepakken. Ze zaten midden op het terrein op verbogen stoelen met halfopen ogen te soezen. Moest dit een plek zijn waar kinderen zich prettig voelden? Moest ik hier gelukkig zijn geweest?

Aan Orfan waren maar twee dingen heel – het hek eromheen en een oude houten barak waar, zoals een bord onthulde, de directie van het tehuis zetelde. Beklemd klom ik de trap naar de houten veranda op en stopte daar even omdat het ineens keihard tot me doordrong: hier had ik als klein kind gezeten! Hier zat ik gehurkt in het stof vol angst te luisteren naar de zuster, die over de leeuwen vertelde die 's nachts om het huis heen slopen!

Als door de bliksem getroffen stond ik daar en staarde naar de vermolmde balustrade, naar de afbladderende lak, die ooit lichtblauw was geweest, en naar het stoffige terrein voor het gebouw. Nog maar tien minuten geleden had ik niemand precies kunnen uitleggen hoe het er hier had uitgezien omdat mijn herinneringen aan Orfan heel vaag waren, als bewogen, onscherpe foto's. Maar ik stond hier nog maar net of het was me duidelijk dat ik hier het decor voor me zag waar die korrelige afdruk van mijn geestesoog vandaan kwam.

Voorzichtig drukte ik de klink van de deur naar de barak naar beneden, alsof de leeuwen achter die deur op de loer lagen en niet zoals vroeger buiten, vóór de hekken van het weeshuis. Intussen hadden ze zich allang teruggetrokken, ver weg de wildernis in omdat de stad de laatste decennia over Orfan heen was gegroeid en tot aan de voet van de bergen kwam die je aan de horizon kon zien.

In het neonlicht van de barak zat de directrice van het tehuis, een dikke matrone, achter haar bureau. Ze troonde daar als de heerseres over een imperium en niet als de directrice van een aan het verval prijsgegeven weeshuis – kinderen had ik op het terrein nog niet gezien. De vrouw nam me met vijandige blikken op, zichtbaar geïrriteerd dat ik haar vreedzame kantoorbestaan kwam verstoren.

Maar zo gemakkelijk liet ik me niet afschrikken. Ik raapte al mijn moed bij elkaar en vertelde mijn verhaal: 'Ik ben het kind uit de koffer,' zei ik, 'hét kind uit de koffer', maar ze staarde me alleen verbaasd aan. Had ze soms nog nooit gehoord van de baby die door haar eigen moeder in een koffer was gestopt en in haar eigen huis was achtergelaten – als tussenoplossing tussen een poging tot kinderdoding en de vage kans dat een buurvrouw het kind zou vinden en bij zich zou nemen? De meeste Eritrese vrouwen van haar leeftijd – ze was zeker al rond de vijftig – kenden dat tragische verhaal immers, dat ongeveer dertig jaar geleden in het hele land dagenlang de krantenkoppen had gehaald en ertoe had geleid dat de moeder van het kind voor zes jaar de gevangenis indraaide en de inderdaad door een buurvrouw geredde baby naar dit kindertehuis werd gebracht, waar we nu tegenover elkaar zaten.

'Ik was die baby,' zei ik tegen de vrouw achter het bureau, die snel ter versterking een medewerkster had laten komen, 'jullie hebben me er hier bovenop geholpen.'

De twee vrouwen schudden slechts hun hoofd. Nee, dat verhaal kenden ze niet.

'Maar iemand hier moet het zich toch kunnen herinneren,' beet ik hen tweeën, iets te onvriendelijk, toe – geduld is nu eenmaal niet mijn sterkste kant.

'Misschien kan Zufan het zich herinneren, zij is al lang bij ons,' zei de dikke vrouw na even nagedacht te hebben tegen de magere, haar ondergeschikte. 'Haal haar maar even!'

De magere vrouw ging mopperend op weg, want ze was mank en had moeite met lopen. Loodzware minuten van wachten. Ik probeerde de matrone nog een paar details over mijn verblijf in Orfan te vertellen, zodat het kwartje misschien toch nog zou vallen, maar tevergeefs. Mijn verhaal deed haar niets, niet de geschiedenis van de vlucht met mijn zussen naar Soedan, maar ook niet ons vertrek naar Duitsland, naar onze vader. Het leek haar alleen maar te vervelen. Ze zat er ongeïnteresseerd bij, haar ronde gezicht zwaar steunend op haar beide handen, het volumineuze bovenlichaam bijna op het bureaublad. Slechts af en toe trok ze kort haar linkerwenkbrauw omhoog, om hem meteen daarna weer achter het glas van haar buitensporig grote bril te laten zakken.

De vrouw paste bijzonder goed in de donkere, spinaziegroen geverfde kamer, die door een tl-buis op aquariumsterkte werd verlicht. Als een volgevreten karper grondelde ze over haar lege bureau, vergeten door de rest van de wereld. Geen wonder dat de kalenderpagina aan de muur naast haar meer dan drie jaar oud was. Maar de sfeer in haar onderwaterkantoor bleek gevaarlijk aanstekelijk. Terwijl de minuten verstreken, verstomde ook ik en staarde somber voor me uit.

Toen de magere secretaresse terugkwam, weliswaar niet met Zufan, maar met een dossier waarop de naam 'Senait' gekrabbeld stond, schrok ik op. Zou ik tussen de bleekgroene stukken karton toch nog mijn verhaal vinden? Een paar aantekeningen over hoe ik als kleuter was? Misschien mijn geboortedatum, die ik nog steeds niet wist?

In Afrika bezitten maar heel weinig mensen een geboorteakte of een ander document waarin hun naam duidelijk staat genoteerd, en ouders herinneren zich zelden de geboortedata van hun kinderen. Ze kunnen niet lezen en schrijven, bezitten geen kalender en onthouden, zo zitten mensen nu eenmaal in elkaar, eerder het jaargetijde of de maand van de geboorte dan het jaar waarin een kind ter wereld is gekomen.

'Zufan kan zich het verhaal van de koffer vaag herinneren. Maar geen naam,' zei de manke secretaresse.

Meer was er niet uit haar te krijgen. Wat ik ook vroeg, ze haalde slechts haar schouders op. De vrouw was zo gevoelig als een hagedis.

Ook de directrice liet het koud dat ik zo opgewonden was. In slow motion bladerde ze door het dunne dossier en schudde haar hoofd. 'Zoals jij heten er veel,' zei ze na een lange pauze, alsof ze zorgvuldig over die opmerking had nagedacht, 'en een tweede naam hebben we in de documenten niet.'

'Dan zou het ook mijn dossier kunnen zijn?' Ik probeerde een blik in de papieren te werpen. Meteen trok de vrouw de map nors nog dichter naar zich toe.

'Dit meisje is veel ouder dan jij,' zei ze kwaad, 'dit is jouw dossier niet.' Ze keek me uitdagend aan: 'Waarom wil je iets over je verleden weten? Je hebt je vader toch gevonden in Duitsland, wat wil je hier?'

Ik kreeg het benauwd. Bij mijn poging iets over mezelf te weten te komen had ik mijn grootste hoop op Orfan gevestigd. Kon deze vrouw niet begrijpen waarom je op zoek ging naar je oorsprong? Ze had zelf immers ook ooit in dit tehuis gezeten had haar secretaresse me verraden – net als de secretaresse zelf en net als veel andere mensen die hier werkten. Wisten deze verharde vrouwen soms even weinig over hun afkomst als ik? Of nog minder?

'Je hebt je vader gevonden in Duitsland. Wat wil je nog meer?' snauwde ze me toe.

Ik kon wel huilen, maar ik probeerde flink te blijven: 'Ik ben geïnteresseerd in mijn jeugd – waarom ook niet? Het is tenslotte mijn leven!'

De directrice leek verrast door dit antwoord – aan tegenspraak was ze niet gewend. Dus besloot ze harder op te treden en sloeg een toon aan alsof ze me verhoorde, eigenaardig genoeg zonder haar verveelde lichaamshouding te laten varen. 'Waar woon je?' vroeg ze me op zakelijke toon. 'Waar woont je vader? Waarom vraag je het hem niet?'

Ik aarzelde even of ik erop in zou gaan. Toen vermande ik mezelf. Wat had ik immers te verliezen?

'Ik heb geen contact met mijn vader,' antwoordde ik waarheidsgetrouw, 'omdat we elkaar niet begrijpen.'

Het verhoor was nog niet ten einde. 'Waarom heb je geen contact met hem? Dat komt zeker door jou! Waarom ga je niet naar hem toe? Ben je wel getrouwd? Heb je kinderen?'

'Dat ben ik niet,' antwoordde ik koppig, 'en ik heb ook geen kinderen.'

'Waarom verdoe je dan je tijd?' Ze begon zo hard te praten dat de secretaresse, die vast de hele tijd stiekem had geluisterd, verbaasd uit de kamer ernaast kwam kijken. 'Ga trouwen en een gezin stichten in plaats van hier te komen rondsnuffelen. Dat zou beter voor je zijn...'

Nu had ik er genoeg van. Ik wilde iets over mijn jeugd te weten komen en kreeg van een vreemde vrouw te horen hoe ik mijn leven moest inrichten?!

'Waarom heb je niet meteen gezegd dat je me niet wilt helpen?' snauwde ik haar toe, maar ze bleef me bedelven onder de vragen en brutaliteiten, zonder op mijn verwijt in te gaan. Mij restte niets anders dan afscheid te nemen en het monster achter haar bureau te laten zitten.

Stampvoetend liep ik naar buiten – uiterlijk woedend, maar innerlijk vertwijfeld. Zodra ik uit het zicht was, kon ik mijn tranen niet meer bedwingen. Het was een ontmoeting met de arrogantie van de macht en met het wantrouwen jegens buitenlanders geweest, want ik werd hier natuurlijk als buitenlander beschouwd. Afrikaanse vrouwen stellen geen vragen, ze stellen geen eisen, ze kijken hun gesprekspartner niet aan. Ze gaan zachter praten als ze door iemand worden aangesproken die boven hen staat: een man of een hoger geplaatste vrouw. Afrikaanse vrouwen zitten in rollen-patronen die niet meer bij me zouden passen, zelfs al zou ik er moeite voor doen. Misschien, dacht ik in tranen, haat deze vrouw me ook omdat ik niet van haar afhankelijk ben. Omdat ik elk moment haar kantoor, haar vervallen tehuis kan verlaten, omdat ik terug kan vliegen naar mijn wereld, terwijl zij haar hele leven in Orfan zal slijten – in het tehuis waar ze sinds haar geboorte woont.

Dat hield ik mezelf uit alle macht voor, terwijl ik over de houten veranda voor het kantoor naar buiten strompelde en over het met puin bezaaide terrein liep, dat ooit een speelterrein was en dat zoge-naamd nog steeds was, als je de woorden van de directrice mocht geloven. Maar buiten het gejengel van een draagbare radio die de bewakers vermaakte, was er niets te horen. Geen gelach, geen aftel-versjes, geen kinderliedjes. Was het hier in mijn tijd ook zo stil geweest?

Hoewel ik niet wilde huilen, kon ik mijn tranen niet meer bedwingen. Een gevoel van eenzaamheid baande zich krachtig een weg. Heimelijk keek ik of ik de helleveeg ook zag, om haar niet de kleinste triomf te gunnen – en inderdaad gluurde de directrice samen met haar ondergeschikte om een hoek van de barak om te kijken of ik wel weer snel verdween.

Eigenlijk wilde ik nog wat tussen het vuilnis en de verwilderde oleanderheggen wandelen, ook al zag alles er heel troosteloos uit. Ik was graag het gebouw achter het speelterrein binnengegaan, met de huizenhoge ramen en de enorme bordestrap ervoor, dat nog tijdens de Italiaanse koloniale overheersing was gebouwd. Dat was het zieken-huis en ik herinner me vaag dat pal ernaast onze houten slaapbarak stond. Daarnaast, waar het vuilnis onder woekerend stuikgewas verdween, moest de tuin beginnen. Maar ik kon me niet op mijn herinneringen concentreren: ze vervaagden door de tranen die mijn heden versluierden. De bewakers stonden al met open mond nieuwsgierig naar me te kijken omdat ze merkten dat er iets niet in orde was met mij. Ik moest maken dat ik wegkwam.

Terwijl ik aarzelend afscheid nam van het terrein van het tehuis, gevolgd door de nieuwsgierige blikken van de bewakers, zag ik de tuinman voor me. Ik betrapte mezelf erop dat ik de tuin stiekem naar hem afzocht. Half bewust, half onbewust kamde ik met mijn blik het verwilderde struikgewas uit, dat al in geen tijden meer een tuinman had gezien, op zoek naar die toen al stokoude, lelijke, vieze, modderige, grijnzende man vol littekens. Maar wie weet was hij toen niet eens oud. In mijn jeugd vond ik alle mensen die ouder waren dan achttien oud. Misschien was hij ook niet vies, en was dat beeld ontsproten aan mijn fantasie. Maar ik zie nog duidelijk voor me hoe de man me betastte. Hoe wij kleine meisjes naast hem in het gras moesten gaan liggen. Wat er verder gebeurde was – waarschijnlijk maar goed ook – opgeslokt door de nevel van de genadige vergetelheid.

Buiten, voor het verroeste maar zorgvuldig bewaakte traliehek, stond Dawit, mijn chauffeur, naast zijn Kia. De taxi was mijn reddingsboei, de altijd open vluchtweg naar een andere wereld, waar vernederende scènes als die van daarnet niet konden plaatsvinden. Ik leunde voor het traliehek tegen de felgele auto en deed mijn ogen dicht.

Hier was mijn verhaal dus begonnen, meer dan dertig jaar geleden. Hier had ik mijn eerste levensjaren doorgebracht. Hier speelden mijn vroegste herinneringen. Was ik hier gevormd? Misschien ben ik daarom tegenwoordig nog steeds bang voor elke vorm van afhankelijkheid. Voor de afhankelijkheid die ik op dit terrein al jong voelde. Bang om van vrouwen als deze directrice afhankelijk te zijn. Bang om afhankelijk te zijn van mensen die me vertelden wat ik moest doen en laten. Bang voor mannen als deze bewakers die me door hun tralies wantrouwig opnamen. Ik was bang om afhankelijk te zijn van het autoritaire systeem waarvoor deze mannen op wacht stonden.

Want waarom wordt een kindertehuis in vredesnaam militair afgegrendeld, door hoge hekken omgeven, bewaakt door een gif en gal spuwende draak? – Ik kon het alleen verklaren vanuit de principiële houding van een staat die kinderen in het algemeen en ouderloze kinderen in het bijzonder als zijn eigendom beschouwt. Als een strategische reserve, in militair opzicht. Als een kinderbrigade voor zijn nooit eindigende conflicten met buurstaten, met opstandige guerilla's en met plunderende moslims, waaraan in dit deel van de wereld nooit gebrek zal zijn.

Ik voelde dat op deze plek de oorsprong van mijn probleem met Afrika lag. Dat ik hier de in Afrika altijd weer door duistere machten geëiste onderwerping zelfs kon voelen. Hier was ik me er niet alleen rationeel van bewust dat mijn medemensen onder gewelddadige regimes leefden, hier voelde ik de alomtegenwoordige machteloosheid van het individu gewoonweg lichamelijk. Ik leed onder mijn afhankelijkheid van kleine mannen, die groot doen en zware geweren dragen, maar slechts kleine gedachten toelaten.

Hier in Orfan werd ik me er weer van bewust dat de mensen in Afrika, ondanks alle liefde die ze in hun hart dragen, elkaar vaak met minder respect behandelen dan Europeanen onder elkaar gewend zijn. Afrika is waarschijnlijk het continent met de felste zon en daarom ook het continent waar de donkerste schaduwen geworpen worden. Afrika is het werelddeel van de contrasten. Zowel die liefde als die onderlinge minachting kende ik nog uit mijn jeugd, omdat ik ze als kindsoldaat aan den lijve had ondervonden, maar toen had ik geen vergelijkingsmateriaal en dacht ik er verder niet over na. Toch leed ik onder die minachting, maar ik wist niet beter en dacht dat alle mensen zo met elkaar omgingen.

Hoe had ik kunnen vergeten dat je in mijn land niet alleen een groter hart maar ook een dikkere huid nodig hebt om het te rooien?! Zuchtend liet ik me op de zitting van de taxi vallen. Wat was ik in Duitsland week geworden, dacht ik. Maar ik was er niet verdrietig over. Liever een softe Duitse dan een Afrikaanse voor wie schouderophalen de sterkste emotionele uiting is!

COMBONI

Ik had Dawit nog maar nauwelijks het belangrijkste van mijn ervaringen in Orfan verteld toen hij de motor van zijn gele taxi alweer afzette. 'We zijn er!' zei hij en wees naar een keurig gestuukte, hoge muur. Het volgende station van mijn leven.

Ik kwam in de verleiding hem te vragen me nog een beetje door de stad te rijden omdat het me te snel ging, maar dat zou hij niet hebben begrepen. In Eritrea ga je niet voor de lol een beetje rijden, daarvoor is benzine te duur. Ik had maar al te graag een sigaret gerookt om rustig te worden, maar ook daar was geen denken aan, want ik wilde niet dat Dawit zag dat ik rookte. Ook al had hij me misschien niet meteen als een onbeheerst snolletje beschouwd, het zou hem zeker niet hebben bevallen om mij te zien roken – ik weet hoe onze mannen denken. Bovendien had er elk moment een zuster aan de kloosterpoort kunnen komen en dat zou echt een ramp zijn geweest: een katholieke, Afrikaanse non komt echt niet bij een rokende vrouw in de buurt.

Er zat dus niets anders op dan me uit mijn zweterige stoel te hijsen en het volgende station van de reis naar mijn jeugd binnen te gaan – het Comboni-klooster van Asmara, in mijn tijd een weeshuis met crèche en school. 'In mijn tijd' klonk alsof ik hier een geweldige tijd had beleefd. En dat terwijl ik me mijn jaar bij de vrome zusters allesbehalve als mooi herinner, eerder als angstig, vreemd en teleurstellend. Maar het had ook zijn goede kanten. Zo was me bij de altijd stralend wit geklede nonnen voor het eerst duidelijk geworden dat de maag geen orgaan is dat je constant hoefde te voelen, maar dat er mensen waren die altijd zoveel witbrood, melk, kaas en pasta hadden dat ze hun maag maar een of twee keer per dag voelden rommelen en dan maar kort. Pas hier had ik de witte lakens leren kennen die je op je bed kon doen, daarvoor kende ik geen bestek en ook geen buizen waaruit midden in een huis, wanneer je maar wilde, water kwam.

'Wat wil je hier, zus?'

De stem klonk nors en mijn kinderdromen spatten als zeepbellen uit elkaar. De portier nam me op alsof ik een smekeling was. Ik voelde me een treurige sprookjesfiguur, een verloren kind op zoek naar haar verdwenen ouders. Een ontwortelde, die zich vertwijfeld aan de schaduwen van haar verleden wilde vasthouden.

'Zoek je iets?'

'Mijn jeugd,' zei ik kortaf en ik was zelf verbaasd over het antwoord dat zo spontaan en onverwacht eerlijk was gekomen. Aandachtig observeerde ik het gegroefde gezicht van de portier, die hier misschien vijfentwintig jaar geleden ook al had gewerkt, toen ik als vijfjarig meisje nog aan zijn kant van de muur stond.

Ik zag die muur duidelijk voor me, die me het uitzicht op de wereld had benomen. Hij had me weliswaar tegen alle ellende aan de andere kant beschermd waar ik nauwelijks iets van wist – tegen de ellende van een straatarm, honger lijdend land in oorlog. Maar door die muur kon ik ook niet naar buiten kijken, hij stond tussen mij en mijn familie in. Ik wist dat elk kind een vader en een moeder had en mijn ouders leefden vast achter die muur, want hierbinnen waren ze in elk geval niet.

Hoe langer ik hem aanstaarde, hoe somberder het gezicht van de portier werd. Net als alle Eritrese mannen was hij niet gewend door een vrouw opgenomen te worden, laat staan door een jonge vrouw. 'Wat sta je daar te gluren?' snauwde hij me toe.

Hij had geen idee wat hij aan z'n fiets had hangen. Maar ik ook niet. Ik stond daar als in trance, niet bij machte me te bewegen, niet in staat tot een verstandig antwoord. Mijn blik dwaalde over de schouder van de portier in zijn afgedragen werkkleding, die minstens een halve kop kleiner was dan ik, naar de tuin. De film van mijn herinneringen aan Comboni was al kleuriger en vloeiender dan die van Orfan, de beelden liepen minder door elkaar heen. Daar waren de hokken.

Ik kon precies voor me zien hoe ik als klein meisje elke dag voor de hokken knielde om de konijntjes te voeren die daar 'gevangen zaten' zoals ik altijd weer tegen de andere kinderen zei. Ik zag de glanzende ogen van de dieren voor me, hun zachte snuitjes, die me besnuffelden. Ik voelde mijn wanhoop toen een van de dieren ontbrak. Niemand van de kinderen kwam erachter waar het beestje gebleven was, maar een van de grote jongens had beweerd dat de konijntjes werden opengesneden, gevild en opgegeten. Wij geloofden er geen woord van, maar niemand van ons durfde het aan een van de strenge zusters te vragen. Heimelijk had ik telkens weer rondgekeken of er ergens in een hoekje misschien een opengesneden konijntje, een losgescheurd oor of iets dergelijks te zien was, maar ik had niets gevonden. Toch besloot ik enige tijd later nooit meer vlees te eten. Een voornemen dat ik, zelfs al maakten de omstandigheden het me niet altijd gemakkelijk, tot op de dag van vandaag trouw ben gebleven.

'We kunnen naar binnen,' zei een aardige stem naast me.

Dat was niet de portier. In één klap was ik weer terug in het heden.

'We kunnen naar binnen,' zei Dawit nog een keer. Mijn bovenste-beste taxichauffeur sprak extra langzaam en duidelijk, omdat hij had gemerkt dat ik er weer eens niet helemaal bij was. Hij had mijn afwezige bui kennelijk gebruikt om bij de portier een goed woordje voor me te doen, want die nam me duidelijk milder op. Een beetje zoals je mensen bekijkt die zich eigenaardig gedragen.

Ik had geen woord van hun gesprek gehoord, maar zo gaat dat soms bij mij: als ik intensief met iets bezig ben kan de wereld om me heen vergaan, maar ik merk er niets van. Mijn verleden hield me op dat moment zo sterk bezig alsof ik het weeshuis pas gisteren had verlaten en niet al zevenentwintig jaar geleden.

Verstrooid liep ik achter Dawit aan door de tuin naar het hoofd-gebouw van het klooster. Het bakstenen gebouw in Italiaans-romantische stijl herinnerde ik me nauwelijks nog. Ik wist alleen dat het versierd was met veel torentjes, kantelen en bogen. Als kind leek het me enorm, maar nu zag ik dat het zo groot was als een nor-maal schoolgebouw of als een klein ziekenhuis, wat het tegenwoor-dig was. Het was van de congregatie van de Comboniaanse missio-narissen van het Heilige Hart. Die orde werd in de negentiende eeuw gesticht door de Italiaanse bisschop Daniel Comboni, die al vroeg inzag dat je Afrika alleen met behulp van Afrikaanse missio-narissen succesvol tot het christendom kon bekeren. Hoewel ik vind dat je de mensen in de derde wereld het geloof moet gunnen dat bij hun cultuur hoort, moet gezegd worden dat Comboni voor zijn tijd een progressief man was – hij zette zich in tegen de slaver-nij en de mensenhandel en voor de gelijke behandeling van Afrika-nen toen dat nog lang niet vanzelfsprekend was.

Integendeel: amper tien jaar na Comboni's dood, in 1890, werd Eritrea door de Italianen als kolonie geannexeerd, en de blanken stelden er een wreed apartheidsregime in dat dat in Zuid-Afrika nog overtrof. Ze verboden de Eritreeërs de door henzelf met bloed, zweet en tranen aangelegde boulevard in het centrum van Asmara te gebruiken. Al die Toscaanse paleizen, art-decobioscopen en gepleisterde villa's werden weliswaar mede gebouwd en onderhouden door de zwarten, maar waren voorbehouden aan de blanken. De zwarten moesten genoegen nemen met hun hutten aan de rand van de stad en hun kinderen mochten slechts vier jaar naar school, omdat onderwijs voor Afrikanen in de ogen van de blanke machthebbers toch maar weggegooid geld was. In het door de Italiaanse fascist Benito Mussolini als Afrikaanse modelkolonie opgezette Eritrea was voor de zwarten tot in de jaren twintig en dertig van de vorige eeuw maar één rol weggelegd: die van de vlijtige, maar bescheiden arbeider. Die van het brave maar stomme negertje.

Blanke Italiaanse mannen mochten weliswaar officieel niet trouwen met zwarte vrouwen of kinderen bij hen verwekken, maar daar hielden ze zich niet erg aan. Het omgekeerde was echter ondenkbaar, want ook op seksueel en liefdesgebied waren de machtsverhoudingen duidelijk: kinderen van zwarte mannen met blanke vrouwen zijn niet bekend of waren er niet – blanke mannen hadden hun partners voor het uitkiezen, zwarte niet.

Die situatie veranderde na de Tweede Wereldoorlog toen de aan alle kanten overwonnen Italianen in weergaloze edelmoedigheid besloten afstand te doen van hun koloniën, die ze toch allang kwijt waren, en de VN het land overdroegen aan het bestuur van de Ethiopische keizer Haile Selassie. Hoewel dat het einde van de Europese heerschappij betekende, was het een rampzalige zet, waar de bloedige, dertig jaar durende bevrijdingsoorlog van de Eritreeërs tegen de Ethiopische heerschappij op volgde.

Toen ik in de jaren zeventig in het klooster woonde, waren de laatste sporen van de blanke onderdrukking voor mij nog duidelijk voelbaar. Hier zag ik niet alleen voor het eerst in mijn leven mensen met een blanke huid, ik leerde ook dat ze meer waard waren dan mensen met een donkere huid. In Comboni had je niet alleen veel meer blanke kinderen dan zwarte, ook de meeste nonnen waren blanke Italiaanse vrouwen. Ik bewonderde hun huid, die wel doorzichtig leek, waar zelfs adertjes doorheen schemerden, stelde ik als kind opgewonden vast, vooral op de handen. Alleen hun haren, die me erg interesseerden, kon ik niet zien omdat ze altijd verborgen waren onder grote witte kappen die er hard uitzagen en die je niet mocht aanraken of afnemen. Ik had maar al te graag geweten of hun haar net zo goudkleurig was als dat van moeder Maria, de stenen vrouw die ook in Orfan stond en die de allereerste blanke was die ik in mijn leven had gezien.

Helemaal in gedachten merkte ik nauwelijks dat we bij ons doel waren aangekomen – een kleine wachtkamer bij de eigenlijke poort van het klooster. Vóór het gedeelte dat alleen door nonnen betreden mocht worden.

Dawit en ik gingen op de stoelen zitten die in rijen langs de muren stonden. Op de tafel in het midden van het vertrek lagen Europese tijdschriften, aan de muren hingen verbleekte foto's van kerken, landschappen en Italiaanse nonnen die Afrikaanse kinderen aan hun hart drukten. Het zag eruit als de wachtkamer van een erg katholieke arts. Daar zat ik nu als een cliënte, op bezoek in haar eigen verleden. Als kind had ik hier weliswaar in een oase van veiligheid en geborgenheid geleefd, maar ook op een eiland van innerlijke kou en uiterlijke discipline. Op een Europese boei, midden in een wilde Afrikaanse zee.

Toen er een blanke zuster binnenkwam, keek ik onderzoekend of haar gezicht vol rimpels me bekend voorkwam. Ze was zeker rond de zestig. Zou ze toen hier gewoond hebben? Toen ik met haar praatte bestudeerde ik zorgvuldig haar gelaatstrekken, maar ik ontdekte er niets bekends in. De non stelde zich voor als moeder Angela, sprak vloeiend Tigrinja en luisterde geïnteresseerd toen ik haar vertelde hoe ik in het Comboni-weeshuis was gekomen, omdat ik te oud voor het staatsweeshuis Orfan was geworden. Ze leek ontroerd door mijn verhaal en vooral door het feit dat ik uit Europa speciaal hiernaartoe was gekomen om meer over mijn verleden te weten te komen. Ze beloofde een zuster te zullen roepen die hier al zo'n halve eeuw woonde en zich misschien iets kon herinneren.

'Ik ben hier nog maar ongeveer twintig jaar,' zei zuster Angela, 'en ik heb nog nooit iets van je verhaal gehoord.'

'Tot Haregu er is, laat ik je het klooster wel even zien,' bood zuster Angela aan en ik ging er met plezier op in – eindelijk hoefde ik me er een keer niet voor te verontschuldigen dat ik geïnteresseerd was in mijn eigen leven. We liepen het hoofdgebouw uit naar een kleiner gebouw achter de tuin. 'Tegenwoordig is dit geen weeshuis meer,' zei de zuster omdat ze waarschijnlijk mijn vragende blik had gezien. 'Het grote gebouw is weer een ziekenhuis, zo was het oorspronkelijk ook gebouwd. Maar daarachter is een kleuterschool. Daar hebben altijd al kinderen gespeeld.'

We betraden een hoog vertrek, dat ondanks de grote ramen zo donker was dat je ogen er na het felle zonlicht aan moesten wennen. In het midden van de ruimte stonden lange, lage tafels waar kleine stoeltjes omheen gezet waren. Op een klein tafeltje was een kunstkerstboom opgetuigd, want het katholieke kerstfeest was net voorbij en het orthodoxe kerstfeest stond voor de deur. De plastic den was volgehangen met band, bonte kerstballen en kindertekeningen, aan de voet ervan zakte een kribbe met schapen en engelen weg in een ondoordringbaar tapijt van glaswol.

Langzaam kwamen de muren uit het donker tevoorschijn. Ik zag bergen, bossen en weilanden. Ik zag beren, reeën, ganzen en eenden, Sneeuwwitje en de zeven dwergen, Roodkapje en de boze wolf. Mijn blikken dwaalden over romantische Duitse landschappen. Als versteend stond ik midden in de zaal naar de sprookjestaferelen te staren. Dat waren de beelden van verlangen uit mijn jeugd, de beelden van een betere wereld, waar de natuur felgroen was, waar de mensen lichte gezichten hadden en het water in overvloed bruiste. Het was toen ook een wereld geweest om naar te verlangen, omdat wij zwarte kinderen maar zelden dit bontbeschilderde voorportaal van het paradijs werden binnengelaten. Normaal gesproken moesten wij in een ander vertrek eten omdat de eetzaal gereserveerd was voor kinderen die er net zo uitzagen als de kinderen op de fresco's en die waren toen in de meerderheid. We vonden het oneerlijk, ook al wisten we totaal niet wat racisme was, maar zwaarder dan die onrechtvaardigheid woog het feit dat we elke dag konden eten tot we genoeg hadden.

Naast de eetzaal lag de speelplaats. Daar waren schommels, glij-banen en zelfs een draaimolen met bontgeverfde paarden, die onder een baldakijn om een veelkleurige piramide draaiden. Ik had daarvoor nog nooit zulke dingen gezien, maar als zwart kind mocht ik alleen maar naar die wonderdingen kijken, die uitsluitend voor de blanke kinderen waren. Wat zag de speelplaats er tegenwoordig dan anders uit! Tientallen goedgehumeurde, lachende en leuk gekapte zwarte kinderen in blauwe uniformen speelden wild met de toestellen, die er, als je beter keek, heel oud en verbogen en zelfs een beetje gevaarlijk uitzagen en waarvan de lak door al die kinder-handen op sommige plekken tot op het blanke metaal was versle-ten.

Toen ik zuster Angela vroeg waarom vroeger alles zo anders was dan nu, werd haar blik ongemerkt somberder. De vraag beviel haar niet. 'Wij hebben geen blanke kinderen meer omdat er nauwelijks nog Europeanen in Eritrea wonen,' zei ze, wat niet helemaal een antwoord op mijn vraag was.

Ik kwam erop terug en vroeg: 'Waarom mochten wij hier toen niet spelen?'

'Ik weet er niets van,' zei ze ontwijkend, 'we zullen het aan zuster Haregu vragen. Maar ik heb nog nooit iets van een verbod gehoord. Dat is nieuw voor me.'

Een beetje ontdaan volgde ik haar verder op onze rondgang. Zou ze echt niets weten? Of wilde ze niets slechts over het klooster horen?

Ik wist intussen dat kort na mijn verblijf bij de Italiaanse zusters alle zwarte kinderen het Comboni-tehuis hadden verlaten. Toen ik het tehuis verliet, was er een innige band tussen Ethiopië, Cuba en de Sovjet-Unie. Toen de Italianen, die het Comboni-tehuis evenals veel andere instellingen in hun voormalige kolonie financieel ondersteunden, genoeg kregen van de Ethiopische flirt met het communisme staakten ze de hulpverlening aan Eritrea, dat toen slechts een Ethiopische provincie was. Voor de Ethiopische staat waren zulke tehuizen echter te duur, dus besloot men ze niet in stand te houden en alle kinderen naar Cuba te evacueren.

Sinds die tijd zijn er veel Ethiopiërs in Cuba. Veel van de meisjes tippelen daar – waarschijnlijk omdat ze geen opleiding, geen familie en geen financiële ondersteuning hebben. Wie weet hoe mijn leven was verlopen als ik in het weeshuis had moeten blijven...

Ik haastte me achter zuster Angela aan, tot we op een kleine binnenplaats kwamen met bij de ingang een Mariabeeld. Het was zo'n kitscherig gipsen beeld dat je overal op de wereld in kerken, kapellen, scholen of kleuterscholen kunt vinden: met een blauwe jurk, een rode omslagdoek, stroblonde haren, een gouden kroon en stralend blauwe ogen, die een beetje naar beneden kijken. Op haar linkerarm het kindje Jezus in een wit babyjurkje, ook getooid met een gouden kroon. Dat was mijn Maria! Mijn beeld, mijn godin, mijn ideale moeder, mijn idool! Destijds hadden de zusters ons verteld dat de moeder van God de moeder van ons allemaal was. En omdat ik nergens een moeder van vlees en bloed te zien kreeg, had ik dat een tijdlang behoorlijk letterlijk genomen.

Wat was het ontnuchterend om nu weer voor die madonna te staan. En ditmaal niet op mijn knieën te vallen voor het zoetige beeld, ook al deed het me nog steeds iets – en niet alleen door de sentimentele herinneringen. Ik ben nog steeds gelovig, net als toen, maar ook al heb ik iets kunnen bewaren van het kinderlijke geloof uit mijn jeugd, aan deze geglobaliseerde, noordse madonna stoorde ik me. Het christendom stamt immers uit het Oosten, van het Sinaï-schiereiland, uit Bethlehem, uit het rijk van koning Salomo en niet van de Duitse Oostzeekust – en toch zien de meeste beelden van Maria en Jezus op de hele wereld er zo uit. Dat de Duitsers hun Maria zo afbeelden is duidelijk, maar waarom kregen wij haar als kinderen zo voorgeschoteld? Waarom werd ons op die manier ingeprent dat onze huidskleur zo sterk van die van onze moeder verschilde? Waarom moesten wij er telkens weer aan worden herinnerd dat onze kleur minder goddelijk, te donker, minderwaardig was?

Dat is geen verwijt aan de godsdienst, maar wel aan de blanke vertegenwoordigers van God die toen in Afrika werkten – en aan een van de belangrijkste daarvan, namelijk Daniel Comboni, die nog maar drie jaar geleden door paus Johannes Paulus II heilig is verklaard.

Hoe langer we over het terrein liepen, hoe meer mijn jeugd weer bovenkwam. Ja, hier waren onze slaapzalen, daar aten we, door die gang liepen we naar de les. En de naam van een van de zusters schoot me weer te binnen – Florina. Zuster Angela kende haar niet, ze was waarschijnlijk allang overleden of teruggeroepen naar het vaderland.

Terug in de wachtkamer bij de kloosterpoort werden we ontvangen door zuster Haregu. Ze kwam breekbaar over, haar gezicht leek op een landschap met diep uitgeslepen rivierdalen en scherpe bergkammen, waarboven elke dag een milde zon opkwam. Haregu was Eritrese, ze kwam uit de bergen en woonde al zevenenveertig jaar in het klooster. De koude rillingen liepen me over de rug – langer dan een gemiddeld Afrikaans mensenleven woonde ze al tussen deze muren, een onvoorstelbaar lange tijd.

Haregu was geen oude vrijster of een verzuurde non, ze was juist de meest open en de vriendelijkste van allemaal. Aandachtig luisterde ze naar de korte samenvatting van mijn levensverhaal.

'Kind uit de koffer?' Bij het noemen van dat verhaal, spitste ze haar oren, het begrip zei haar iets, zonder dat ze exact wist wat. Ze leek naar een stem in haar binnenste te luisteren, die van zo ver kwam dat ze hem nauwelijks kon verstaan.

'Dat herinnert me aan iets, maar ik weet nog niet waaraan,' zei Haregu. 'Geef me een paar dagen de tijd, ik zal in het archief nakijken of ik iets kan vinden.'

Ik was zo ontroerd, dat ik spontaan op mijn knie gleed en haar de hand kuste. Bij priesters en monniken is dat gebruikelijk, maar bij nonnen waarschijnlijk niet. Ik deed het echter niet uit beleefdheid, maar omdat ik Haregu wilde bedanken. Ik wilde haar laten weten wat het voor me betekende dat iemand me wilde helpen mezelf te vinden. Haregu begreep mijn gevoelens waarschijnlijk. Ze zegende me en legde ten afscheid haar rimpelige handen op mijn haar.

Met tranen in mijn ogen verliet ik het klooster, terwijl Dawit ontdaan achter me aan kwam – in wat voor toestand was hij als onschuldige taxichauffeur toch verzeild geraakt!

Ik zat nog maar net weer in de Kia of ik kreeg het gevoel dat ik thuis was. De omgeving van mijn kleine rijk, die knalgele Koreaanse taxi, was me nog tamelijk vreemd: al die zwarte mensen op straat, de mannen met hun versleten jasjes, de vrouwen in bonte gewaden, meestal beladen met pakjes, zakken en bundels brandstof of andere dingen. De fietsers op hun verbogen stalen rossen, de overbeladen bussen, de in vodden geklede kinderen die zonder volwassen begeleiding op de straten ravotten. De duisternis die ineens over de stad ging liggen alsof iemand het grote hemellicht had uitgedaan.

Nog geborgener voelde ik me in mijn hotelkamer. Daar aangekomen zette ik de televisie aan, zodat het donker en de stilte niet op me afkwamen. Daarna gooide ik me op het bed, trok de deken over mijn hoofd en begon te huilen. Alle woede over de afwijzing in Orfan, de teleurstelling over de gipsen madonna, de zwijgzame terughoudendheid van zuster Angela – alles huilde ik in het kussen. Ik huilde en huilde, tot de telefoon ging.

Aan de andere kant van de lijn was Flora. Ze kwam gestrest over, geen wonder zo kort voor de bruiloft. Toch wilde ze graag nog een keer uitgaan, want familie was immers niet alleen maar leuk, maar kon ook een blok aan je been zijn, en dat laatste leek bij haar op dit moment het geval. Ik aarzelde even, maar daarna ging ik er met plezier op in: muziek en andere mensen zouden me op andere gedachten brengen. Flora zou over een uur in de hotelbar zijn.

'Ambassador Lounge' heette die bar. Dat klonk best cool en dat was hij ook, maar niet zoals je je een coole bar naar Europese maatstaven voorstelt. De bediening droeg weliswaar een uniform, maar bij sommigen hing het overhemd uit de broek en als een serveerster het te koud had droeg ze een trui onder haar witte blouse. Ze waren allemaal heel vriendelijk maar door de lange werktijden doodop, zodat het kon gebeuren dat een ober met zijn hoofd op de toonbank lag te slapen, terwijl zijn collega tussen de bar en de tafels op en neer schuifelde. De meeste mensen waren eraan gewend, omdat ze hier elke dag zaten.

Toen ik de bar binnenkwam was het vroeg op de avond, waardoor er bijna geen plaatsen meer vrij waren. Zoekend keek ik om me heen. De mensen zaten in grote groepen bij elkaar, niet alleen of met z'n tweeën zoals in Duitsland. Ze zaten luid te praten en paften er vrolijk op los, maar ze hadden niet veel drankjes voor zich staan – ze hadden niet voldoende geld om er ook vrolijk op los te drinken. De sigarettenwalm was daardoor zo dik dat je de obers nauwelijks kon onderscheiden. Van Flora nog geen spoor. Onzeker zocht ik een plekje. Van een tafel wenkten mensen me dat ik bij hen moest komen zitten. Ik aarzelde, maar ze bleven aanhouden tot ik bij hen zat. Meteen betrokken ze me in een grappig gesprek over waar ik vandaan kwam, wat ik ging doen, enzovoorts. Anders dan ik gevreesd had, waren ze totaal niet opdringerig. Ontspannen ging ik erop in. Wat was ik toch wantrouwig geworden tegenover andere mensen – lag dat aan Duitsland? Of lag het aan mij en aan mijn negatieve ervaringen?

Algauw bleek dat Tesfay, de man die links van me zat, niet alleen zong, net als ik, maar ook wees was. Hij was zijn ouders op zijn zevende kwijtgeraakt. Ze waren op de vlucht van Ethiopië naar Eritrea om het leven gekomen. Toentertijd werden veel Eritreeërs uit Ethiopië verdreven, wat voor Tesfays familie dubbel zo wrang was omdat zij eigenlijk Ethiopiërs waren. Zijn ouders behoorden tot de stam der Tigrinja's, die hun stamgebied op de hoogvlakte van Kebessa hebben, die zich zowel over Eritrees als Ethiopisch grondgebied uitstrekt. Omdat er in die omgeving nauwelijks verschillen tussen Eritreeërs en Ethiopiërs zijn, was het voor de oorlogvoerende partijen niet eenvoudig om vriend en vijand uit elkaar te houden. Dus werden Tesfays ouders waarschijnlijk bij vergissing verdreven en gedood.

Elke keer als ik zo'n verhaal hoor – en het zijn er heel veel! – word ik overvallen door woede en machteloosheid: wat is dit voor een oorlog, waarin de strijdende partijen niet eens weten wie bij hen hoort en wie niet? Het is al absurd om mensen van een ander volk te doden, alleen omdat ze een andere huidskleur, een andere taal of een ander geloof hebben, maar mensen afslachten die precies zo spreken, denken, eten, wonen en geloven als jijzelf is nog veel idioter.

Door dat soort overwegingen hadden we snel contact, maar toen ik hoorde waar de kleine Tesfay moest wonen, nadat hij zijn ouders was kwijtgeraakt, benam het me bijna de adem: in Comboni. In het weeshuis dat ik vandaag had bezocht. Wij hadden het gevoel dat we broer en zus waren en elkaar na tientallen jaren zoeken eindelijk terug hadden gevonden, en vielen elkaar in de armen.

Ik had niet gemerkt dat Flora inmiddels was binnengekomen en ook zij moest een tijdje zoeken om me te vinden. Toen ze mij herkende, wist ze haar verrassing over de geanimeerde groep aan onze tafel nauwelijks te verbergen. Ze dacht dat ik me nog niet thuis voelde in Asmara en nu trof ze me aan in een kring van intieme vrienden.

Tesfay en ik begonnen meteen te na te gaan of we elkaar misschien al als kind in het weeshuis gezien konden hebben. Maar dat was onmogelijk: Tesfay was vijf tot zeven jaar jonger dan ik – exacter viel het niet te reconstrueren – en was op zijn zevende naar Comboni gekomen en ik waarschijnlijk al op mijn vijfde.

Eerst dachten we weliswaar dat we ongeveer even oud waren, maar we hadden ons vergist. Net als de meeste Eritreeërs was Tesfay heel mager, maar hij was lang en had al veel rimpels, bovendien liep hij enigszins gebogen – wat in Europa duidelijke aanwijzingen voor een leeftijd boven de dertig waren, wees in Afrika alleen op een hard leven vol ontberingen. Omgekeerd had Tesfay mij midden in de twintig geschat, vanwege mijn volle haar, gelijkmatige trekken, gladde huid en goede gebit – in Afrika allemaal tekenen van jeugd, maar in Duitsland van een goede tandarts, van rijkelijk gebruikte vochtinbrengende crème, veel lippenbalsem en een beroep en een manier van leven die lichamelijk niet veel om het lijf hadden.

SUNSHINE HOTEL

Snel hadden Tesfay en ik de verbaasde Flora ingewijd in onze pasontdekte punten van overeenkomst. Voor haar was dat een vreemde wereld – natuurlijk wist ze van de oorlog en de deportaties, maar haar familie was er vrijwel geheel van verschoond gebleven. Flora's wereld was fantastisch stabiel, onbekommerd en beschermd, ook al woonde zij, net als veel van haar broers en zussen, in het buitenland – maar juist die buitenlandse Eritreeërs vormden de basis voor de relatieve welstand van hun familie in Asmara.

Tesfay was gelovig. Veelvuldig dankte hij God dat hij mij, dat hij ons beiden was tegengekomen. Zodra hij hoorde dat ik ook zong, zelf componeerde, optrad en platen maakte, wilde hij niets liever dan me introduceren in het muziekwereldje. Ook Flora vond het leuk om mee te gaan, zij was de laatste jaren weinig in Asmara geweest en niet erg op de hoogte van het nachtleven in de Eritrese hoofdstad.

We gingen meteen naar een ander hotel. Dat was maar een kilometer verderop, maar geen Eritreeër zou het in zijn hoofd halen om een dergelijke afstand te voet af te leggen als de mogelijkheid bestond met de auto te gaan. Elke Asmarino wist dat wij Europese vrouwen ons die paar nakfa voor een dergelijke rit wel konden permitteren.

Het Sunshine was vergeleken met het Ambassador echt een chic hotel met een tropische tuin, een telefoon die het deed en obers bij wie het hemd niet uit de broek hing. Hier zou over een paar dagen de bruiloft van Flora's zus plaatsvinden.

De bar van het Sunshine was in vergelijking met de lounge van het Ambassador pure luxe: lage banken, zware gordijnen, gedempt licht en een goed uitgeruste balie. Maar het beste was het piepkleine podium: daar speelden drie muzikanten – op keyboard, gitaar en slagwerk – heel gevoelig jazz, waar een vierde muzikant 'My funny Valentine' bij zong, een oude hit van Chet Baker, een van mijn favorieten. Het was geweldig hoe emotioneel deze zanger de noten pakte, met hoeveel gevoel hij de song liet vibreren. We klapten zo hard we konden, ook al reageerde de rest van het publiek best koel – de meeste mensen leken helemaal op te gaan in het gesprek met hun tafelgenoten.

Ons verging het algauw niet anders. We hadden nog maar net plaatsgenomen of Tesfay werd door de een na de ander begroet. Hij leek iedereen hier te kennen, alle gasten kenden hem en allemaal wilden ze Flora en mij leren kennen – ik kan me niet herinneren dat ik ooit in mijn leven in zo korte tijd zo veel mensen heb uitgelegd wie ik ben, waar ik vandaan kom en wat ik zoal doe.

Van alle nieuwe gezichten maakte dat van Lula de meeste indruk op me. Lula was misschien twee à drie jaar jonger dan ik. Ze was mooi, had grote lippen en nog grotere ogen en toch kon ik aan haar gezicht veel aflezen. Ik weet niet precies waar ik het aan zag, misschien aan de harde trek die zich om haar mond had gegroefd, misschien aan haar huid waar een paar littekens overheen liepen, die weliswaar waren geheeld maar nog steeds zichtbaar waren.

Toen ik op het punt stond haar te vragen of ze in de oorlog had gevochten, begon Lula er uit zichzelf over te vertellen. Ze praatte er niet beschaamd over, niet met een kwaad geweten, zoals Eritrese vrouwen en soms ook mannen in Duitsland doen die als kind met het wapen in de hand voor de bevrijding van hun land moesten vechten, maar ze vertelde het vol trots. Lula was nog nooit in het buitenland geweest, ze had nog nooit kritische geluiden over de bevrijdingsstrijd gehoord en begrippen als 'kindsoldaten' of 'gedwongen rekrutering' kende ze niet eens – voor haar was het ook achteraf bekeken de vanzelfsprekendste zaak van de wereld om voor de vrijheid van haar land te vechten. Nadat haar volk de strijd had gewonnen, had ze verder niet over haar lot als kindsoldaat gepiekerd. Lula had andere plannen: ze wilde zangeres worden en zoog daarom gulzig op wat ik over mijn carrière wist te vertellen.

Ons gesprek werd onderbroken toen Tesfay opstond en naar de microfoon liep – hij had voor ons verzwegen dat hij hier als zanger werkte. Daarom had hij er dus zo op aangedrongen dat we zouden vertrekken: hij moest naar zijn werk, of liever gezegd naar een van zijn baantjes, zoals we later hoorden, want muzikanten verdienden hier zo weinig dat ze van een paar optredens per week niet konden leven.

De vorige zanger was me al goed bevallen, maar over Tesfays optreden was ik ronduit enthousiast. Hij begon met 'Gloomy Sunday', zong vervolgens 'Yesterday' en tot slot van de eerste set 'Blue Moon'. Allemaal gedragen, gevoelige ballads, die bij hem klonken als in een nachtclub in de Bronx, zo echt, zo bluesy en ook geweldig goed getroffen.

Toen hij terugkwam naar zijn plekje bij ons overstelpte ik Tesfay met vragen: waar had hij zo goed leren zingen, hoe kende hij die liederen, hoe kwam het dat hij zo goed Engels zong?

77

'Zo geweldig ben ik nu ook weer niet,' wimpelde Tesfay dat aanvankelijk bescheiden af. Hij had zichzelf alles geleerd. Zangles had hij nooit gehad, Engels had hij maar twee jaar op school gehad en daarna had hij het op eigen houtje uit oude leerboeken geleerd. De liedjes had hij maar een paar keer op krakerige cassettebandjes bij een vriend gehoord, want voor een eigen cassetterecorder had hij niet genoeg geld.

Tesfay zat nog maar net weer bij ons toen de volgende zanger alweer op het podium stond, vervolgens een zangeres en daarna weer een zanger – ook Lula zong een Eritrees liefdesliedje. Ze had een mooie, heldere, duidelijke stem, die echter volkomen ongeschoold was. Ik zag dat ze tijdens het zingen worstelde met haar ademhaling en heel zenuwachtig was, maar de manier waarop ze er vrolijk op los zong beviel me wel. Ook de mensen vonden haar sympathiek en applaudisseerden harder voor haar dan voor de andere zangers.

Zo ging het maar door. Het publiek had entree betaald en wilde dus vermaakt worden. Ik bewonderde niet alleen sommige zangers, die zonder veel muzikale scholing vol enthousiasme hun liederen zongen, ik bewonderde ook de leden van de band, die uur na uur zonder pauze speelden, zij werden nooit afgelost, zij zaten de hele avond op het podium.

We kregen ook een paar liederen in het Tigrinja te horen, maar de meeste zangers zongen Amerikaanse songs. Ik vroeg Tesfay waarom.

'We hebben een groot verlangen naar de verte,' zei hij en het klonk theatraler dan hij het bedoelde. 'We willen allemaal weg, vooral naar Amerika. We willen de wereld zien, we willen geld verdienen. Niemand van ons hoeft per se rijk te worden, maar iedereen wil genoeg hebben om zijn gezin te onderhouden.'

Pas nu werd me duidelijk dat Tesfay een vrouw had en een dochter van drie. Ik hoorde dat bijna niemand van deze muzikanten alleen van de muziek kon leven en dat ze allemaal afhankelijk waren van giften van hun familie of van nog slechter betaalde bijbaantjes, die eigenlijk hun hoofdbaan waren. Maar niet iedereen dacht er zo over als Tesfay. De keyboardspeler had bijvoorbeeld jarenlang in Duitsland gewoond. Hij sprak zeer goed Duits, met een licht Frankisch accent, want hij had in de omgeving van Neurenberg als bar- en studiomuzikant gewerkt.

'Ik verdiende niet slecht,' vertelde hij, 'maar op een gegeven moment kon ik het niet meer. Ik wilde mijn familie terugzien, mijn mensen, mijn land. Ik heb hier minder geld, maar ik leef meer.' Ik had het gevoel dat ik begreep wat hij bedoelde.

Nadat flink wat mensen in de bar hadden gehoord dat Flora en ik uit het buitenland kwamen en dat een van ons zelfs kon zingen, kwam ik er niet onderuit om zelf een paar liederen ten beste te geven. Niet dat ik niet wilde optreden – ik was alleen heel zenuwachtig bij het idee in mijn eigen vaderland te zingen en voor mensen van mijn eigen volk op het podium te staan, die mijn prestaties misschien volgens bijzonder strenge maatstaven beoordeelden.

Een paar mensen uit het publiek kenden zelfs mijn naam, ze hadden me in Europa bij de voorrondes voor het Eurovisiesongfestival gehoord, waaraan ik het jaar daarvoor had deelgenomen. Ik had het erg leuk gevonden een van mijn eigen liedjes te zingen, maar jammer genoeg kende niemand van de band ze, dus werden we het erover eens dat het 'I Will Always Love You' van Whitney Houston zou worden.

De band speelde een paar maten, ik deed mijn ogen dicht, concentreerde me, dacht aan de eerste regels van de tekst en wilde net uithalen, toen me opviel dat alle gesprekken die er eerst nog in de bar werden gevoerd in één klap waren verstomd. Ineens voelde ik de gespannen concentratie van een concertzaal en moest ik van wal steken: 'If I should stay, I would only be in your way...'

Wat greep dat optreden me aan! Ik kon me nauwelijks op het zingen concentreren omdat de gedachten in mijn hoofd over elkaar heen buitelden: ze willen horen hoe jij als buitenlandse zingt! Ze bewonderen je omdat het je gelukt is om bekend te worden in Duitsland! Ze zien je als ambassadrice van Eritrea in de wereld! Ze verwachten veel van je omdat ze je als een internationale beroemdheid beschouwen!

Ik moest ontzettend uitkijken dat ik niet verstrikt raakte in al die gedachten, of ze nu klopten of niet. Ik moest proberen met beide benen op de grond te blijven staan. Doe nu niets bijzonders, niets speciaals. Senait, zei ik tegen mezelf, wees gewoon jezelf en zing! En dat deed ik met alle emotie die ik kon opbrengen, want dit was voor mij geen willekeurig optredentje tussendoor, in een klein barretje in een Oost-Afrikaans gat, dit was mijn eerste optreden in mijn vaderland. Bij mij thuis in Afrika, voor mijn mensen, in de hoofdstad van mijn land.

'*And I will always love you, will always love you,*' zong ik zo hartstochtelijk als ik maar kon. Op dat moment bedoelde ik daarmee het hele continent waar ik me bevond.

STRAATKINDEREN

De zon stond al hoog aan de hemel toen ik de volgende dag uit mijn bed stapte. Het was de avond daarvoor in de Sunshine-bar laat geworden en ik had gemerkt dat Eritreeërs wisten wat feestvieren was. Snel ging ik onder de douche, om vervolgens opgelucht vast te stellen dat het pas negen uur was. Het kostte tijd voordat mijn lichaam, dat opgesloten had gezeten in de Europese winterdonkerte, begreep dat de dag om zes uur 's ochtends begon – met een zon die zijn hemelloop naar boven zo snel aflegde dat het leek of de aarde hier sneller draaide dan elders.

Maar ik had graag gezien dat de aarde langzamer was geweest. Ik was bang dat de tijd in Eritrea door mijn vingers geglipt zou zijn, voor ik alles had afgehandeld wat er af te handelen viel. Ik was tenslotte op zoek naar mijn familie, naar mijn verleden, en ik had tot dusverre nog niets gezien, behalve twee weeshuizen, waar de muren, roestige speeltoestellen en een gipsen madonna het enige vertrouwde waren. Tegelijkertijd voelde ik een grote schroom om serieus met mijn eigenlijke zoektocht te beginnen omdat ik niet wist wat ik allemaal aan het licht zou brengen. Ik had het onbestemde gevoel dat mijn familie nog wel wat verrassingen voor me in petto zou hebben, en ik was bang dat die onaangenaam konden zijn.

Ik besloot nog één dag in te lassen om te acclimatiseren voor ik met mijn verdere naspeuringen begon. Het beviel me om als een toerist door de stad te lopen, die in mijn paspoort als mijn geboorteplaats vermeld stond. Ik trok mijn stevige sportschoenen aan, want de straten konden in Eritrea ook midden in de stad behoorlijk onbegaanbaar zijn, en ging op weg. Ik was het hotel nog maar net uit of ik werd al omringd door een schare kinderen, die lachend en schreeuwend hun handen naar me toestaken. Kennelijk had het onder de straatkinderen de ronde gedaan dat ik een aantal van hen de dag ervoor een paar bankbiljetten had gegeven, want nu had de groep gewoon staan wachten tot ik het hotel verliet.

De kinderen, die ondanks hun armoede vrolijk en opgewekt waren, bevielen me, maar ik maakte me ook zorgen om hen. Wat moest er van hen worden als ze volwassen waren? Wat voor kansen hadden ze, wie zou zich om hen bekommeren – buiten het leger dat altijd geïnteresseerd was in vers 'menselijk materieel'?

Natuurlijk is lukraak geld geven totaal ongeschikt als basisondersteuning van jonge mensen, maar ik kon niet anders dan weer een paar bankbiljetten uitdelen, die in Eritrea slechts elk een euro waard zijn, wat heel wat is in een land waar veel gezinnen van tien tot twintig euro per maand moeten rondkomen. Daarna stoof de meute even snel uit elkaar als hij voor mij was ontstaan. Er bleven maar twee kinderen bij me, een meisje en een jongen. Die twee hadden de dag ervoor de ingang van het hotel al bewaakt en vonden dat zij eigenlijk het alleenrecht op mijn vrijgevigheid hadden. Nu stonden ze op het punt me op mijn wandeling te vergezellen.

Het was me eerst niet duidelijk wat ik moest doen. Dus probeerde ik hen er halfslachtig toe te bewegen terug te gaan, maar ze bleven op een vriendelijke manier aanhouden. Zodra ze merkten dat ik even goed Tigrinja sprak als zijzelf, stelden ze me allerlei vragen: hoe kende ik hun taal? Waar kwam ik vandaan? Waar woonde mijn familie? Was ik echt zo beroemd als de portier van het hotel had gezegd? En waarom was mijn huid lichter dan die van hen?

Toen ik moest lachen om al hun vragen, was het ijs ook aan mijn kant gebroken. Ik vroeg of ze iets met me gingen eten, want het was al bijna middag en ik had nog geen ontbijt gehad. Ze keken me allebei met grote ogen ongelovig aan, knikten zwijgend en liepen met me mee. Met z'n drieën liepen we naar de markt, in een islamitische wijk van Asmara. Daar wilde ik een restaurant zoeken omdat ik trek had in *foul*, bonenpuree die meestal met uien, olie, tomaten en brood wordt geserveerd – het streekontbijt in het westelijke laagland van Eritrea, maar ook in het naburige Soedan en in grote delen van Ethiopië.

Op weg erheen vertelden de kinderen over hun korte leven, dat vol tragiek zat. Ze waren broer en zus, het meisje was negen, heette Haddas en was drie jaar ouder dan haar broer Kinfe. Dat betekende naar ongeschreven Afrikaans recht dat ze volledige zeggenschap over haar broer had, want bij ons worden kinderen, zodra ze de zuigelingenleeftijd ontgroeid zijn, niet door hun ouders verzorgd – ook niet als die nog gewoon in leven zijn – maar door hun oudere broers en zussen. De ouders hebben meestal geen tijd, geen energie en ook geen zin om zelf voor hun kinderen te zorgen. Veel mensen zijn continu bezig voor brood op de plank te zorgen. De vrouwen hebben daarnaast nog de zorg voor de huishouding en voor het waterhalen, en de mannen voor de beesten en voor hun eigen ontspanning, die ze in uitgebreide middagslaapjes vinden.

Bij Haddas en Kinfe was het vroeger ook zo geweest, tot hun moeder in het dorp in de bergen, waar ze woonden, door een mijn uiteen werd gereten en hun vader in de tweede oorlog tussen Eritrea en Ethiopië aan het front sneuvelde.

Ik was geschokt. 'Zijn jullie helemaal op jezelf aangewezen?'

Haddas knikte. Aan de manier waarop ze dat deed, zag ik dat ze de waarheid zei en niet probeerde indruk te maken met haar ellende. Ze dramatiseerde haar lot allerminst, maar vertelde erover alsof het niets bijzonders was – en dat was het in Afrika ook niet.

'We gingen naar Asmara omdat we hier een oom hadden,' vertelde Haddas. 'Het was niet gemakkelijk om hem te vinden. Onze oom wilde ons echter niet in huis nemen omdat hij zelf een gezin heeft en niet genoeg te eten en geen plek had. Dus leven we op straat en bedelen we.'

Haar verhaal brak mijn hart, ik moest aan mijn eigen lot denken. Ik kende het gevoel door je eigen familie niet gewenst en op jezelf aangewezen te zijn, ook al had ik toen het geluk gehad dat ik in elk geval in een weeshuis terecht was gekomen. Daardoor had ik dan wel regelmatig te eten gehad en een plek om te slapen, maar het gevoel van verlatenheid was er niet minder om geweest. Godzijdank had mijn oom me later naar Soedan gehaald en me op die manier gered – maar wie moest deze broer en zus redden?

Ontdaan ging ik met de twee kinderen een restaurant binnen. Pas toen we voor de bar stonden, merkte ik dat er iets niet klopte. De restauranthouder, de ober en de weinige gasten die aan tafeltjes in de voorste ruimte zaten, staarden ons aan alsof wij uit een andere wereld kwamen. Ik keek snel naar beneden of er iets met mijn kleren was, maar dat was het niet, de mensen verbaasden zich over iets anders. Ik was duidelijk een buitenlandse en dus vast rijk, maar de kinderen waren onmiskenbaar straatkinderen, zoals iedereen aan hun versleten kleren, hun kapotte sandalen en hun verwarde haren kon zien. Dat waren kinderen die de restauranthouder normaal met de bezemsteel wegjoeg als ze te dicht bij zijn restaurant kwamen, zodat ze zijn gasten niet lastigvielen, en nu stonden ze midden in zijn restaurant, maar met begeleiding, waardoor hij niet naar zijn stok kon grijpen. Dus stond hij zwijgend voor ons.

Ik had even nodig om de situatie te begrijpen – het leek een eeuwigheid. Toen vermande ik me en zei dat wij drieën graag iets wilden eten. De restauranthouder slikte. Een vrouw zonder mannelijke begeleiding, die zelf bestelde, haar eigen eten betaalde en alleen naar een restaurant ging was in Asmara geen sensatie meer, zoals het in een dorpje wel geweest zou zijn, maar het was allesbehalve vanzelfsprekend en al helemaal niet in een islamitische wijk.

'Jullie kunnen daarginds gaan zitten,' stamelde hij en wees naar een tafel in een verder volkomen leeg zijvertrek van het restaurant. Kennelijk wilde hij ons uit het zicht van de andere gasten hebben. Ik dacht kort na of ik er bezwaar tegen zou maken, maar toen zag ik ervan af – de kinderen waren toch al onzeker genoeg in de vreemde omgeving en bovendien wilde ik rustig met hen kunnen eten en ongestoord kunnen praten.

Ik bestelde *enjera* voor ons met vlees voor de kleintjes en *foul* erbij en cola en water. Toen ging ik hun handen wassen, want met zulke vieze vingers konden ze echt niet toetasten. Bij ons eet je traditioneel niet met bestek, maar met je blote handen, en voor en na elke maaltijd handen wassen is zowel thuis als buitenshuis even vanzelfsprekend als in Duitsland koffiedrinken na het eten.

Broer en zus stonden paf hoeveel eten de nog steeds onvriendelijk kijkende restauranthouder op tafel zette, maar ze lieten zich door hem totaal niet van hun stuk brengen. Voorzichtig, ja, bijna aandachtig, trokken ze kleine stukjes van de grote deegpannenkoek die hun hele bord bedekte en rolden daar hun stukjes vlees, ei en saus in – precies zoals het hoorde, want natuurlijk wisten zij net als elk ander Eritrees kind hoe je *enjera* moest eten, ook al hadden ze dat al lang niet meer voorgeschoteld gekregen. Ze aten totaal niet haastig of gulzig, maar rustig en langzaam, met grote tussenpozen, alsof ze daardoor nog beter van het eten konden genieten. Haddas legde me de werkelijke reden uit: 'Wij zijn niet gewend om zoveel te eten, daarom krijgen we het maar langzaam naar binnen.' Haar broer Kinfe was het zwijgend met haar eens.

Bij deze opmerking kromp alles in me zo in elkaar, dat ik zelf bijna geen hap van mijn *foul* meer naar binnen kreeg. Ik wist uit mijn eigen jeugd wat het betekent om honger te lijden en kennelijk wisten deze twee kleine onschuldige en toch al zo ervaren mensen dat ook maar al te goed.

Ik was nog meer ontroerd toen Haddas me vertelde hoe ze leefden en beschreef hoe ze een lege afwateringsbuis, die in een voorstad van Asmara aan de rand van een veld lag, als woning hadden ingericht met een paar gevonden dingen, zoals een oude deken, vier zakken en een paar takken. Er was een kanaal in de buurt waar soms water doorheen liep, waar ze zich zo goed en zo kwaad als het ging konden wassen. Toen ze vertelde dat ze er ondanks alle problemen voor zorgde dat zij en haar broer elke ochtend, voor ze uit bedelen gingen, punctueel naar school gingen zodat ze leerden lezen, schrijven en rekenen om later te kunnen werken, sprongen zonder dat ik er iets tegen kon beginnen de tranen me in de ogen.

Ik wendde me even af en deed alsof ik met mijn zakdoek een vliegje uit mijn oog moest vegen. Wat moesten de kinderen wel niet denken, als ze me nu zagen huilen? Ik wilde niet dat ze hun pogingen iets te bereiken als zinloos zouden beschouwen of dat ze dachten dat ik het onbelangrijk vond wat ze deden. Mijn god, wat kunnen mensen die helemaal niets hebben anders dan hopen dat het ooit beter met hen zal gaan? Wat kunnen ze voor zinvollers doen dan het niet opgeven, maar tegen hun vermeende lot te vechten, hun geloof te behouden en positief te blijven?

Na het eten viel het me op dat de kinderen heel kleine oogjes kregen. Ik speelde met de gedachte ze mee te nemen naar mijn hotelkamer, maar verwierp die gedachte meteen omdat de portier dat nooit zou toelaten als hij zijn baan niet op het spel wilde zetten of geen stevige straf wilde riskeren. Dus nam ik met verdriet in het hart afscheid van de twee, maar pas nadat ik de restanten van onze maaltijd voor hen had laten inpakken en ze had ingeprent dat ze de volgende dag weer naar het hotel moesten komen.

Pas toen ze in het gewoel van de markt waren verdwenen, viel me op hoe de ontmoeting me had aangegrepen. Ik voelde me alsof ik een dag hard had gewerkt – mijn knieën trilden en ik had in de middaghitte moeite met ademen. Ik had het gevoel of ik schimmen uit mijn eigen jeugd had ontmoet en dacht tegelijkertijd aan al die levens in Afrika, waarbij vergeleken ik een luizenleventje had.

Mijn hoofd was zo vol dat ik niets meer kon opnemen, niets meer kon zien, niets meer kon verwerken. Ik wilde alleen nog maar terug naar het hotel om daar op adem te komen en me voor de ellende van deze wereld te verstoppen, maar dat was op dat moment niet gemakkelijk. De siësta was voorbij en de markt voor het restaurant waar we hadden gezeten liep meteen vol mensen. Ze kwamen uit alle hoeken en gaten, duwden hun fietsen voort, trokken handkarren, balanceerden dikke bundels op hun hoofd, trokken ezels achter zich aan of duwden met hun afgetakelde auto's de voorbijgangers hardhandig aan de kant.

Door de ontmoeting met de twee straatkinderen was mijn blik zo gescherpt dat ik plotseling alleen nog maar ellende zag. Naast alle klanten en verkopers zag ik de oude vrouwen die met een paar bosjes kruiden of achter een klein hoopje zelfgeplukte cactusvruchten op de grond zaten om op die manier minuscule bedragen te verdienen, waardoor ze hopelijk in leven bleven. Ik zag de oudstrijders, sommige niet ouder dan dertig of veertig, die zich in geïmproviseerde rolstoelen een weg door de menigte baanden. Ik zag de invalide mannen die met hun krukken in het afval naar iets eetbaars woelden. Ik zag de marktkraampjes waar niets anders te koop was dan lege jerrycans, blikken en oude plastic flessen, want de gewone bewoners van de stad hebben thuis geen stromend water en kunnen er alleen maar van dromen om een flesje mineraalwater of Fanta te kopen als ze dorst hebben – ik zag hoe ze met zulke oude jerrycans in de rij gingen staan voor een openbare kraan om iets te drinken te krijgen.

Ik zag de bedelaars op de belangrijkste verkeersader van de stad tussen de wandelaars die het zich konden permitteren zonder zich te haasten de Boulevard van de Vrijheid op en neer te lopen. Ik zag de straatkinderen die de trap van de katholieke kathedraal tegenover het Ambassador belegerden en ik schoot zo snel mogelijk het hotel binnen, voor ze me in de gaten kregen.

Ik had genoeg gezien van het straatleven van mijn geboortestad. Vandaag nog zou ik naar mijn familie gaan.

THUIS?

Mijn familie woonde in Maitemenai, een voorstad van Asmara, in het vroegere huis van mijn grootouders, die allang dood zijn. Hier woonde ik nadat mijn tante Mbrat me op bevel van mijn vader uit het Comboni-weeshuis had gehaald. Hier beleefde ik de gelukkigste tijd van mijn vroege jeugd – of liever gezegd de enige gelukkige tijd. Ik was toen vijf of zes jaar oud, maar ik mocht daar amper een jaar blijven omdat mijn vader het ineens beter vond dat ik bij hem en zijn nieuwe gezin kwam wonen. Tot op dat moment had het hem niets kunnen schelen dat ik in een weeshuis opgroeide, maar een zesjarig meisje begint voor een Afrikaans huishouden interessant te worden als arbeidskracht. Van mijn moeder was papa toen allang gescheiden: zij waren al voor mijn geboorte uit elkaar gegaan.

Toen Dawit me naar Maitemenai bracht had ik slechts een vaag idee hoe al die verhalen samenhingen. Ik wist alleen dat ik nog een paar broers en zussen moest hebben, uit een relatie van mijn moeder met een andere man, maar ik wist niet eens hoe die broers en zussen heetten. Ik kende alleen Yaldiyan en Tzegehana, mijn twee oudste zussen, de dochters van mijn vader bij Abrehet, met wie hij na mijn moeder had samengewoond. Mijn vader had me samen met hen naar het ELF gebracht, samen met hen was ik naar Soedan gevlucht en samen met hen was ik later naar Duitsland vertrokken, om daar onze vader weer te ontmoeten die intussen met zijn toenmalige vrouw Werhid een nieuw gezin had gesticht. Dat klinkt niet

86

alleen gecompliceerd voor buitenstaanders, dat was het ook voor mij. Ik had het gevoel dat de controle over mijn eigen biografie me was ontglipt.

Als ik 'naar huis' ging, naar Maitemenai, was dat daarom een uiterst relatief begrip. Ik wist niet eens zeker of ik het huis wel zou kunnen vinden en ik betwijfelde of men daar wist dat ik in Asmara verbleef – mijn zussen waren er weliswaar een paar maanden geleden geweest, maar we hadden nauwelijks nog contact en ik wist niet of ze mijn komst hadden aangekondigd. Ik kon ook niet zeggen wie er tegenwoordig in het huis woonde, behalve Dagniou, Mbrats moeder.

Mbrat is mijn tante, de nicht van mijn vader. Toen ze me indertijd, onder het voorwendsel dat ze mijn moeder was, uit het weeshuis had gehaald, geloofden niet alleen de nonnen haar, die me anders nooit hadden laten gaan, ook ik geloofde haar zonder meer. Het was gewoon te mooi om ineens een moeder te hebben, een moeder van vlees en bloed, niet een van blauw en rood geschilderd gips. Wat had ik Mbrat graag teruggezien, maar zij woonde nu in Saoedi-Arabië. Haar moeder Dagniou kon ik me daarentegen bijna niet herinneren – zij was voor mij indertijd niet erg belangrijk geweest.

Terwijl Dawit zijn taxi door de straat naar Maitemenai omhoog liet ronken, piekerde ik over mijn bezoek. Stel dat Dagniou me niet herkende? Dat ze niets meer van me wilde weten? Wat zouden mijn zussen over me verteld hebben?

Gelukkig was het te laat om daar nog langer over na te denken, want Dawit liet zijn auto al langzamer lopen. 'Hier,' hij wees met een vaag gebaar op een rij huizen, 'hier moet het zijn.'

We waren bijna op het hoogste punt van de weg aangekomen en hadden het ziekenhuis links achter ons gelaten. Dawit had zich gekweten van zijn taak en nu was ik aan de beurt. Ik wist alleen dat je ergens rechtsaf moest, maar de huizen langs de straat zagen er allemaal hetzelfde uit: kleine sjofele dozen met tralies voor de ramen en een paar stroomdraden op het dak. Afgezien van de hoofdstraat hadden de straten hier geen namen. Alle zijstraten waren verhard met stenen en gingen al na een paar huizen over in veldwegen, die langzaam doodliepen in de weilanden achter de stad. Ik liet Dawit nog een stuk verder rijden, omkeren, terugrijden, weer omkeren – het was hopeloos, de gevels bleven zwijgen.

Ik moest het in een winkel gaan vragen, en daarvandaan stuurden ze me meteen de goede kant op, want het positieve van Afrika is dat iedereen zijn buren kent en niet alleen die in zijn eigen straat, maar ook die van één en twee straten verderop. Waarom was ik daar niet eerder opgekomen? De mensen oriënteerden zich niet met behulp van straatnaambordjes, plattegronden of navigatie-systemen, maar met behulp van andere mensen. Aan het begin van de zijstraat vroeg ik het nog een keer en toen zag ik de metalen deur al voor me waardoor ik op mijn vijfde voor het eerst in mijn leven het huis van een echte familie was binnengegaan. Het huis van mijn familie.

Voorzichtig raakte ik de felgroen gelakte deur aan en leunde tegen het koele metaal. Achter die muur was indertijd het paradijs voor me opengegaan. Daarachter waren mijn grootouders, die meteen van me hielden, mijn tante, mijn neven en nichten, de hond en de kat, die ik al snel de mijne mocht noemen. Toen iemand plotseling vanbinnen de deur openmaakte, viel ik bijna tegen de grond.

Ik ging door mijn knieën en kon me nog net aan de muur vasthouden, anders was ik languit op de stenen gevallen. In de deuropening stond een jongen, die me met opengesperde ogen aanstaarde. Dat had hij nog nooit gezien, een vreemde, die voor zijn tuindeur vlak boven de grond haar evenwicht probeerde te bewaren. Hij stond als aan de grond genageld, barstte vervolgens uit in een snerpend geschreeuw en rende terug de tuin in.

Ik kon nog net omhoogkrabbelen en toen stond er al een oudere vrouw in een lange, bontgekleurde jurk voor me. Ook zij staarde me aan, maar toen sloeg ze ineens haar handen boven haar hoofd tegen elkaar, schreeuwde 'Senu!' en omhelsde me, terwijl de tranen haar meteen over de wangen liepen. Ik herkende de vrouw niet, maar er was geen twijfel mogelijk: dat moest Dagniou zijn, mijn oudtante. Dus omhelsde ik haar ook, ademde diep in en voelde hoe de spanning verdween en mijn lichaam steeds zwaarder werd. Ik was thuis.

Ik weet niet of ik nog lang op mijn benen had kunnen blijven staan als Dagniou me niet meteen had meegenomen het huis in en op een bank had gezet, zo slap waren mijn knieën. Dagniou – het was echt Dagniou – was ook helemaal buiten zichzelf. Ze riep telkens weer mijn naam, veegde over mijn gezicht, huilde en viel op haar knieën voor me, zodat ik nauwelijks wist wat me overkwam. En het vertrek vulde zich inmiddels met mensen: een jonge vrouw, haar man, een paar kinderen, nog een oude vrouw, een tweede jonge vrouw...

Langzaam hernam Dagniou zich en stelde me voor aan de anderen. Daarna stelde ze hen voor aan mij: Lisha, haar dochter, met haar man Tewelde, een buurvrouw die toevallig op bezoek was, haar huishoudster en haar vriendin en haar drie kleinkinderen. De mensen hier vormden een echte familie. Mijn familie.

Ze zaten allemaal om me heen, op het nette bankstel in de woonkamer, de enige zitgelegenheid in huis, afgezien van de kleine krukjes waar de vrouwen op zaten te koken of af te wassen. De eerste fles Fanta ging open, een teken van welstand. Ze keken me allemaal verwachtingsvol aan. Eigenlijk was ik hier om meer over mijn familie en mezelf te weten te komen, maar mijn familieleden zagen dat anders. Zij wilden weten wie ik was.

Voor de onzekerheid toesloeg, begon ik uit te leggen hoe ik in Soedan had geleefd. Ik vertelde hun wanneer ik met mijn zussen naar Duitsland was vertrokken. Ik liet hun weten dat ik al lang niet meer bij mijn vader woonde, dat ik naar Berlijn was verhuisd, naar de hoofdstad van Duitsland. Ik vertelde dat ik zangeres was, platen uitbracht, optredens had en me ook voor Afrika inzette. Ik praatte en praatte, maar er gebeurde niets. Ik pauzeerde even, praatte verder, liet een nog langere stilte vallen, maar het leek niemand te storen. Het was alsof de vele gegevens, feiten en successen in mijn leven niet de minste indruk op mijn familie maakten. Ik had het gevoel dat ze me niet begrepen, hoewel ik onberispelijk Tigrinja sprak. Er ging iets niet goed.

Ik wist niet meer wat ik verder moest, stopte met vertellen en wachtte wat er gebeurde.

'Jij hebt vast honger,' zei Dagniou. 'We gaan zo eten. Eet je graag *enjera*?'

Dat was niet de vraag die ik na mijn levensverhaal had verwacht, maar ik wist natuurlijk dat deze maaltijd heel belangrijk was omdat er bij ons in Afrika niets waardevollers bestaat dan een gast zo rijkelijk mogelijk te onthalen. Maar ineens zag ik weer de trekkende romp van de kip voor me nadat mijn opa de kop eraf had gehakt en die hij mij triomfantelijk had getoond, omdat hij me tenslotte speciaal had gehaald om te zien hoe zoiets in zijn werk ging. Maar ik had de hele tijd mijn handen voor mijn gezicht gehouden en slechts af en toe tussen mijn vingers door gegluurd. Wat ik zag was voldoende geweest. Ik wilde nooit weer vlees eten.

'Ik eet geen vlees,' zei ik in Dagnious richting.

Ze stopte midden in haar beweging. 'Geen vlees?'

Dat iemand het hoogwaardigste, waardevolste en duurste levensmiddel niet at, riep in Afrika, waar levensmiddelen schaars zijn, onbegrip op. Hoe moest ik hen dat uitleggen?

'Ik vind het niet lekker,' zei ik en ik merkte meteen dat ze er geen woord van geloofden, 'ik kan er niet tegen.'

Dagniou schudde haar hoofd, haar schoonzoon Tewelde was oprecht bezorgd: 'Ben je ziek?'

Ik had geweten dat de vleeskwestie problemen zou opleveren, maar na zoveel jaren vegetarisch eten kon ik gewoon geen vlees eten alleen om hun een plezier te doen – ik had ter plekke moeten overgeven en dan was ik nog verder van huis.

'Nee, ik ben gezond,' antwoordde ik, 'ik voel me heel goed bij een beetje groente en *enjera*, echt. Ik ben gek op *enjera!*'

Dat klopte volledig en toch keken de anderen me aan alsof ik een grapje maakte. Een flauw grapje. De situatie werd steeds pijnlijker tot Lisha, Dagnious dochter, me eruit redde: 'Eet je wel eieren?' vroeg ze. 'We hebben eieren voor je!'

Opgelucht zei ik ja, ook al hield ik niet zo van eieren, en Lisha stond op om het door te geven aan het meisje, dat op het erf al naarstig bezig was met de voorbereidingen voor het eten. Het is in Afrika niets bijzonders om een meisje in dienst te hebben. Dat hebben niet alleen rijke mensen, maar ook gewone mensen als ze een klein, geregeld inkomen hebben – het is even normaal als het voor arme gezinnen is om ongetrouwde dochters uit werken te sturen in andere gezinnen. Ze verdienen er weliswaar zo goed als niets, maar ze krijgen te eten, hebben een dak boven hun hoofd en zijn hun familie niet tot last.

Ik gebruikte de pauze na het gesprek over het eten van vlees om mijn oudtante een vraag te stellen: 'Wat was ik eigenlijk voor een kind?'

Dagniou schudde haar hoofd. 'Een normaal kind,' zei ze aarzelend. 'Je was druk. Heel druk.' En daarmee was de kous voor haar af.

'Maar hoe was het toen ik uit het tehuis kwam?' wilde ik weten. 'Was ik bang? Of overstuur of verdrietig?'

Dagniou keek me aan alsof ze de vraag niet helemaal had begrepen. Weer schudde ze haar hoofd.

'Was ik een bang tehuiskind?' vroeg ik nog een keer, maar al die vragen leken tot een categorie te behoren waar zij geen voelsprieten voor had.

'Je was een normaal kind,' zei ze, 'net als de andere kinderen.'

Ik mocht echter niet opgeven, tenslotte zat hier tegenover me een vrouw die me als klein kind had gekend. De enige vrouw van wie ik dat met zekerheid wist en die ik kon benaderen – en ze liet zich geen enkele uitspraak ontlokken. Dat kon toch niet waar zijn!

'Wat deed ik de hele dag?' Ik nam een nieuwe aanloop, in de hoop met concrete vragen meer te weten te komen.

'Wat alle kinderen doen,' luidde Dagnious antwoord.

'Maar je kunt je toch vast wel iets herinneren!' Ik kon mijn ongeduld nauwelijks nog verbergen.

Op dat moment klaarde Dagnious gezicht op. 'Natuurlijk kan ik dat,' zei ze, en ze lachte weer. 'Ik weet nog dat je op een keer met een half verhongerde kat kwam aanzetten en zei dat die nu bij ons woonde. Mijn zus keek naar het beest en zei dat dat niet ging omdat het poesje ziek was en onze kat of de kippen nog zou aansteken. Wat moest je huilen! Je huilde zo hard tot je opa er boos aankwam en vroeg wat er in 's hemelsnaam aan de hand was. Je had hem in zijn middagslaapje gestoord en dat werd bij ons als een zwaar vergrijp beschouwd. Toen reageerde je oma heel snel en zei tegen je dat je het poesje terug moest brengen, maar dat ze jou de kat zou geven die bij ons in huis woonde en die tot op dat moment van de hele familie was geweest. Daarmee was je weliswaar niet helemaal tevreden, je moest nog een paar keer snuffen en snotteren, maar je hield op met huilen en bracht het zieke poesje weg. Vanaf die dag heb je onze kat verzorgd en rondgesjouwd. Ik geloof dat je nog erger blies dan de kat als iemand anders hem wilde aaien. Je kon behoorlijk koppig zijn als je je zin wilde hebben.'

Nu was het mijn beurt om te lachen. Ik kon me goed voorstellen dat ik zo had gereageerd.

'Ik ren tegenwoordig nog steeds achter elke zieke kat aan om hem te redden,' zei ik en iedereen moest erom lachen.

Lachen is bij ons altijd een goed teken. Als er wordt gelachen heb je de mensen op je hand. Lachen is het beste teken van genegenheid dat men je hier kan geven. De mensen kennen geen ironie en geen achterbaks lachen. Wie lacht, bedoelt het goed. Dat is een Afrikaanse vuistregel!

Samen met het meisje diende Lisha het eten op: een enorme plaat met *enjera*, waar hele hopen bijgerechten omheen lagen. Het vlees hadden ze aan de ene kant van de plaat gelegd en ze hadden er zorgvuldig op gelet dat het niet in contact kwam met het andere eten. Speciaal voor mij brachten ze nog een schaal met drie hardgekookte eieren. Toen ik dat zag moest ik hard lachen.

'Jullie denken zeker dat ik een vegetarische veelvraat ben,' zei ik schertsend. De anderen moesten ook lachen, hoewel ze niet zeker leken te weten of ik het serieus meende of niet. Verdorie, waarom begreep ik dat ook niet! Hou nou eens op met die ironie, Senait, we zijn hier in Afrika!

Ik praat soms in mezelf, woord voor woord geformuleerd, als dialogen. Wie weet ben ik binnenkort rijp voor het gesticht. Maar op dat moment liet ik het me in de familiekring alleen maar goddelijk smaken.

DE EERSTE ANTWOORDEN

Terwijl we ons volpropten met *enjera* kwam het gesprek steeds beter op gang. Tewelde liet zich een biertje brengen en vroeg mij uit beleefdheid of ik er ook een wilde. Dawit, die natuurlijk ook bij ons aan tafel zat, had automatisch een flesje gekregen, maar vrouwen drinken bij ons normaal gesproken geen alcohol, of in elk geval niet in aanwezigheid van mannen of oudere vrouwen als Dagniou. Maar misschien dacht Tewelde dat je bij een buitenlandse als ik, die geen vlees at, niet kon weten wat ze nog meer voor merkwaardige voorkeuren had. Hij giechelde toen ik inderdaad om een glas bier vroeg – zijn vrees was gegrond gebleken.

'Drink je bier?' vroeg Dagniou verbaasd.

'Soms,' zei ik zo luchtig mogelijk. 'Eén glaasje bij goed gekruid eten.'

Ze glimlachte. Met dat antwoord kon ze leven, want het klonk meteen als een compliment voor haar keuken en dat was wel op zijn plaats, ook al had ze niet zelf gekookt. Alles smaakte voortreffelijk.

Misschien smaakte de *enjera* me ook zo goed omdat ik die reuzenpannenkoeken voor het eerst at zoals dat hoorde: in de familiekring, als iedereen om de plaat heen zit die vaak groter is dan de tafel waar hij op staat. Niet met vreemden, vrienden of kennissen, zoals in Duitsland, als ik andere mensen in een Ethiopisch of Eritrees restaurant ontmoet, maar met de mensen die me het dichtst bij stonden.

Maar van die mensen die – op Dawit na – allemaal tot mijn familie behoorden, wist ik minder dan van mijn Berlijnse of Hamburgse vrienden. Wat waren het voor mensen? Wat dachten ze, waarin geloofden ze? Wat waren hun angsten, waar hadden ze plezier in, waar droomden ze van?

Na het eten gaf het meisje – net als voor de maaltijd – de obligate waterkruik, een kom en een stuk zeep met een handdoek rond, zodat we onze handen konden wassen. Daarna lieten we ons op de banken vallen. Om me volledig te kunnen ontspannen miste ik nog een sigaret, maar daarmee zou ik de tolerantie waarschijnlijk te zwaar op de proef stellen. Vrouwen roken niet in Eritrea en al helemaal niet in het bijzijn van ouderen, aan wie automatisch respect verschuldigd is. Het tweede glas bier dat Tewelde me aanbood, kon er nog net mee door, maar met een van de sigaretten die ik zorgvuldig in mijn handtas verborg, zou ik Dagniou zwaar hebben beledigd.

Toen Tewelde de televisie aanzette was het mijn beurt om beledigd te zijn: was de uitzending over de vooruitgang in de Eritrese groenteproductie belangrijker voor hem dan een gesprek met de pas in zijn leven verschenen nicht? Ik maakte een paar opmerkingen over de televisie, die hij echter handig negeerde – of had hij ze niet gehoord? Dawit wilde me geruststellen, dat merkte ik, maar hij kon pas iets zeggen toen Tewelde naar buiten ging om nog wat bier te halen. Toen bediende hij zich van zijn gebroken Engels, zodat de anderen niet konden verstaan wat hij zei: 'Tewelde bedoelt het niet verkeerd als hij de tv aan laat staan. Dat hoort er bij ons gewoon bij. Het zou in zijn ogen juist ongezellig zijn om het toestel voor jou als gast niet aan te zetten. Maar je hoeft niet te kijken en hij kijkt ook niet, hij heeft hem alleen voor jou aangezet.'

Zo was het ook en we hadden een prima gesprek – we moesten alleen een beetje harder praten om boven de televisie uit te komen. Het meisje zette ondertussen koffie, wat betekende dat mijn familie me nog lang over de vloer wilde hebben, want de koffieceremonie duurt twee uur – en dat is het absolute minimum.

Terwijl het meisje gloeiende houtskooltjes in een klein gietijzeren kameroventje deed en de groene, nog rauwe koffiebonen uit een zakje in de pan liet vallen om ze daarin te roosteren, had Dagniou het eindelijk over mijn familie. We hadden het over zussen, tantes en nichten en neven van me, tot ze me vroeg of ik nieuws van Luul had gehoord.

'Luul?' vroeg ik. 'Wie is dat dan?'

Dagniou schudde een beetje geïrriteerd haar hoofd. 'Luul? Wie dat is? Ik bedoel je broer Luul.'

EEN NIEUWE BROER

Mijn broer Luul? Ik wist dat mijn moeder na de scheiding van mijn vader met een andere man nog twee dochters en een zoon had gekregen. Ze liet hem en de kinderen in de steek nadat hij in de oorlog invalide was geworden. Dat wist ik uit het spaarzame relaas dat mijn moeder me bij mijn laatste en enige bezoek in Addis Abeba had gedaan, slechts een jaar voor haar dood. Ik was toen negentien en had ineens twee nieuwe zussen en een broer, die ik misschien nooit zou leren kennen, omdat mijn moeder mij hun namen of woonplaatsen niet wilde verraden – ik verdacht haar er zelfs van dat ze niet eens wist waar haar kinderen verbleven. Dat leek haar geen fluit te interesseren.

Verder had ik via het Rode Kruis de foto en het adres van een man uit Addis gekregen die beweerde mijn broer te zijn. Dat was alles.

Terwijl het meisje de geroosterde koffiebonen uit de pan op een gevlochten waaier liet vallen om ze te laten afkoelen, kwam ik erop terug: 'Wat weten jullie van mijn broer?'

Nu was het Dagniou die onzeker was. 'Heeft je vader geen contact met hem?'

'Mijn vader?' Waarom zou mijn vader zich om de latere kinderen van zijn ex-vrouw bekommeren, naar wie hij meteen na de scheiding sowieso niet meer had omgekeken?

Het meisje rolde de waaier op en liet de geroosterde bonen in de smalle opening van een met water gevulde aarden kan glijden – een soort Afrikaans espressoapparaat – die ze nu op de gloeiende houtskool neerzette. 'Wie anders?' antwoordde Dagniou. 'Hij is toch ook zijn vader?'

Ik zakte terug tegen de rugleuning van de bank en blies lucht uit, als een walrus die net boven water komt. 'Zijn vader,' herhaalde ik afwezig. Kennelijk hadden Dagniou en ik het over twee verschillende personen gehad en was er nog een broer. Een broer die als enige van alle, volgens mijn berekening zes broers en zussen niet slechts één van onze ouders, maar zijn vader én zijn moeder met me deelde. Een heel bijzondere broer. Een broer die Luul heette.

Die broer paste bij de foto in mijn tas. Een paar maanden geleden had ik van de opsporingsdienst van het Rode Kruis een brief uit Addis Abeba gekregen. Daar had zich een man gemeld die Luul Ghebrehiwet heette en zich uitgaf voor mijn broer. In zijn stuntelige brief beweerde hij zowel mijn moeder als mijn vader te kennen, maar in tegenstelling tot mij wist hij niet waar mijn vader zich ophield en hij had ook geen contact met hem. Papa had me echter nog nooit verteld dat hij een zoon had, evenmin als iemand anders van mijn familie. Ik vond het maar een rare toestand. Ook van de foto die bij de brief zat werd ik niet veel wijzer. Je zag er een onduidelijk gezicht op dat niet erg op dat van mij leek, afgezien van de karakteristieke kenmerken van de Tigrinja, waartoe wij allebei duidelijk behoorden.

Ik had lang getwijfeld voor ik naar het adres schreef dat de man in zijn brief had gegeven. Ik moest een paar keer opnieuw beginnen voor ik de juiste aanhef had en een paar zinnetjes bij elkaar had, waarin ik beschreef wie ik was, hoe ik leefde en hoe graag ik hem, Luul, wilde leren kennen – als hij echt mijn broer was. Ik vond het moeilijk om in het Tigrinja te schrijven. Ik sprak mijn moedertaal vaak, maar schriftelijk had ik die jarenlang zo goed als niet gebruikt. Zou Luul mijn gekrabbel wel kunnen ontcijferen?

Het duurde bijna drie weken voor ik antwoord kreeg – voor briefverkeer van en naar Afrika een recordtempo.

Maar met het antwoord schoot ik ook niets op. Ik herkende in wat deze Luul schreef geen feiten uit mijn eigen levensverhaal. En toch was het merkwaardig dat hij niet alleen de naam van mijn moeder en die van mijn vader, maar zelfs de namen van mijn zussen kende. Wie was deze vreemdeling? Ik besloot hem tijdens mijn volgende verblijf in Afrika te bezoeken, maar ik wilde me niet op een nieuwe broer verheugen voor ik zeker wist dat hij echt mijn broer was. In Afrika zijn er heel wat wanhopige mensen wie het heel goed zou uitkomen om een familielid in de eerste wereld te hebben om hun desolate economische situatie te verbeteren.

'Ken je Luul dan?' vroeg ik Dagniou toen ik de verrassing enigszins had verwerkt. Wat had ik nu graag iets sterkers dan het lauwe glas bier voor me gehad, wat zou het me gekalmeerd hebben om een flinke trek van een sigaret te nemen! 'Heb je hem wel eens gezien?'

Die vraag leek Dagniou bijna beledigend te vinden. 'Wat denk je wel – natuurlijk! Hij was immers hier op bezoek! Wij hebben hem te eten gegeven en hij heeft hier gelogeerd, hij is mijn neef!' schetterde ze, alsof geen haar op haar hoofd eraan dacht om zo'n naast familielid – die in werkelijkheid natuurlijk slechts een achterneef was – geen onderdak te verlenen. 'Het is een beste jongen!'

Het meisje waaide de gloeiende kolen met de waaier zorgvuldig frisse lucht toe en zwaaide de aardewerken kruik handig boven het vuur, zodat het water erin goed aan de kook bleef maar ook weer niet als zwart koffieschuim over de rand heen kwam. Intussen liet ik me door Dagniou vertellen wat zij over Luul wist. Ze zei dat hij mijn oudste broer was, dat hij een moeilijke tijd had gehad in Kenia, in Soedan en ook in Eritrea, en dat hij zijn vader en mij al een hele tijd probeerde te vinden. Nu woonde hij in de Ethiopische hoofdstad Addis Abeba, helemaal niet ver hiervandaan – en toch onbereikbaar voor mij omdat ik geen visum voor Ethiopië had gekregen. Mijn familie sprak me moed in – het zou me vast een keer lukken om naar Addis te reizen.

Zo opgewonden was ik lang niet geweest: er was nog zo iemand als ik! Vast niet qua postuur of met mijn eigenschappen, maar toch met exact dezelfde erfelijke aanleg, van dezelfde vader en dezelfde moeder. Zoiets hoorde je niet elke dag. Zou ik mezelf op een dag echt kennen? Zou ik de sluier die over mijn jeugd en mijn familie ligt kunnen oplichten?

De geur van brandende grashalmen en smeulende wierook kwam mijn neus binnen. Het meisje had ze aangestoken, de wierook en het gras hoorden bij de koffieceremonie. Ze dienden om de geur in de kamer te verbeteren en de mensen voor te bereiden op de geur van de koffie, die inmiddels in golven door de hele kamer kwam. Nu duurde het niet lang meer, dan deelde het meisje de eerste kleine kopjes met het flink gezoete, pikzwarte vocht aan ons rond.

Bij de koffie dacht mijn familie gelukkig niet meer helemaal traditioneel, want anders zou het eerste zetsel voor de mannen en pas het tweede voor de vrouwen zijn geweest. Het derde was voor de kinderen omdat de koffie elke keer duidelijk slapper wordt. In het huis van mijn tante ging het er echter behoorlijk vooruitstrevend aan toe en we mochten allemaal tegelijk drinken – jammer genoeg zonder de sigaret die er wat mij betreft bij hoort.

Ook mijn oudtante leek zich nu pas echt te kunnen ontspannen en stelde nu ook uit zichzelf echte vragen: 'Senait, hoe gaat het met je?' wilde ze weten. 'Je vertelde dat je niet meer bij je vader woont?'

Dat was een pijnlijk onderwerp, want een Eritrees meisje hoort niet het huis uit te gaan voordat ze getrouwd of verloofd is. Of ik dat was, durfde ze niet te vragen, maar ze ging er volledig terecht van uit dat ik dat allang gezegd zou hebben als het zo zou zijn. Ik had natuurlijk mijn redenen gehad om van huis weg te gaan: ik was jong en opstandig, had de vrijheid van Duitsland gevoeld en kon niet bepaald goed met mijn vader opschieten. Waarom had ik onder die omstandigheden thuis moeten blijven?

Toen ik net met een lange verklaring wilde beginnen, wimpelde Dagniou het af – dat was het moment waarop ik haar echt sympathiek vond. 'Ik weet immers dat jullie het moeilijk met elkaar hadden,' zei ze, 'maar koester geen wrok jegens hem. Hij is een idioot, een domme man. We hadden het allemaal moeilijk met hem.'

Mijn mond viel open. Zo had ik nog nooit iemand over mijn vader horen praten en al helemaal niet iemand uit zijn eigen familie, laat staan een nicht. En dat terwijl het bij ons voor een vrouw bepaald niet gebruikelijk is om zulke klare taal over een mannelijk familielid te spreken. Of was de gevestigde orde in Afrika niet meer zo gevestigd als in mijn jeugd?

Over de andere cruciale punten van onze familiegeschiedenis waren mijn familieleden echter terughoudend. Toen het gesprek erop kwam dat mijn moeder mij als baby alleen had achtergelaten, noemden ze het allemaal 'vreselijk' of 'erg', alleen Dagniou nam het woord 'koffer' in haar mond. Ik wist niet zeker of ze uit respect voor mij terughoudend waren of dat je over dat soort dingen in het algemeen niet sprak, maar er waren zoveel nieuwe indrukken te verwerken dat ik er weinig behoefte aan had om tot vervelens toe terug te komen op de zwarte bladzijden van mijn verleden.

Het afscheid nemen werd nog een dik uur uitgesteld omdat de koffie maar niet opraakte en het niet netjes was om aangeboden drinken te laten staan. De koffie werd weliswaar met elk zetsel dunner, maar de werking ervan nam niet af en fokte me steeds meer op – ik was niet gewend om zulke grote hoeveelheden te drinken. Toen ik ten slotte afscheid nam, moest ik iedereen beloven dat ik de komende dagen terug zou komen, zodat ze, zoals ze zeiden, 'echt' eten voor me klaar konden maken.

Op weg naar de auto merkte ik dat ik bijna misselijk was van de vele koffie. Bovendien was ik zo opgewonden dat ik bijna uit mijn dak ging. Maar dat deed ik niet, ik zwaaide alleen maar. Zodra we om de hoek waren stak ik een sigaret op. Het interesseerde me niet wat Dawit daarvan zou denken, ik kon me niet meer inhouden.

De volgende ochtend wilden we naar Ādī K'eyih, naar het dorp waar mijn vader vandaan komt en waar nog familie van hem moest wonen. Ādī K'eyih ligt weliswaar nog geen tweehonderd kilometer van Asmara, maar Dawit trok er een halve dag rijden voor uit. De wegen waren er slecht, zei hij, en smal en vol bochten, en omdat Dawit niet gauw overdreef geloofde ik hem op zijn woord.

Het zou dus verstandig zijn geweest om vroeg naar bed te gaan, maar de gesprekken met mijn familie bleven maar door mijn hoofd spoken. Wat was ik toch naïef geweest! Hoe had ik kunnen vergeten dat zulke gesprekken in Afrika anders verlopen dan in Duitsland? Ik had informatie willen vragen, net als bij de v v v, maar had die niet gekregen. Ik had inschattingen willen horen die mijn aannames en vooroordelen ondersteunden, maar ze hadden geweigerd me die te geven. En terecht: ze wisten niet hoe ik over mijn familie dacht en moesten mijn mening eerst testen voor ze hun gereserveerdheid lieten varen, want ze wilden me niet kwetsen met tegenovergestelde oordelen of zich in de nesten werken met meningen die ik niet deelde. In Afrika tasten mensen eerst voorzichtig hun gesprekspartner af eer ze een oordeel uitspreken, want vooral in de familie maakt men liever geen vijanden en men offert de waarheid daar zonodig voor op. Wat je daar ook van vond, je kon er niets aan veranderen. Dus besloot ik het te accepteren, ook al zat ik zelf niet zo in elkaar – ik was er veel te zeer aan gewend geraakt om mijn mening niet onder stoelen of banken te steken en er volmondig voor uit te komen.

Op een gegeven moment moet ik ondanks al mijn gepieker in slaap zijn gevallen. Toen de wekker de volgende ochtend afging, had ik het gevoel alsof ik nog maar net sliep. Ik schrok van de donkere kringen onder mijn ogen toen ik mezelf in de badkamer zag. Het leek wel of ik op kroegentocht was geweest en ik bezwoer Dawit dat ik de vorige avond mijn hotelkamer niet uit was geweest. Ik viste mijn zonnebril op, deed alsof alles in orde was en we konden vertrekken.

Algauw reden we langs het grootste monument van Eritrea, een uniek oorlogsmonument met een hoogst eigenaardig thema: een paar zwarte, plastic sandalen. De sandalen zijn zo groot als twee gemiddelde auto's en nemen het hele middenstuk van de grote rotonde van Asmara in. De sandalen moeten symbool staan voor de gehardheid en het uithoudingsvermogen van de Eritrese vrij- heidsstrijders, die genoegen moesten nemen met een zeer primi- tieve uitrusting. Voor goed schoeisel, dat bij het vechten in de rot- sige woestijn, de steile bergen en de dichte doornstruiken heel nuttig zou zijn geweest, had men geen geld gehad – dus droegen bijna alle strijders deze primitieve plastic sandalen, die in een van de weinige Eritrese fabrieken werden gemaakt, want helemaal zon- der schoenen zouden de Eritreeërs hun strijd waarschijnlijk verlo- ren hebben.

We reden in zuidelijke richting de stad uit. De weg werd steeds breder en breder omdat de rijen huizen van één verdieping steeds verder van de weg stonden. Zo ontstonden er tussen de rijbaan en de huizen steeds grotere zanderige en stenige vlaktes, waar auto's werden gerepareerd en ezels werden voortgedreven, waar verkopers kauwgom en noten aanboden en waar vrouwen met hun bood- schappen en kinderen met hun jerrycans met water sjouwden.

Zodra we de laatste huizen achter ons hadden gelaten, reed de Kia door woestijnachtige heuvels met losse stenen, waarachter de bergen steeds dichterbij kwamen. Van deze afstand kon je je niet voorstellen dat er tussen die afwijzend steile rotshellingen door een weg liep.

Buiten ons waren er op deze route propvolle bussen, zwart wal- mende vrachtauto's, met brommermotoren aangedreven vracht- wagentjes, paard-en-wagens, pakezels, fietsers en voetgangers onderweg. Hoewel de weg redelijk druk was, draaiden de meeste mensen zich om als ze onze taxi hoorden. Eerst dacht ik dat ze van- wege mij keken omdat ik een buitenlandse was of omdat ze zich afvroegen waar die vreemde vrouw zich heen liet brengen, maar toen merkte ik dat hun belangstelling een veel simpeler reden had. Wij waren praktisch de enigen die met een personenauto onderweg waren. Bijna alle normale auto's die in Eritrea mochten rijden, leken in Asmara of in de directe omgeving van de stad te rijden. Voor ritten naar het platteland ontbrak het de mensen aan geld voor benzine, aan moed om hun kostbare voertuig bloot te stellen aan de gaten in het wegdek en vooral aan een reisdoel. Bovendien moest iedereen die een auto had op de een of andere manier geld verdienen, en dat was in Eritrea alleen in de hoofdstad mogelijk.

Ik had zelfs overwogen met de bus te gaan, maar had die gedachte minder uit gemakzucht dan uit angst verworpen. Reizen was in Eritrea niet ongevaarlijk en bussen kregen vaak ongelukken, pech en vertraging. Ik wilde voorkomen dat ik de nacht of zelfs maar een paar uur met alleen vreemden zou moeten doorbrengen die me wantrouwig zouden bekijken en zich zouden verbazen dat ik zonder mannelijke bescherming aan zo'n lange reis was begonnen.

Hoe verder we van Asmara verwijderd raakten, hoe leger de weg werd. Wel kwamen we steeds vaker medewerkers van hulporganisaties zoals de VN tegen en vooral soldaten van de vredestroepen die de grens tussen Eritrea en Ethiopië moesten bewaken. Maar de vijfendertighonderd militaire en civiele medewerkers van de UNMEE, de United Mission in Ethiopia and Eritrea, streden aan de bijna duizend kilometer lange grens voor een verloren zaak. De door Ethiopië niet erkende en door Eritrea met nationalistische kouwe drukte verdedigde grens loopt uitsluitend door hoogland, bergen en onherbergzaam, rotsig, dor, braakliggend terrein vol mijnen. Ik zal nooit begrijpen waarom voor een paar vierkante kilometer meer of minder aan de ene of de andere kant van deze grens sinds 1998 naar schatting tweehonderdduizend mensenlevens zijn opgeofferd.

'Hoe komen die mensen erbij om hierboven onze bergen te bewaken?' vroeg ik Dawit en wees naar een witte vrachtauto met een laadvloer vol Indiaas uitziende VN-soldaten. 'Ze kennen ons land niet, ze hebben hier geen familie of vrienden, ze komen hier niet vandaan, maar ze stellen hun leven in de waagschaal voor het bewaken van een grens die hen niets aangaat!'

Dawit moest lachen. 'Ze zijn gelukkig boven in de bergen,' zei hij vrolijk, terwijl hij met heftige rukken aan het stuur een hele kolonne witte jeeps met blauwhelmen ontweek. 'Ze krijgen regelmatig te eten, verdienen een hoop geld en gaan na een paar jaar als rijk man terug naar hun vaderland. Zij zijn de enigen die beter worden van dit conflict. Ze moeten alleen uitkijken dat ze niet op een mijn trappen, maar dat overkomt bijna uitsluitend de mensen van hier, die hun beesten achterna moeten en geen mijndetector hebben.'

Dawit had vooral als Afrikaan gesproken, niet als Eritreeër, want hij was allesbehalve nationalistisch. Integendeel, hij had het ook over de fouten en tekortkomingen van zijn vaderland, die overduidelijk waren, maar die veel Eritreeërs, vooral Eritreeërs die in het buitenland woonden, graag negeerden.

De weg slingerde nu als een van pijn kronkelende slang over bergruggen, langs rotsige ravijnen en door diepe dalen. Hier was niets te zien behalve stenen, doornen en af en toe een verdorde boom of struik. Des te verbazingwekkender waren de voetgangers, die om de paar kilometer achter een vooruitspringende rots of een bocht opdoken, magere gestalten in lange, witte gewaden, die soms een ezel of twee geiten voor zich uit dreven. Het was niet te achterhalen waar die mensen vandaan kwamen of waar ze naartoe gingen. 'Overal in de bergen staan hutten en ook hele dorpen,' zei Dawit, 'maar er gaan geen wegen naartoe en de muilezelpaden zijn voor mensen die ze niet kennen zelfs van dichtbij nauwelijks te herkennen.'

Dawit hield de rand van de weg in de gaten om me het begin van zo'n muilezelpad te laten zien, toen hij ineens op de rem ging staan en het stuur omgooide. Ik begon te schreeuwen en sloeg mijn handen voor mijn ogen, maar de taxi stond stil en er was niets gebeurd. 'Niks aan de hand,' zei Dawit, 'je kunt weer kijken. Het is maar een vrachtauto.'

Voorzichtig deed ik mijn ogen open. Over bijna de hele breedte van de weg lag een gekantelde vrachtwagen. Zijn lading zand of cement was op de rijbaan en in de berm terechtgekomen. Onder de cabine van de bestuurder kwam een donkere vloeistof tevoorschijn die zich met de lading had vermengd. 'Bloed!' schreeuwde ik, maar Dawit stelde me weer gerust. 'Dat is maar motorolie.' Hij reed de auto een paar meter achteruit en maakte aanstalten om over het smalle stukje berm tussen het ravijn en de omgevallen vrachtauto het wrak voorbij te rijden. Ik was geschokt. 'Je kunt toch niet zomaar doorrijden,' riep ik, nog steeds in opperste staat van paraatheid, 'we moeten hem helpen!'

Dawit glimlachte alleen. Hij leek zich totaal niet op te winden over het ongeluk. 'Maar wie dan?' vroeg hij. 'Hier is niemand meer.'

En inderdaad: toen ik uit de auto sprong en het wrak onderzocht, stelde ik vast dat de cabine leeg was. Ook verder was nergens een spoor van een mens te zien. 'Het ongeluk is al lang geleden gebeurd,' zei Dawit, 'kijk maar naar al die sporen om de plek heen. Alles is al helemaal ingedroogd. Zulke auto's liggen er vaak weken voordat er een kraan komt of een grote takelwagen. Daar zijn er niet zoveel van in Eritrea. Kom, we kunnen verder.'

Ik zag in dat hij gelijk had en ging opgelucht naast hem zitten, ik was blij dat we niet met doden en zwaargewonden hoefden te slepen. Dat was iets wat ik in mijn tijd bij het ELF vaak genoeg had meegemaakt. Wij kinderen moesten toen de lijken begraven als de oorlog in de buurt van ons kamp slachtoffers onder onze eigen mensen had geëist. Ik weet hoe het eruitziet als iemand doodbloedt, als er een levenloos lichaam ligt. De beelden van die doden achtervolgen me tot op de dag van vandaag in mijn dromen en dat zal tot mijn dood wel zo blijven. Het is de schuld van die beelden dat ik in situaties waarin gevaar dreigt, waarin er gewonden en doden zouden kunnen zijn, gemakkelijk overstuur raak. Ik ben bang dat alles wat ik vroeger heb beleefd op een gegeven moment weer op me af zal komen.

OASES

Na twee uur bochten draaien werd het landschap weidser en reden we een dal in, met in het midden een kleine stad: Dekemhare. Uit de verte kwamen de huizen, fabrieken, kerken en een paar torentjes over als een oase, midden in een woestijn vol stenen. Ze vormden het silhouet van een echte stad, maar hoe dichterbij we kwamen, hoe meer het beeld veranderde. Terwijl in het dal van dichtbij beken zelfs dun gras groeide, was er tussen de huizen niets dan stenen, zand en stof. Toen we door de hoofdstraat reden, midden tussen het drukke voetgangersverkeer door, zag ik dat de meeste huizen eenvoudige lemen hutten van één verdieping waren, provisorische behuizingen, met golfplaten bedekte schuren. Uit de onverharde zijstraten stroomden de mensen naar de hoofdstraat, waar een kleine markt was. Wij besloten te stoppen en iets te eten, omdat we nog niet hadden ontbeten.

Onze auto werd al snel omringd door nieuwsgierigen, die ons zwijgend opnamen. Hier werd ook Dawit als een vreemdeling beschouwd, omdat hij een echte broek, een overhemd en leren schoenen droeg. De meeste mensen hadden alleen maar een paar lappen stof of een oud t-shirt en een verschoten trainingsbroek aan hun lijf, aan hun voeten droegen de meesten sandalen of slippers, de kinderen liepen op blote voeten.

Dawit reed op een huis af dat zich pas bij nader inzien als restaurant ontpopte – geen bord, geen tekst op de gevel of op de ramen die daarop wezen. In de lege raamopeningen zaten jongeren die de straat in de gaten hielden, uit het restaurant kwamen luide flarden van gesprekken. Binnen waren alleen mannen te zien. Ik aarzelde en trok instinctief de doek, die ik om mijn schouders had gelegd, half over mijn hoofd.

'Dawit, kan ik daar wel naar binnen? Daar zijn alleen maar mannen!' fluisterde ik tegen mijn begeleider.

Hij keek me verbaasd aan. 'Natuurlijk,' zei hij, 'het is een heel gewoon restaurant.'

Maar 'gewoon' is heel betrekkelijk en 'restaurant' een rekbaar begrip. Het restaurant bestond uit twee ruimtes. In de ene stond een oude versleten biljarttafel, waar zoveel jongemannen omheen stonden dat je hem nauwelijks kon zien. De jongens stootten de ballen met hun blote handen aan omdat er geen keus waren. Dat was waarschijnlijk ook beter, want als ze in het gedrang lange stokken hadden gebruikt, had dat gegarandeerd tot verwondingen geleid.

In de andere ruimte stonden een paar eettafels, ook allemaal vol mensen. Maar bijna niemand had een drankje voor zich staan, niemand at iets. De mensen zaten er gewoon met elkaar te kletsen.

De gesprekken verstomden toen wij binnenkwamen. Daardoor nam ook de restauranthouder notitie van ons en nadat Dawit tegen hem had gezegd dat we iets wilden eten, joeg hij de mannen van een van de tafels weg. Het tafelblad zat vol vlekken, maar hij maakte geen aanstalten om de tafel af te vegen en keek ons slechts vragend aan. Natuurlijk was er geen menukaart, omdat er maar één gerecht was: *foul*, bonenpuree. Dat was precies wat ik wilde en met het verse brood en de sterke, zoete thee erbij kregen we een heerlijke maaltijd.

Nadat de andere gasten zich aan ons hadden vergaapt en hadden vastgesteld dat we Tigrinja met elkaar spraken, nam de spanning af en wendden ze zich weer tot hun gesprekspartners. Algauw was het weer net zo lawaaierig als voordat we binnenkwamen.

'De mensen hier zijn niet gewend aan vreemdelingen,' zei Dawit, 'ze bedoelen het niet verkeerd.'

Dat had ik ook niet gedacht, maar het verbaasde me steeds weer dat ik me nog steeds een vreemde voelde in mijn vaderland.

Gesterkt staken we het uitgestrekte dal achter de stad over. Hier graasden wat schapen en koeien en bijna elk dier werd door zijn eigenaar bewaakt. In de verte was vlak bij de weg iets te zien wat er uitzag als een gebouw. Toen we dichterbij kwamen bleek het echter een reusachtige boom te zijn, het was een wilde vijgenboom, een sycomoor.

'Die is heilig,' zei Dawit kort.

Ik vroeg hem te stoppen en stapte uit. Het was al laat in de ochtend en het land baadde in het felle zonlicht. Toen ik mijn zonnebril afzette, deed het pijn aan mijn ogen. En dat terwijl het niet heet was, maar aangenaam warm, misschien vijfentwintig graden. We bevonden ons immers op vijfentwintighonderd meter hoogte en het was begin januari, hartje winter dus.

Toen ik dichter bij de boom kwam, zag ik dat in de schaduw van zijn dicht bebladerde kroon twee herders met hun koeien rustten. Ze leken me niet op te merken, ze lagen in elk geval roerloos, met hun ogen dicht. Hun dieren lagen naast hen op de grond, met touwen aan hen vastgebonden, en waren aan het herkauwen. Ik bleef staan omdat ik de rust van de twee mannen niet wilde verstoren. Aan de andere kant kon ik me nauwelijks losmaken van het schouwspel. De uitrustende herders met hun dieren onder deze heilige boom in het uitgestrekte, vredige landschap kwamen me voor als een Bijbels tafereel.

Na een paar kilometer rijden door het dal, waar nog een paar geweldige sycomoren stonden, slingerde de weg weer omhoog de bergen in. Op de route naar Ādī K'eyih moesten we de hoogste bergrug van Eritrea over. De weg was gevaarlijk, maar verkeerde in goede toestand. Op veel plekken liep hij over smalle rotsrichels tussen bergflanken en duizelingwekkende ravijnen door. Links en rechts waren alleen stenen te zien, overal stenen, waar manshoge cactusstruiken tussen stonden, sommige vol vuurrode bloemen.

Het werd me ineens heel anders te moede toen een van die rotsige diepten aan mijn kant gaapte, want vangrails of muurtjes had je hier niet. Plotseling ging er een gevoel van pijn door me heen. Hier, op deze weg, moest mijn moeder om het leven zijn gekomen. Ze was overleden door een ongeluk, toen de remmen van haar bus, zo'n gammel geval zoals je ze in Eritrea bij de vleet hebt het begaven en de bus met chauffeur en passagiers honderden meters de afgrond in stortte.

Mijn hart kromp in elkaar – hoe had ik dat kunnen vergeten! Ik wist toch dat mijn moeder op weg van Ādī K'eyih naar Asmara was verongelukt en wel exact op dit stuk in het hooggebergte tussen Dekamhare en Ādī K'eyih.

Ineens zag ik het ravijn met andere ogen. Ik stelde me een afschuwelijke dood voor, tussen schreeuwende mensen, versplinterend glas, bolderende stenen en scheurend staal. De bus was vast in brand gevlogen – familieleden hadden me verteld dat het niemand was gelukt levend aan de ramp te ontsnappen.

Ik vertelde Dawit van het ongeluk en hij had meteen alle begrip voor mijn onbehaaglijke gevoelens. Hij vroeg me zelfs of hij langzamer moest rijden. Zoveel invoelingsvermogen moet je bij de doorsnee Afrikaanse man met een lantaarntje zoeken.

Dawit nam de nauwe bochten nog voorzichtiger dan eerst, terwijl wij over onze ouders praatten. Ik moest hem beloven dat ik bij zijn ouders zou komen eten als we weer in Asmara waren – een belofte die ik graag wilde nakomen.

Midden in het gesprek schreeuwde ik ineens: 'Stop! Dawit, stop!'

Ik wees naar de afgrond aan mijn kant. Daar beneden, een paar honderd meter lager dan de weg, lag een bus op zijn kop, met de wielen omhoog. Het zag er verschrikkelijk uit, een en al dood en verderf.

'De bus is uitgebrand,' zei Dawit en hij stapte uit om het beter te kunnen zien. 'Het ongeluk is vast al een paar jaar geleden gebeurd want om de bus heen kun je niets meer van de brand zien. Er zijn alweer een paar struiken gegroeid.'

Ik schrok opnieuw – het ongeluk van mijn moeder was toen net tien jaar geleden en het paste misschien allemaal in elkaar. 'Blijft een bus dan zo lang liggen?' vroeg ik en op hetzelfde moment merkte ik hoe naïef mijn vraag was.

'Die blijft daarbeneden voorgoed liggen,' zei Dawit. 'Het is alleen nog maar schroot. Bovendien zijn er geen machines die een wrak uit zo'n grote diepte kunnen optakelen.'

Waarom begreep ik eigenlijk nog steeds niet dat er in Afrika andere normen golden dan in Europa? Waarom moest ik nog steeds Duits denken? 'Die machines zijn er wel,' zei ik tegen Dawit, 'in Europa bergen ze zelfs hoog in de bergen kabelbanen als ze zijn neergestort.'

Dawit keek me aarzelend aan, maar ik zat met mijn gedachten heel ergens anders. Waarschijnlijk geloofde hij er geen woord van, maar hij respecteerde de ingetogenheid waarmee ik een paar minuten voor de afgrond bleef zitten.

Omdat het uitgesloten was om daar naar beneden te klauteren, knielde ik neer aan de rand van de weg om met mijn ogen dicht te bidden. Dat was ik niet van plan geweest, het overkwam me als in een reflex. Af en toe bid ik tot God, maar zelden in het openbaar. Ik bid niet op vaste momenten of volgens vaste regels en ik zeg geen uit het hoofd geleerde gebeden op, maar ik bid meestal in stilte, in mijn eigen woorden of alleen in gedachten. Zo verging het me ook nu. Ik dacht aan mijn moeder en wenste haar de vrede toe die ze tijdens haar leven nauwelijks had gekend, voor zover ik haar leven kende, en ik wenste haar toe dat ze nu bij God was.

Toen ik mijn ogen weer opendeed, kwam de neergestorte bus in mijn blikveld. Snel verwijderde ik me van de wegrand omdat ik pas nu zag hoe steil het hier naar beneden ging – het was echt een plek om neer te storten. Voorzichtig, als op een bergtop, stond ik op om nog een keer een kruis te slaan.

Dawit, bij wie de ontroering van het gezicht te lezen was, sloeg ook een kruis. Ik wist dat hij gelovig was, een koptisch christen, net als ik. Ik vond het prettig dat hij op dit ingetogen moment zo afwachtend en toch zo betrokken was. Ik bedankte hem ervoor. Op dat moment vond ik Dawit erg sympathiek.

BERGSTAD

Zwijgend namen we de rest van de bochten, tot we na vier uur rijden Ādī K'eyih bereikten – de stad waar mijn vader vandaan komt, waar mijn moeder jaren woonde en waar nog veel familie zou moeten wonen. Ik was er nog maar één keer geweest, slechts twee dagen. Dat was in 1993, samen met mijn zussen Yaldiyan en Tzegehana, toen we op bezoek gingen bij hun moeder Abrehet, de tweede vrouw van mijn vader. Ik was toen negentien en meer met mezelf bezig dan met mijn omgeving, laat staan met de mensen hier, die immers ook geen familie van mij waren, maar van Abrehet. Toen was ik zielsblij geweest dat ik in Duitsland woonde; het Eritrese hoogland was minstens zo exotisch voor me als het oppervlak van de maan, dat overigens behoorlijk op dit landschap lijkt.

Ik had dus flarden van herinneringen van dik tien jaar geleden in mijn hoofd toen de Kia de straten van Ādī K'eyih indook. Waarbij het woord 'straten' overigens niet helemaal overeenkwam met wat ik door de ruiten van de auto zag. Het waren eerder kapotgereden landwegen, zandwegen bedekt met puin en stenen, drooggevallen beekbeddingen, braakliggende terreinen vol steenslag en afval en stoffige uitgesleten paden dan wat wij straten zouden noemen. De auto had er merkbaar moeite mee om het centrum van dit bijna tweeduizendvierhonderd meter hoog gelegen gat te bereiken, dat met zijn drieëntwintigduizend inwoners in de wijde omgeving de grootste nederzetting is.

Na een paar keer hotsend en botsend over stenen en door gaten te zijn gereden, maakte Dawit zich zoveel zorgen over zijn bestaansbasis op wielen, dat ik hem voorstelde te voet verder te gaan. Ik had gehoopt dat ik de straat waar mijn stiefmoeder woonde gemakkelijk terug zou vinden, maar het zag er allemaal hetzelfde uit. Huizen van één verdieping hoog regen zich aan elkaar, hun tuinen verborgen achter hoge muren om de zandstormen, het stof en de zwerfhonden die de straten onveilig maakten buiten te houden. Stroomdraden liepen van het ene huis naar het andere, veel muren waren van ongestuukte bakstenen of betonblokken, alsof ze nog maar net klaar waren, wat zeer wel mogelijk was, want grote delen van de stad waren tijdens de oorlog tegen Ethiopië verwoest en konden pas de laatste jaren weer worden opgebouwd.

Wat nu? Ik vroeg twee of drie voorbijgangers naar Abrehet, maar kreeg geen antwoord. De mensen leken haar niet te kennen, schudden slechts hun hoofd of staarden me ongelovig aan. Een vreemde vrouw die naar iemand vroeg die zij niet kenden, dat was hun nog nooit overkomen. De mensen hier waren geslotener dan in Asmara, terughoudender tegenover vreemdelingen, afgezien van de onverholen nieuwsgierigheid waarmee ze me opnamen. Weer was ik blij dat ik mijn doek bij me had, zodat ik me tegen hun blikken kon beschermen.

Hier zag je een Afrika dat in Asmara bijna niet meer bestond: mannen dreven zwaarbeladen ezels door de hoofdstraat. Voor de ingangen van huizen en om de markt heen lagen kamelen te rusten, die daar door hun bezitters waren geparkeerd als auto's – in plaats van met een sleutel waren ze met een touw beveiligd, dat de voor- en achterpoten van de dieren zo dicht bij elkaar hield dat ze zich nauwelijks konden bewegen. Veel mannen en bijna alle vrouwen droegen het traditionele witte gewaad van de bergbewoners, de *shamma*, een tweedelig kledingstuk van dunne, met de hand geweven katoen, waarvan de randen met borduurwerk of met simpele boorden waren versterkt. Het grootste van de twee delen werd als een jurk om het hele lichaam gewikkeld, het kleinste diende afhankelijk van de situatie of de temperatuur als hoofddoek, sjaal of jasje.

De vrouwen hadden hun haar, als ze het niet onder een hoofddoek verborgen, bijna allemaal gevlochten op de oude *shoruba*-manier: in heel veel piepkleine, dicht bij elkaar liggende vlechtjes van het voorhoofd naar het achterhoofd, waarvandaan de natuurlijke krullen, die eventueel nog een keer extra waren ingedraaid, alle kanten opgingen. De hoofddoek had hier niets met de islam te maken; bijna alle Tigrinja's die in de Eritrese bergen wonen zijn kopten. Omdat de godsdienst hier heel traditioneel is, kleden zowel de mannen als de vrouwen zich net als hun Bijbelse voorbeelden. Ik zag de witte gewaden en de hoofddoeken dus niet alleen op straat, maar ook op oude fresco's in kerken en kloosters.

Toen we op onze zoektocht steeds verder door de straten liepen, had ik al snel het gevoel dat ik in een Bijbels tafereel liep, het paste allemaal zo goed bij elkaar – met uitzondering van mijn spijkerbroek, mijn T-shirt en mijn gymschoenen die uit de toon vielen.

We kwamen duidelijk niet verder door toevallige voorbijgangers aan te schieten. Ādī K'eyih was te groot en niet iedereen kende elkaar. Of woonde Abrehet hier helemaal niet meer en was ze allang vergeten? Hoe moest ik in contact komen met mijn familie als Abrehet als eerste contactpunt er niet meer was? Van opgeven kon echter geen sprake zijn. Ik besloot systematischer te werk te gaan en stelde voor het in het kleine cafeetje te gaan vragen, waar we net voor stonden. Wie daar werkte kende vast veel mensen, misschien kon de cafébaas ons verder helpen. Dus stapten we het café binnen dat alleen uit een houten bar, een paar krukjes en kale muren bestond.

De cafébaas was tot onze verrassing een vrouw, die geanimeerd met twee andere vrouwen stond te praten. Toen wij binnenkwamen zweeg ze en nam ons wantrouwig op. Het was een dikke, bazige matrone die zich geen vragen liet stellen maar ons ongegeneerd begon uit te horen: waar kwamen we vandaan? Wat wilden we hier? Waren wij soms negers?

'Negers?' Ik begreep totaal niet wat de vrouw bedoelde, maar ze legde het me uit: 'Ik wil weten of jullie uit Afrika komen.'

Die uitleg maakte het er voor mij niet duidelijker op. Ik zocht steun bij Dawit: 'Begrijp jij wat ze bedoelt?' vroeg ik hem in het Engels.

Hij moest lachen: 'Ze gelooft niet dat we Eritreeërs zijn, omdat we haar bergdialect niet spreken. Daarom denkt ze dat we uit Centraal- of West-Afrika komen.'

Eindelijk begreep ik het: het oude mens was zo beperkt dat alles wat ze niet kende volgens haar van ver weg moest komen. Ze dacht

dat alle Eritreeërs net zo moesten spreken en er net zo moesten uitzien als de mensen in haar stadje. Dat Eritreeërs zichzelf in principe
nooit als Afrikanen of negers betitelen, wist ik natuurlijk. Voor hen
zijn zwarten altijd de anderen, die een of meerdere tinten donkerder zijn dan zijzelf, dus bijvoorbeeld de bewoners van het aangrenzende Soedan, Somaliërs of ook de mensen uit Zuid-Ethiopië – om
nog maar te zwijgen van de Centraal-Afrikaanse oerwoudbewo-
ners. Dat is bij ons net zo als in Noord-Afrika: een Egyptenaar of
een Marokkaan zal zichzelf ook nooit als Afrikaan, maar altijd als
Arabier of als bewoner van de Maghreb aanduiden. Maar dat ze
uitgerekend ons als negers beschouwde?

Toen de caféhoudster ons grijnzend bleef aankijken, had ik er
genoeg van. 'Moet je eens horen,' zei ik in het vetste Asmarino-dia-
lect tegen haar, 'wij zijn net zo goed Eritreeërs als jij en wat moet
dat geleuter over Afrikanen? Dat zijn wij toch allemaal, op welk
continent leven we anders?'

De caféhoudster keek me met grote koeienogen aan, maar droeg
mijn terechtwijzing waardig.

'Breng ons eerst maar eens twee biertjes en leg ons dan maar eens
uit hoe we bij Abrehet komen!'

Dawit keek me verrast aan en proestte het uit. 'Ja, precies,' viel hij
me bij, 'een biertje gaat er nu wel in.'

Ik denk dat we in de ogen van de caféhoudster zo geschift waren
dat ze besloot zich verder niet op te winden. 'Goed,' zei ze, 'dat kunnen jullie krijgen. Maar wie is Abrehet?'

Ze zette twee flesjes op de bar en ik legde haar mijn relatie tot
mijn stiefmoeder uit en noemde nog een paar familieleden zodat ze
zich beter kon oriënteren.

Ineens begon de waardin te grinniken. 'Ho, ik geloof dat ik weet
wie jullie bedoelen. Blijf hier wachten!'

Wilde die valse slang echt meewerken of wilde ze nog twee biertjes aan ons slijten?

In elk geval waggelde ze naar buiten en riep iets naar een oude
vrouw die aan de andere kant van de straat in de schaduw zat. Die
stond aarzelend op en strompelde naar ons toe. De caféhoudster
vroeg haar naar Abrehet en de andere vrouw begon omslachtig uit
te leggen hoe ze Abrehet kende en sinds wanneer.

Ver kwam ze daarmee niet, omdat de caféhoudster haar ineens in de rede viel: 'Die twee Afrikanen hier willen Abrehet zien,' zei ze tegen haar, 'Dat meisje zegt dat ze Abrehets dochter is.'

Eigenlijk was het volkomen zinloos om deze onnozele hals iets uit te leggen, maar ik kon het niet laten. 'Begrijp je dan helemaal niks?' snauwde ik haar toe. 'Ik kom uit Asmara, net als Dawit! Begrijp je: A-s-m-a-r-a! Dat is de hoofdstad van Eritrea! Wel eens van gehoord?'

'Ach ja,' zei de caféhoudster schouderophalend, 'dan zal dat wel zo zijn.'

Dawit lag dubbel van het lachen. Hij wist dat zo'n discussie geen echte ruzie was, alleen een grapje – sowieso voor mij en ik geloof dat zelfs die valse slang van een caféhoudster er lol in had. Ze geloofde geen woord van wat we zeiden, evenmin als wij een woord geloofden van wat zij zei. Dat is normaal tussen vreemden in Afrika. Je gelooft hoogstens je naaste familie, je gelooft goede vrienden, maar een vreemde – nee, nooit en te nimmer.

Dat klimaat van wantrouwen in Afrika komt doordat de meeste mensen niets te verliezen hebben en daarom overal iets uit willen slepen, het maakt niet uit hoe. Waarheid, vriendelijkheid of respect voor elkaar spelen vaak niet de rol die ze zouden moeten spelen. Als de oude vrouw ons bijvoorbeeld niet nog twee biertjes had willen verkopen, had ze ons er allang uitgegooid omdat wij haar gesprek met haar buurvrouwen maar stoorden. Wat leverde het haar ook op om vreemden informatie te verstrekken?

Ik besefte dat het geen zin had om met haar te argumenteren. 'Hoe heet je?' vroeg ik de andere vrouw, die Abrehet kende.

'Semira,' zei ze, 'kom maar mee, ik breng je naar je moeder toe.'

Mijn hemel, moest ik haar ook nog eens gaan uitleggen wie ik eigenlijk was?

WEERZIEN

Semira was sneller van begrip dan de caféhoudster. Ze zei dat Abrehet het al over mij had gehad, maar ik merkte snel dat ze me met een van mijn zussen verwisselde, die de laatste jaren al een paar keer bij hun moeder waren geweest. Maar Semira wist tenminste welke kant we op moesten.

De weg leidde het centrum uit en door een brede, drooggevallen rivierbedding naar een wijk op de andere oever. Hier waren geen straten meer, elk vrij plekje tussen de huizen diende als straat, trottoir of parkeerplaats. Er stonden vooral handkarren en kamelen gestald. Afgezien van een paar bomen die uit ommuurde tuinen omhoogstaken, groeide hier niets en zo kon er ook niets vertrapt of beschadigd worden. Als teken van vooruitgang stak het neonbord van een half afgebouwd tankstation omhoog dat naast de rivierbedding werd gebouwd, maar afgezien van een daar geparkeerde bus en een vrachtauto was nergens een auto te zien.

Met gemengde gevoelens liep ik achter Semira aan. Natuurlijk wilde ik Abrehet weerzien. Zij was tenslotte de moeder van mijn zussen Yaldiyan en Tzegehana en ik had haar bij ons gezamenlijke bezoek tien jaar geleden in mijn hart gesloten, ook al was ze altijd de rivale van mijn moeder geweest die met haar om de liefde van mijn vader had gestreden. Dat was eigenlijk geen goed voorteken voor de relatie tussen ons. Maar van wie kon ik meer over mijn familie te weten komen dan van haar? Zij was de enige contactpersoon in Ādī K'eyih die ik had, dus moest ik met haar praten.

Toen we de heuvel opliepen aan de andere kant van de rivierbedding naar de daar gelegen nederzetting wist ik het ineens: aan het eind van de straat, waar de laatste rij huizen van de stad naadloos overging in de woestijnachtige steppe, stond Abrehets huis. Hoewel ik de weg nu kende, stond Semira erop me tot aan mijn doel te vergezellen. Ze was ongetwijfeld nieuwsgierig wat daar zou gebeuren. Ik was hier nu graag in mijn eentje of alleen met Dawit geweest, maar ik kon Semira onmogelijk terugsturen en al helemaal niet omdat ons groepje steeds groter werd. Een dochter van Semira, die we onderweg waren tegengekomen, had zich bij ons aangesloten. Een jongen bij Abrehet uit de buurt wilde ons helpen de weg te vinden en ook een buurvrouw van Semira ging mee. Kennelijk hadden veel mensen hier niets anders te doen dan kijken wat er op straat aan de hand was en er met de buren over praten.

Zo liepen we met een steeds groter wordende groep de heuvel op en toen er aan het eind een uitgestrekte, golvende horizon zichtbaar werd, stonden we voor Abrehets huis. Net als alle andere huizen had het één verdieping. Het was een sober bouwsel, met als enige luxe een kleine overdekte loggia, die tegelijkertijd als ingang diende. De ramen waren voorzien van tralies, in plaats van glas zaten er luiken van karton en plastic zakken in, die stamden van verpakkingen van Amerikaanse hulpgoederen. Voor het huis lag de hond.

Zodra hij ons zag en merkte dat de samenscholing naar zijn huis toe kwam, sprong hij op en stormde luid blaffend op ons af. De paar kippen die voor het huis zaten te soezen, stoven geschrokken uit elkaar. Pas bij de tuinpoort, die was uitgespaard in een halfhoge muur van los op elkaar gestapelde rotsblokken, stopte het beest, sprong ertegenop en begon me in mijn gezicht te keffen alsof zijn leven ervan afhing.

Ik deinsde geschrokken terug. Honden hebben het altijd op mij voorzien omdat ze mijn angst ruiken, maar ik kan er nooit iets tegen beginnen, behalve ze ontwijken. Betekende deze keffende ontvangst weinig goeds voor mijn bezoek?

Vervolgens verscheen er een jonge vrouw in de deuropening. Ze kwam me bekend voor, maar ik wist niet aan wie ik het ronde gezicht met de regelmatig over het hoofd gevlochten staartjes moest toeschrijven. De vrouw leek het net zo te vergaan, ze staarde me met grote ogen aan tot ze plotseling op een idee leek te zijn gekomen, want ze kromp in elkaar en verdween bliksemsnel het huis in. Kort daarna verscheen met een schreeuw een andere, oudere vrouw in de deuropening – dat moest Abrehet zijn. Ze gooide haar armen in de lucht en riep: 'Senu! Senu!'

Ik wilde naar haar toe lopen, maar de hond begon steeds woedender te blaffen. Uit het huis kwamen mensen die ik niet kende. Een jongen pakte een stok en sloeg op de hond in tot het blaffen veranderde in janken en het dier in zijn uit losse betontegels gebouwde hok verdween. En daar was Abrehet al om me te omarmen. Ze kuste me, huilde, kuste me nog een keer en staarde me aan alsof ze niet kon geloven dat ik er echt was. Het was een hartelijk weerzien, alsof ze haar dochter die ze al die jaren had gemist eindelijk weer in haar armen sloot.

Ik wilde dat ik datzelfde ook van mezelf kon zeggen. Ik omarmde Abrehet wel, maar ik wist niet wat er met me gebeurde. Ik bekeek de scène alsof ik naast mezelf stond. Was ik zo onverschillig, zo koud, zo Europees dat ik niets voelde? Dat er geen tranen kwamen?

'Je herkent me nog!' zei ik tegen Abrehet die ik nauwelijks herkend zou hebben als ik haar op straat was tegengekomen. Haar gezicht was heel erg veranderd, haar voorhoofd en jukbeenderen staken veel verder naar voren, haar ogen lagen dieper in hun kassen. Haar haar – tenminste wat er vanonder haar witte doek tevoorschijn piepte – was grijs geworden, haar schrale oren stonden van haar hoofd af. Van Abrehets gezicht kon je de ontberingen, de zorgen en het werken, het vele, vele werken aflezen. Zoals bijna iedereen in Ādī K'eyih leefde ze in grote armoede en voor zover ik wist was ze afhankelijk van de hulpgoederen van de Verenigde Naties en van het kleine beetje geld dat haar dochters haar gaven.

Abrehet gaf me een arm en nam me mee het huis in. Ik moest meteen op de nette bank gaan zitten. Het was het enige meubel in huis, afgezien van twee of drie bedden en een lage tafel. Abrehet ging naast me zitten. Ze keek me aan zonder iets te vragen of te zeggen, ze keek me alleen aan. Ik wist niet wat ik moest doen. Ik voelde me onbehaaglijk en bezwaard en babbelde uit onzekerheid wat over de reis, over Asmara, over het weer en over de bergen, tot ik niets meer wist te zeggen en ook zweeg.

'Ik ben zo blij je weer te zien,' zei Abrehet.

Ik knikte zwijgend en begon tot rust te komen. Dat is weer die andere manier van communiceren, dacht ik, stel je erop in, Senait. Kalm aan. Ik leunde eerst maar eens achterover.

'Wat ben je mooi,' zei Abrehet en aaide me over mijn haar.

Ik wist nog steeds niet of mijn gevoelens overeenkwamen met die van haar, maar ik begon me te ontspannen.

De jonge vrouw die zo-even in de deuropening had gestaan, kwam met een baby aanzetten. Pas nu werd me duidelijk wie het moest zijn.

'Jij bent Fiori!' riep ik en ze knikte blij. Wat ging de tijd toch snel – tijdens mijn laatste bezoek, tien jaar geleden, was Abrehets jongste dochter nog een kind geweest en nu had ze er zelf een. Ze was net achttien geworden en haar man zat net als bijna alle andere jongemannen van zijn leeftijd in het leger. Hij diende in de eenheid die de nabijgelegen grens met Ethiopië bewaakte.

De twee vrouwen begonnen meteen over het eten. Normaal gesproken aten ze net als alle andere mensen alleen 's avonds, want ze hadden geen geld om ingrediënten voor meer echte maaltijden per dag te kopen. Weer werd erover gediscussieerd waarom ik geen vlees at, maar het haalde niets uit, de vrouwen stonden erop een kip te slachten omdat ze nog meer gasten verwachtten en ook Dawit op passende wijze moest worden onthaald. Omdat vrouwen bij ons geen dieren mogen slachten, lieten ze een buurjongen halen die nauwelijks ouder was dan twaalf. Hij greep het mes en rende achter een van de kippen aan die buiten op het erf kakelden. Het duurde geen minuut of de kop van de hen was eraf en Fiori doopte het nog zacht stuiptrekkende lichaam in een bontgevlekte plastic schaal vol heet water om de kip te plukken.

Er werd in de kamer gekookt, op de grond, omdat er geen keuken was. Er waren ook geen keukenkastjes of keukenspullen, afgezien van een piepklein metalen oventje waarin houtskool smeulde en een gaskomfoor waarop Abrehet een paar eieren had opgezet. Het eigenlijke contact verliep meer via praten over het eten dan dat er gedachten werden uitgewisseld, omdat de mensen zich profileerden door middel van het eten dat ze aanboden. Kijk eens aan, wilden ze daarmee zeggen, wij kunnen het ons permitteren speciaal voor jou een dier te slachten. We hebben alles in huis, we kunnen je een rijkelijk maal voorzetten.

BLOEDBANDEN

Ik wilde echter meer dan een warme maaltijd, ik wilde alles over mijn ouders weten. Ik wilde weten hoe mijn zussen, de dochters van Abrehet, waren opgegroeid. Ik wilde weten of ik nog meer familie had. Maar ik wist intussen ook dat ik niet te veel vragen tegelijk mocht stellen.

Sommige vragen werden vanzelf beantwoord, bijvoorbeeld die naar de familieleden. Twee oude vrouwen zochten uit het felle zonlicht gekomen tastend hun weg in de kamer. 'Dat zijn je tantes,' zei Abrehet, 'de zussen van je vader.'

Een paar minuten daarvoor had ik niet eens geweten dat mijn

tantes nog leefden en nu lag ik al in hun armen en zag aan hun gezichten dat ze van hetzelfde vlees en bloed waren als mijn vader.

Voor ik met hen kon praten, kwam er alweer nieuw bezoek: een vrouw uit de buurt, samen met Semira die ons de weg hierheen had gewezen. Semira bracht haar man Afewerki mee en stelde hem ons, zoals het een Eritrese vrouw betaamt, vol trots voor. Vertaald betekende zijn naam 'Guldenmond' of 'hij die nooit liegt' en hij deed zijn naam alle eer aan toen hij voor de vuist weg een welkomstpraatje voor me hield, alsof hij voor een groot publiek stond.

'Wees welkom, verloren dochter van Ghebrehiwet, welkom terug in je thuisstad Ādī K'eyih,' begon hij. 'We zijn allemaal blij dat we je in de ogen mogen kijken. Jij bent de vreugde van onze ouderdom, jij bent de trots van onze stad,' prees hij me en voegde aan het boeket van complimenten nog een hele reeks toe die hem zo gauw te binnen schoten. Iets persoonlijks kon hij niet zeggen omdat hij me niet kende; hij was slechts een vriend van de familie en daardoor een kennis van mijn vader, die echter al bijna vijfentwintig jaar in Duitsland woonde, zodat Afewerki hem al in geen jaren had gezien. Maar hij was een pope, zoals de priesters in de orthodoxe kerk worden genoemd, en daardoor was hij erop getraind om bij alle denkbare gelegenheden iets passends ten gehore te brengen.

Toen we na de begroeting en alle omarmingen weer konden gaan zitten, kreeg Afewerki de ereplaats op de bank naast mij toegewezen. Ik had liever bij mijn tantes gezeten en over onze familie gepraat, maar de tafelschikking bij een dergelijke ontmoeting is een serieuze aangelegenheid, die niemand zomaar kan veranderen. In principe geldt dat mannen beter zitten dan vrouwen, oudere mensen beter dan jonge, en waardigheidsbekleders – zoals bijvoorbeeld een pope – beter dan eenvoudige mensen. Ik viel als gast uit Duitsland duidelijk binnen de categorie waardigheidsbekleders en dus moest de pope naast mij zitten. Afewerki zwetste over zijn kinderen, van wie er twee in Duitsland en een in Zuid-Afrika woonden, en over zijn respect voor het Duitse volk, en omdat ik niet onbeleefd mocht zijn, luisterde ik, knikte en beantwoordde zijn vragen.

Tussendoor lukte het me toch nog om met mijn familie te praten. Ze hadden zonder uitzondering een lage dunk van mijn vader, wat me verbaasde van zijn zussen, maar niet van Abrehet, zijn echtgenote. Hij had haar immers bedreigd en geslagen en Yaldiyan en Tzegehana van haar afgenomen. Dat deed hij niet alleen uit liefde voor zijn dochters, maar, naar ik aanneem, ook uit praktische overwegingen, want zolang hij uit zijn huwelijk met zijn derde vrouw Werhid nog geen kinderen had, had hij goedkope arbeidskrachten nodig en daar leken zijn dochters hem wel geschikt voor.

De tantes leverden stevige kritiek op mijn vader: 'Hij heeft jullie naar de Jebha gebracht zonder het iemand van de familie te vragen,' zei de ene. 'Dat was niet nodig geweest, wij hadden jullie er wel doorheen gesleept,' zei de andere.

Jebha-al-Tahrir of kortweg Jebha was de andere naam voor het Eritrean Liberation Front, waar onze vader Yaldiyan, Tzegehana en mij naartoe had gebracht toen we ongeveer elf, acht en zes jaar oud waren – omdat hij ons niet meer kon onderhouden en omdat hij de Eritrese vrijheidsstrijd wilde steunen. Daar konden ze ons alleen gebruiken om hout te sjouwen, water te dragen en lijken te begraven, maar voor de echte strijd tussen de vijanden waren wij allemaal – en vooral ik – nog te jong, afgezien van het feit dat ik te bang was om te vechten.

Ik kon het alleen maar met mijn tantes eens zijn en toch liet al dat afgeven op mijn vader bij mij een laffe bijsmaak achter. Het lag me niet en het druiste in tegen alle Eritrese gebruiken, die van je eisten dat je alleen positieve dingen over je ouders zei.

Afewerki, die niet geremd werd door familiebanden, deed er nog een schepje bovenop: 'Je vader wordt in Eritrea gezocht,' voegde hij eraan toe, en met een snijbeweging in de buurt van zijn keel onderstreepte hij wat hij bedoelde. 'Hij heeft vijftig mensen uit Ādī K'eyih aan de Ethiopiërs verraden, in de bergen, door in de lucht te schieten. Daardoor konden de soldaten onze landgenoten vinden en allemaal doodschieten.'

Die episode uit het leven van mijn vader was me niet bekend, en ik vond het eigenaardig: waarom zou mijn vader, een vurige Eritrese patriot, landgenoten aan de vijand verraden hebben? Ik vroeg Afewerki of hij er meer over wist, maar hij maakte een afwijzend gebaar. Een goede vriend had het hem verteld, je hoefde er niet aan te twijfelen dat de beschuldiging terecht was.

Zo eindigen Afrikaanse verhalen vaak: iemand vertelt de ongelooflijkste dingen, maar als je er meer over wilt weten kom je erachter dat de betrokkene het verhaal niet persoonlijk heeft meegemaakt, maar van horen zeggen heeft. Zo zal het ook wel geweest zijn met degene die Afewerki het indianenverhaal over mijn vader had verteld. Afrika is het continent van de lange verhalen die vaak een werkelijkheid op zich vormen, maar met de realiteit niets van doen hebben.

Toen diende Fiori het eten op. Bij de klassieke *enjera* waren er speciaal voor mij hardgekookte eieren en een groentesaus, terwijl de anderen een saus van rode peper, tomaten, uien en de geslachte kip kregen. Toen het eten klaarstond, verstomde het gesprek meteen. De pope sprak een plechtig tafelgebed en pas nadat we gezamenlijk een kruisteken hadden geslagen konden we toetasten.

Abrehet bood de pope en Dawit *araki* aan, de scherpe anijsbrandewijn die ik gelukkig niet hoefde af te slaan, omdat die bij ons sowieso als drankje voor de mannen wordt beschouwd. Ik gebruikte het eten om het gesprek op andere onderwerpen dan mijn vader te krijgen, wat de anderen alleen maar prettig vonden. Eigenlijk praatten alleen Afewerki, Abrehet en ik met elkaar, de andere vrouwen zwegen, zoals het hoort. Alleen Abrehet was als gastvrouw ontheven van dat ongeschreven gebod om te zwijgen, dat aan tafel voor vrouwen geldt in aanwezigheid van mannen.

Het moeilijkst was het voor mij om contact met Fiori te maken. Zij was de jongste hier en gedroeg zich daarom erg afwachtend. Wat verschilde mijn leven van dat van haar! Toen ik net twintig was, leidde ik in Hamburg allang mijn eigen, vrije leventje. Fiori was daarentegen al getrouwd, had een baby en woonde nog bij haar moeder. Ze moest voor haar kind zorgen en voor haar man, die elke dag door een mijn of door een kogel om het leven kon komen. Ze had haar vader na een verwonding in de oorlog moeten zien sterven. Elke dag moest ze eten bij elkaar zien te scharrelen, zij en haar moeder waren verantwoordelijk voor het hele huishouden. Waar bleef in deze zorgen om het directe overleven haar eigen leven, vroeg ik me af, waar bleef haar zelfstandigheid, haar plezier in het leven?

Ik zocht naar woorden om er met haar over te praten, maar kreeg alleen de vraag over mijn lippen of ze tevreden was met haar leven.

'Natuurlijk,' antwoordde ze zonder een moment te aarzelen,

'waarom niet? Ik heb een goede man, ons kind is gezond en ik leef bij mijn familie. Ik zou me geen ander leven kunnen voorstellen. Ik heb van je zussen gehoord dat jij in je eentje in een andere stad woont dan zij en ook dan jullie vader. Is dat niet vreselijk voor je?'

Ik was met stomheid geslagen. Fiori keek er net zo tegenaan als ik, alleen omgekeerd. Ik zou haar leven niet willen leiden en zij zag niets positiefs in mijn leven. Wat was ik toch zelfingenomen dat ik dacht dat ze mij als lichtend voorbeeld van vrijheid en zelfbeschikking zou beschouwen! Nu wist ik niet wat ik moest zeggen. Moest ik haar vertellen dat ik naar Berlijn was verhuisd omdat mijn platenfirma daar zat? De studio? Mijn manager? De twee grootste Duitse tv-muziekzenders? Dat stond allemaal zo mijlenver van haar eigen leven af, dat ze niet zou hebben begrepen waarom dat belangrijk voor me was – evenmin als ik begreep wat het voor haar betekende als ze over haar kind of haar man praatte. Dus lachte ik haar maar toe, omarmde haar en zei: 'Nee, Fiori, het is goed voor mij dat ik woon waar ik woon.'

Ze keek me een beetje onzeker aan of ik dat echt serieus had gemeend en lachte vervolgens met me mee.

'Ik dacht dat je het vast eng zou vinden, zonder familie, alleen,' zei ze, maar ik bleef doorgaan met lachen, tot ik merkte dat er veel waarheid school in wat ze daarnet had gezegd. Werd ik niet regelmatig door angsten gekweld? Was ik niet altijd weer bang dat ik niet voldeed: aan de eisen van mijn omgeving, van andere mensen, van mezelf omdat ik zoveel plannen had? Leidde Fiori misschien wel een vervulder leven dan ik?

Weer kon ik niets anders doen dan haar omarmen. 'Lieve Fiori,' mompelde ik, ditmaal onbewust in het Duits, 'ik dacht dat ik je iets over de wereld zou kunnen vertellen, maar ik kan juist heel veel van jou leren...'

STENEN

Een sigaret! Dat was mijn eerste gedachte zodra ik buiten was. Ik stak een sigaret op, inhaleerde diep en liet de rook door mijn longen gaan. Ik weet niet waarom ik zo'n verslaafd type ben, maar ik heb het gewoon nodig om de rook door me heen te jagen. En toch pafte ik veel minder sinds ik in Eritrea was. Dat kwam natuurlijk doordat er veel situaties waren waarin ik niet kon of mocht roken, zoals daarnet bij Abrehet thuis. Maar ook doordat ik er minder vaak behoefte aan had, behalve op dit soort momenten, na grote spanningen en zwaar eten.

In Duitsland moest ik per dag minstens een pakje roken omdat ik mezelf wijsmaakte dat ik daardoor mijn stress kwijtraakte. Het hangt samen met mijn manier van leven, dacht ik, terwijl ik van de straat voor Abrehets huis het veld op stapte, de woestijn in, de hoogvlakte op, de puinhelling op, of hoe je die zacht glooiende, verdroogde, rotsige bergrug ook maar wilde noemen.

Mijn hart ging open toen ik de verte in keek, die pas aan de horizon werd begrensd door blauw zwemende bergketens en ik nam nog een diepe trek van mijn sigaret. In wat voor situaties had ik in Duitsland per se een sigaret nodig? Als ik een afspraak had met een journalist. Als ik iets moest zeggen voor de camera. Als de geluidstechnici in de studio me verwachtingsvol aankeken. Als ik naar een café ging waar iedereen rookte. Als ik een stapel rekeningen moest ondertekenen. Als ik een afspraak had met de manager van mijn platenfirma. Mijn hemel, er waren zoveel situaties waarvan ik in de stress raakte. Zoveel situaties die ik niet kon ontvluchten en die ik daarom door een sigaret een beetje gemakkelijker moest maken. En hier?

Ik keek om me heen. Voor me was alleen uitgestrekt land te zien, met drie jongens die een paar geiten en een ezel van links naar rechts dreven. Met een oude man die zijn twee schapen van rechts naar links dreef. Met een paar vrouwen die op de grond zaten. Met mannen die in lange witte gewaden over de rotsen schreden. Het zag er allemaal totaal niet gestrest uit. De verre horizon, de kleine wolkjes hoog erboven, de rotsen onder me, alles straalde rust uit. Ik keek naar mijn sigaret en wist dat ik hem niet meer nodig had. Dat ik hier op een andere manier tot rust kon komen dan door sigaretten. Ik gooide de half opgerookte peuk weg en liep in de richting van de horizon om mijn behoefte te doen.

Omdat er in de dorpen nergens stromend water of riolering is en beerputten bij de temperaturen hier een niet te harden stank zouden verbreiden, is er in bijna geen enkel Afrikaans dorp een wc. Als de mensen hun behoefte willen doen, lopen ze gewoon een stuk het dorp uit en doen het daar. In het oerwoud, in het bos, in het hoge gras van de steppe of in de oevervegetatie van een rivier is dat eenvoudig, maar om Ādī K'eyih heen was alleen een reusachtig, licht glooiend hoogland vol stenen, met een paar grassprietjes ertussen die zo armzalig en verdord waren dat je ze nauwelijks gras kon noemen.

Voor iemand die moest, was er daarom geen andere mogelijkheid dan het dorp uit te gaan, het maakte niet uit welke kant op, maar in elk geval zo lang tot er niemand meer in de buurt was. Zo ver lopen dat alle mensen helemaal uit het zicht waren was onmogelijk omdat je kilometers ver kon kijken en overal wel iemand op weg was naar een zekere plaats. Omdat ik in dit opzicht nogal gereserveerd ben, liep ik maar door, want ik dacht dat er achter de heuvel die het hoogland vóór me vormde vast wel een rustiger plekje zou zijn. Ik liep en liep en bleef de horizon in het oog houden, die net zo voor me uit leek te schuiven als mijn schaduw in de middagzon.

Daarom liepen hier zoveel mensen doelloos heen en weer, zonder lading, zonder dieren, zonder jerrycans, meestal alleen, bijna nooit met z'n tweeën en nooit in grote groepen – ze waren allemaal op zoek naar hetzelfde als ik. Maar zij hadden het meestal veel gemakkelijker. Als ze een geschikt plekje hadden gevonden gingen ze gewoon zitten, want hun wijde, witte gewaden bedekten uiterst elegant wat eronder gebeurde. Uit de verte leek het alsof ze op de grond zaten uit te rusten of om van de langzaam koeler wordende middaglucht te genieten. Maar ik, met mijn spijkerbroek?

Ik liep steeds maar verder, tot ik geleidelijk het landschap achter de zacht glooiende heuvel kon zien. Voor me lag een uitgestrekt dal met talrijke ver uiteenliggende nederzettingen en schapen en ezels en geiten en mensen die tussen de nederzettingen op en neer wandelden. Ik zocht een steen die een beetje groter was dan de miljoenen andere stenen om me heen, ging op mijn hurken zitten en deed wat iedereen deed. En ik had nog redelijk wat comfort, want ik had papieren zakdoekjes bij me, terwijl de anderen een door de erosie gladgeslepen steen moesten gebruiken.

ONTHULLING

Op de weg terug naar Abrehets huis voelde ik me verfrist: het regende! Nauwelijks merkbaar waren er midden aan de blauwe hemel een paar wolken opgekomen, waar fijne druppels uit vielen. Ik vond het een wonder in dit verdorde, kurkdroge, rotsige landschap, maar de andere mensen die ik zag liepen gewoon verder, zonder de nattigheid of de wolken ook maar een blik waardig te keuren. Toen ik met het ELF in de Gesh-Berka-regio in het westen van Eritrea bij de grens van Soedan kwam was elke regenbui voor ons kinderen een enorm feest geweest. We juichten als eindelijk de langverwachte zware druppels vielen, die daar, in een van de heetste gebieden van Eritrea, algauw konden uitgroeien tot een kletterende onweersbui.

Wat was het hier dan anders: deze druppels waren klein en zacht en de wolken waar ze uit vielen waren niet zwaar en donker, het waren zachte, witte sluiers, die als mistflarden over de bergen kwamen waaien. Toen ik terug was bij het huis, was de regen weer voorbij en werd me duidelijk waarom niemand een vreugdedans had gemaakt – de mensen wisten dat die paar druppels niets om het lijf hadden.

Abrehet en de anderen hadden al op me gewacht, want de koffie was bijna klaar. Afewerki, de pope, had zich flink tegoed gedaan aan de *araki* die Abrehet hem telkens weer aanbood en onderhield het gezelschap met anekdotes uit het leven van zijn gemeente.

Ik zat juist te verzinnen hoe ik het gesprek een andere kant op kon sturen toen Afewerki me vroeg of ik mijn oma al had bezocht.

'Oma? Mijn oma? Welke... oma?' stamelde ik.

Afewerki leek niet te begrijpen wat me daar niet duidelijk aan was. 'Sifan natuurlijk, de moeder van Adhanet,' zei hij, alsof het de vanzelfsprekendste zaak van de wereld was.

Mijn handen verkrampten van de zenuwen. Adhanet was mijn moeder, die tien jaar geleden was overleden. Leefde haar moeder, mijn oma, dan nog?

'Ze ziet slecht,' zei Afewerki, 'maar ze is vast blij als ze je kan omarmen.'

Het kostte me moeite rustig adem te halen. 'Waar woont Sifan dan?' vroeg ik.

'We lopen er straks wel even langs,' zei Afewerki in plaats van het omslachtig uit te leggen.

'Lopen?' vroeg ik. 'Wil je daarmee zeggen dat ze in Ādī K'eyih is?'

Nu was het de beurt aan de pope om verbaasd te zijn. 'Waar anders?' vroeg hij. 'Je hele familie komt immers hier vandaan.'

Ik had graag iets gezegd, maar er kwam geen woord uit. Eerst moest ik de chaos in mijn hoofd op orde krijgen. Mijn oma leefde. Ze woonde in Ādī K'eyih, een paar minuten lopen van hier. Ze was oud. Ze was ziek. Ze zag niets. Noch Abrehet, noch mijn twee zussen, noch mijn moeder had ooit met een woord van haar gerept. Ik was nooit op het idee gekomen dat ze nog kon leven, de ouders van mijn vader waren net als mijn opa van moederskant allang dood. En nu bleek mijn oma nog te leven! Sifan moest een voor Afrikaanse begrippen gezegende leeftijd hebben bereikt. Mij had het bestaan van mijn eigen moeder altijd al een vrome en onvervulbare wens geleken, ik had nooit durven denken dat er van mijn grootouders nog iemand in leven zou kunnen zijn – en nu had ik ineens een oma, die twee straten verderop woonde en blij zou zijn met mijn bezoek?

Ineens had ik een brok in mijn keel. Ik wilde huilen. Ik wilde Abrehet door elkaar schudden en haar ter verantwoording roepen omdat ze me nooit iets over Sifan had verteld. Maar ik zag aan haar angstige blikken dat ze nu al werd gekweld door een kwaad geweten. Ik zou van haar niet gauw horen waarom ze Sifan voor me had verzwegen. Had ze gedacht dat ik geen aandacht meer voor haar zou hebben als ik mijn oma kende? Dacht ze dat Sifan haar zwart zou maken?

Terwijl het gesprek al een tijd over andere onderwerpen ging, zat ik er nog steeds bij alsof ik door de bliksem was getroffen en probeerde mezelf zo goed en zo kwaad als het ging moed in te spreken. Straks ben je een ander mens, dacht ik, je leert je oma kennen!

Ik popelde om te vertrekken. Gelukkig duurde het nog geen uur voor we opstonden om afscheid te nemen, maar het was wel een uur waaraan geen eind leek te komen.

Toen Dawit en ik weggingen – nadat ik alle uitnodigingen om nog meer te eten, te blijven slapen of in elk geval nog tot de avond te blijven had afgeslagen – kwam er snel een kleine karavaan bij elkaar. We werden niet alleen vergezeld door Afewerki en Semira, door Abrehet, mijn twee tantes en de buurjongen die de kip had geslacht, maar ook door een vriend van de pope en door twee kinderen uit de buurt.

Zo vormden we een processie die maar langzaam vooruitkwam door het stadje, omdat de twee tantes en ook Afewerki niet meer zo goed ter been waren. De pope liep natuurlijk voorop, dat was zijn taak bij processies. Hij was een indrukwekkende verschijning: groot, mager, ongeschoren, in een wit overhemd, een zwarte broek en een zwart vest, met daaroverheen een witte regenjas. Op zijn hoofd droeg hij een lichtblauwe tulband. Tijdens het lopen steunde hij met zijn ene hand op een houten wandelstok en met zijn andere op een zwarte paraplu die hij opstak als er tussen twee zonnige periodes door weer een paar druppeltjes op ons neervielen.

De mensen die we tegenkwamen, gingen verlegen opzij, alsof wij de eerste voorbodes waren van Driekoningen, het feest van de verschijning des Heren dat de volgende dag zou plaatsvinden. In het koptisch-christelijke geloof is dat het feest van de geboorte en doop van Jezus, dat overeenkomt met het kerstfeest van het westerse christendom. Alleen de moedigste mensen zwaaiden naar ons en de brutaalste kinderen liepen in een kringetje om ons heen.

Toen we langs Afewerki's huis kwamen, nam hij afscheid, evenals zijn vrouw, mijn twee tantes en zijn vriend, die hij allemaal nog bij hem thuis had uitgenodigd. Ook ons nodigde hij van harte uit, maar ik bedankte er even hartelijk voor – ik wilde naar mijn oma. Pas toen ik plechtig had beloofd de volgende dag bij hem te komen eten, liet hij ons met een heleboel wens- en zegenspreuken gaan.

Alleen Abrehet vergezelde ons naar het huis van mijn oma. De verlegenheid was haar aan te zien. Alleen zij wist waarom ze me niet al elf jaar geleden, toen ik voor het eerst in Ādī K'eyih was, hierheen had gebracht.

Plotseling bleef Abrehet staan. 'We zijn er,' zei ze voorzichtig. Sifans huis was veel kleiner dan het hare; het was tegen de twee buurhuizen aangebouwd en had geen tuin. Van het huis was slechts een muur te zien met een deur en een raam erin. Het raam was afgesloten met een metalen luik, de metalen deur stond halfopen. Het was niet heet, hoogstens twintig graden, maar de mensen leefden uit gewoonte het hele jaar alsof het hartje zomer was en barricadeerden hun ramen zo goed mogelijk tegen de hitte.

Ik was bang voor dit bezoek. Welke lezing van mijn leven zou mijn oma me voorschotelen? In zekere zin lag mijn leven weer eens in handen van een onbekende, en ik vreesde nieuwe varianten van mijn verhaal te horen, terwijl ik alleen een bevestiging zocht van wat ik als mijn geschiedenis beschouwde.

'Bedankt,' zei ik tegen Abrehet en wilde afscheid van haar nemen, maar ze klopte al op de metalen deur en duwde hem helemaal open zonder op een antwoord uit het donkere huis te wachten.

'Ik heb hier iemand voor u bij me,' riep ze het donker in, 'het is Senait, de Duitse dochter van Adhanet.'

Bijna was ik Abrehet dankbaar voor zoveel onomwonden directheid. Ik zou er waarschijnlijk uren voor nodig hebben gehad om die informatie over te brengen. Ik aarzelde immers al om het huis binnen te gaan.

Abrehet nam me simpelweg bij de hand en trok me zachtjes over de drempel het huis van mijn oma binnen. Vervolgens legde ze haar arm om mijn schouders en nam me nog dieper het donker van het huis in, in de richting van iemand die in een lage stoel zat.

'Sifan,' zei Abrehet harder dan ze normaal sprak, 'hier is Senait.'

De oude vrouw, mijn oma, deed niets en zei niets. Ze schudde alleen haar hoofd.

Achter me klonk een scherpe schreeuw. Een hartverscheurende, jammerende schreeuw, die in één klap de hele ruimte vulde.

Ik draaide me met een ruk om. In een hoek van het vertrek stond een vrouw van Abrehets leeftijd; ze jankte als een schoothondje en sloeg haar armen boven haar hoofd in elkaar.

'Dat is je tante Said,' zei Abrehet zakelijk, 'de zus van je moeder. Ze woont bij je oma.'

Het werd me allemaal een beetje veel. Vandaag had ik al twee tantes leren kennen en nu waren hier mijn oma en nog een tante. Ik wist niet meer wat ik moest zeggen, stotterde iets onnozels als begroeting en richtte me tot mijn oma. Zij stak haar handen naar mij toe, maar kon geen woord uitbrengen.

'Je moet dichter naar haar toe gaan,' fluisterde Abrehet, 'ze kan je niet zien, alleen voelen.'

De kamer was zo klein dat je je nauwelijks kon bewegen, zodat ik simpelweg voor mijn oma door mijn knieën ging en haar handen vastpakte. Ik zag haar nauwelijks doordat het zo donker was, maar ik voelde handen die droog en rimpelig waren, alsof er hard papier overheen zat. Ze stak ze naar me toe en ik trok ze naar me toe, ze aaiden eerst over mijn schouders, vervolgens over mijn gezicht, over mijn haar.

'Je bent jong,' zei de stem van mijn oma, 'je hebt mooi haar.' Ze voelde verder, betastte mijn wangen, mijn mond, mijn voorhoofd. 'Je bent mooi,' zei ze, 'goed dat je hier eindelijk bent. Ik wacht al zo lang.'

Dat was het moment waarop ik me niet meer kon beheersen. Ongeremd snikte ik erop los, de tranen sprongen in mijn ogen alsof ik ze jarenlang had ingehouden. Ik liet mijn hoofd op de schoot van mijn oma zakken en trilde en beefde over mijn hele lichaam.

'Maar nu ben je er immers,' zei ze, 'ik ben er heel blij mee.'

Wat ze verder zei verstond ik niet, zo erg moest ik huilen. Ze had jaren gewacht, zei ze. En ik wist niet eens dat ze leefde!

Nu snelde ook mijn tante Said toe om me te omarmen. Ik voelde haar natte tranen. Achter haar rug zag ik dicht bij de nog halfopen deur, waardoor een beetje licht in het vertrek viel, Abrehet huilen en daarnaast Dawit. Ook hem rolden de tranen over de wangen, hoewel hij er alleen maar stond te staan en deed alsof hij er niets mee te maken had.

'Senait, Senait!' riep Said. 'Dat je er bent!'

'We hebben allemaal naar je gevraagd,' zei Said toen we onszelf weer onder controle hadden.

'Ik wilde altijd van je tantes weten waar ze je verstopten,' zei mijn oma, 'maar zij zeiden dat ze geen idee hadden waar je was.'

'Waarom hebben jullie het niet aan Abrehet gevraagd?' wilde ik weten. 'Zij had iedereen al die jaren van mij kunnen vertellen. Zij kreeg altijd post van Yaldiyan en Tzegehana, mijn zussen in Duitsland!'

'Abrehet?' vroeg Said. 'Hoezo Abrehet? Zij is toch geen familie van je?!'

Ik kon bijna geen woord meer uitbrengen. 'Maar dat is toch niet belangrijk?' zei ik verontwaardigd. 'Wilden jullie nu weten waar ik was of niet?'

Achter Saids gedrag zat de oude Afrikaanse traditie dat je in eerste instantie op je eigen familie vertrouwde, dan op familieleden van je eigen clan en in de laatste plaats op mensen van je eigen volk. Veel mensen, zoals bijvoorbeeld Said, leken niet verder te zijn gekomen dan het eerste niveau. 'Ik kon toch niet iedereen in het dorp gaan vragen,' verdedigde ze zichzelf jammerend.

Hoe ontroerd ik zonet ook was geweest, nu werd ik nijdig. 'Maar ik heb het altijd wel aan iedereen gevraagd,' zei ik geïrriteerd terug. 'Aan mijn vader. Aan mijn moeder tien jaar geleden in Addis. Aan Abrehet, Tzegehana, Yaldiyan. Niemand heeft me verteld dat jullie hier wonen. Ik heb het tenminste geprobeerd. Jullie roeren alleen maar in onze eigen familie. En dat terwijl de familie over alle windstreken verstrooid is, iedereen leidt zijn eigen leven, niemand bekommert zich om de anderen. Wat is dit eigenlijk voor een familie?!'

Said begon weer te huilen en verborg haar gezicht in haar handen. Ook Abrehet huilde.

'Je vader heeft alles verpest,' snikte Said. 'Hij heeft de familie kapotgemaakt. Hij heeft iedereen vernederd en in het ongeluk gestort. Hij is de slechtste persoon die ik ken. Ghebrehiwet is de Satan!'

Said had de zwakke plek geraakt die me het meest pijn deed. 'Wat denk je wel om zo op mijn vader af te geven?' schreeuwde ik tegen haar. 'Wat heeft hij je misdaan? Wat weet je eigenlijk van hem?'

De twee vrouwen stikten bijna in hun tranen. Ik had ontzettend veel medelijden met mijn oma, maar totaal niet met Said. Ik ging nog dichter bij mijn oma zitten, omarmde haar en fluisterde kalmerende woorden in haar oor. Ik wilde per se vermijden dat zij zich aangevallen voelde, ook al was het daarvoor misschien al te laat. Maar Said, die valse slang! Ineens wist ik zeker dat ze maar had geveinsd dat ze ontroerd was toen ze me leerde kennen.

'Jij wilde Sifan immers alleen voor jezelf hebben!' slingerde ik haar naar het hoofd. 'Jij hebt net zo gelogen als alle anderen! Heb je ook zo tegen mijn moeder gelogen?'

Said begon steeds heftiger te slikken, maar ze verdedigde zich woedend: 'Nooit! Adhanet had het heel moeilijk, maar ik heb haar geholpen waar ik maar kon. Ze was een geweldige vrouw. Ik heb haar ook geholpen tegen je vader, die het nooit goed met haar voorhad!'

Dat maakte me nog bozer op haar. 'Het heeft toch geen zin om mijn moeder te loven en de hemel in te prijzen, alleen omdat ze je zus is en om mijn vader te veroordelen omdat hij geen familie van je is. Het is belachelijk wat je doet. Ik kan er niet meer tegen!'

Ik rukte me los van mijn oma, riep Said toe: 'Ik kan niet meer tegen je leugens!' en vloog naar buiten.

Said belichaamde voor mij mijn ergste familietrauma: dat niemand in mijn familie me ooit de waarheid had verteld. Dat iedereen altijd alleen maar aan zijn eigen aanzien had gedacht, aan hoe hij op de ander overkwam, maar nooit aan wat dat voor de ander betekende.

Abrehet kwam me achterna om me te kalmeren, dat ontbrak er nog maar aan! 'Wat wil je van mij, jij bent net zo!' snauwde ik haar toe. 'Ga naar huis, laat me met rust!'

Ze probeerde op me in te praten, maar toen ze merkte dat het geen zin had, stopte ze ermee en verdween.

Ik was woedend, maar ook wanhopig. Had ik alles kapotgemaakt?

Toen ik opkeek zag ik ontzet dat er een heel publiek op de vertoning af was gekomen. Ik werd omringd door geamuseerde kinderen en geïnteresseerde volwassenen. Ze hadden nog nooit zo'n gevoelsexplosie van een vreemde vrouw midden op straat meegemaakt. Velen van hen hadden waarschijnlijk zelfs nog nooit een vreemde gezien.

Dawit liep op me af. Wat een geluk dat ik hem had ontmoet! Hoe vaak had die engel me al niet geholpen! Ook nu was hij de rust in eigen persoon. 'Je oma is verdrietig,' zei hij, 'En Said ook. Het spijt haar. Ga weer naar binnen. Deze mensen weten niets. Ze kennen alleen hun naaste omgeving, ze weten alleen iets over hun eigen familie.'

Ik was nog steeds een beetje recalcitrant. 'Waarom moet ik altijd begripvol zijn? Waarom zij nooit?'

Maar Dawit bleef geduldig en daarmee haalde hij me over. 'Ze zullen je wel begrijpen,' zei hij, 'maar die open manier van met elkaar praten begrijpen ze niet. Ik heb dat ook nog nooit meegemaakt. Waarschijnlijk is dat de manier van doen van jullie Europeanen.'

Natuurlijk moest ik toegeven dat ik te ver was gegaan. Ik was, zoals zo vaak, te ongeduldig geweest, ik had te veel gevraagd, te veel in één keer.

'Dank je Dawit,' zei ik en ik omarmde hem, 'je hebt gelijk. Laten we maar naar binnen gaan.'

Ik droogde mijn tranen en dook weer het halfdonkere huis van mijn oma binnen. Said huilde nog steeds en mijn oma zat nog meer in elkaar gezakt dan eerst. Ik ging naast haar zitten. 'Het spijt me,' zei ik, 'het spijt me.' Verder viel er niets te zeggen. 'Mijn excuses aan jullie allebei.'

Snikkend zei Said: 'Ik kan je niets aanbieden, we hebben niets. We waren niet voorbereid. Wil je misschien koffie?'

Ik hoefde helemaal geen koffie, maar ik knikte verheugd omdat dat haar aanbod was om het goed te maken en dat kon ik niet afslaan. Bovendien was ze met de koffieceremonie zeker twee uur bezig, en dat was prima.

Mijn oma en ik zaten nu gewoon bij elkaar, terwijl Said met het kooktoestel aan de gang ging om de koffiebonen te roosteren. Eerst dacht ik er de hele tijd over na hoe ik het gesprek weer op gang kon brengen. Ik deed een paar pogingen met gemeenplaatsen die me te binnen schoten en kreeg daar ook vriendelijk antwoord op, maar algauw merkte ik dat het niet nodig was. Dat niemand het van me verwachtte. Dat niemand op dit moment iets van me verwachtte. Zodra dat me duidelijk was, begon ik me te ontspannen.

Ik zat naast mijn oma, hield haar handen vast en keek haar aan. Wat waren het smalle handen, tengere vingers die het zo zwaar te verduren hadden gehad in het leven. Ik zag dat ze vol eeltplekken zaten, dat de huid op die vingers hard was, dat de handrug rimpelig was als een klein gebergte. Voorzichtig bekeek ik mijn oma's gezicht van opzij. Ze leek me nauwelijks op te merken, in elk geval niet met haar gezichtsvermogen. Ze had een smal gezicht met heel opvallende jukbeenderen. Ik probeerde me mijn moeder naast haar voor te stellen, maar dat lukte me niet. Zij tweeën leken kennelijk niet erg op elkaar.

Hoe langer ik naast mijn oma zat, hoe meer ik haar aanwezigheid voelde. Ik merkte dat ze zich concentreerde. Dat ze me observeerde, ook al keek ze me niet aan. Ik voelde dat er een kracht van haar uitging, maar het was een kracht die ik niet kon benoemen. Ik weet niet of ik minuten of uren zo zat, tot Said de koffie serveerde, maar het zal wel een uur zijn geweest want sneller kun je koffie op onze manier niet zetten.

Toen de geur van verse koffie om onze neus dampte, kwam er weer beweging in ons en mijn oma vroeg waar ik woonde, wat ik deed. Ik vertelde haar over Berlijn, over mijn werk, over de muziek, over Duitsland. Ik wist niet wat ervan tot haar doordrong, maar zowel Sifan als Said luisterden geïnteresseerd. Het had er weliswaar de schijn van dat mijn oma meer luisterde naar de manier waarop ik praatte dan naar wat ik te zeggen had, maar dat vond ik prima. Want mijn wereld verschilde immers hemelsbreed van de hare! Het vervulde me met geluk dat ze nu wist dat ik leefde. Dat ik iets deed. Dat ik mijn eigen weg ging, ook al kon ze hem niet begrijpen.

Terwijl ik vertelde keek ik om me heen. Ik kon dat alleen doen tijdens het praten omdat ik me dan onbespied waande, want Said was zo schuchter tegenover mij dat ze me niet aan durfde te kijken als ik vertelde. Toen mijn ogen aan het donker gewend waren, merkte ik hoe klein het huis was. Het bestond slechts uit het vertrek waar wij zaten. Het was misschien maar vier bij vier meter en bijna vier meter hoog, wat prettig was omdat de hitte zo naar boven kon. Wat moest het hier in de zomer heet zijn, onder het golfplaten dak dat in de zon gloeide als een grillplaat!

Het huis had alleen naar de straat een raam, verder niet. Er was geen elektrisch licht, geen water, geen riool, alleen vier muren, een betonnen vloer en een dak. In het huis stonden twee bedden, waar we op zaten, de stoel waarin mijn oma zat en een klein tafeltje waarop de koffiekopjes stonden te dampen. Bovendien stonden er nog een spiritusstel, een blikken schaal, een pan en een paar dozen, die aan de ene kant van het vertrek bijna tot aan het plafond waren gestapeld. Daar zaten alle bezittingen van Said en Sifan in: hun jurken, dekens, papieren en misschien ook een paar foto's. Dat was alles. Er waren geen persoonlijke dingen, geen verdere meubels, geen huishoudelijke apparaten, geen serviesgoed, geen voorraden levensmiddelen, afgezien van een zakje koffie, een pot suiker, een pot zout en een fles braadolie. Een doorsnee Afrikaans huishouden dus.

Nadat we koffie hadden gedronken, begon mijn oma te praten. Ik hoefde niets te vragen of te zeggen, haar niet uit de tent te lokken, ze begon gewoon. Ze hield een toespraak. Het was een uiteenzetting over mijn familie, over mijn ouders en mij. Zonder waarschuwing, als uit het niets: 'Ik ben Eritrese, maar je moeder heb ik in Addis Abeba gekregen,' begon oma Sifan, 'omdat ik daar op dat moment woonde. Alles was toen één land, waar keizer Haile Selassie over regeerde. Ik ben met mijn gezin naar de bergen getrokken, naar Ādī K'eyih. Adhanet trouwde heel vroeg, zoals dat gebruikelijk was. Ze hadden twee kinderen met elkaar, maar ze kon niet goed met haar man opschieten, dus lieten ze zich scheiden. Je moeder leerde daarna Ghebrehiwet kennen, je vader. Ze hadden samen een kind met elkaar, een zoon, hij heet Luul en woont tegenwoordig in Addis.'

Onwillekeurig klampte ik me vast aan de hand van mijn oma, zodat ze ineenkromp en zweeg. Dat wilde ik niet. 'Sorry, dat zijn de zenuwen,' zei ik. 'Ik heb brieven gekregen van een man uit Addis Abeba die zich Luul noemde en zei dat hij mijn broer was. Mijn enige broer, die dezelfde moeder en vader heeft als ik. Ik geloofde hem eigenlijk niet...' Dat Dagniou me al over Luul had verteld, zei ik niet, want ik wilde het verhaal van mijn oma niet nog meer onderbreken.

Mijn oma leek zich er totaal niet over te verbazen. 'Je kunt hem geloven,' zei ze, 'ik weet dat hij je broer is. Luul was hier, ik heb met hem gesproken. Hij is een goede jongen en verlangt er erg naar je te zien. Hij zei dat hij je ging zoeken.'

Het is toch niet te geloven, dacht ik. Luul was hier geweest en weer had niemand het me verteld!

Mijn oma pakte de draad weer op: 'Ook jouw ouders lieten zich scheiden. Je vader had een ander, dat was Abrehet. Hij kreeg twee dochters bij haar, Yaldiyan en Tzegehana. Maar bij een bruiloft waar zowel je vader als je moeder waren uitgenodigd, ontmoetten ze elkaar weer. Ze voelden nog steeds iets voor elkaar. Negen maanden later zou jij geboren worden. Maar ook Abrehet was weer zwanger. Je vader beloofde je moeder dat hij weer met haar wilde samenleven. Hij woonde toen nog in Ādī K'eyih, je moeder in Addis. Hij zei tegen haar dat ze hiernaartoe moest komen en dat deed ze. Hij regelde een winkeltje voor haar, waar ze kon werken. Maar Ghebrehiwet wist nog steeds niet wat hij wilde, want nu woonden zijn vrouwen allebei in dezelfde plaats.'

Mijn oma laste een langere pauze in. Het bleef doodstil, niemand wilde haar onderbreken. Pas nu merkte ik hoe vermoeiend het voor de oude vrouw was om zoveel te vertellen. Ze was het duidelijk niet gewend.

'Je vader zei ten slotte tegen Adhanet dat hij in Addis een huis voor haar had gekocht, dat ze daarnaartoe moest gaan en op hem moest wachten. Hij zou zich van Abrehet laten scheiden, zei hij. Je moeder geloofde hem, maar hij had gelogen en liet zich niet scheiden. Je moeder beviel van jou en er gebeurde nog steeds niets, tot ze een brief van je vader kreeg. Daar stond in dat hij niet naar Addis kon komen, ze moest naar Asmara gaan, want hij zou daarheen komen. Weer vertrouwde je moeder hem en ging met jou naar Asmara. Je was toen nog heel klein, nog maar een paar weken of maanden. Daar beleefde Adhanet haar grootste teleurstelling. Je vader schreef haar weer, voor het laatst. Hij schreef dat hij niet kon komen. Dat dreef je moeder tot wanhoop en ze gaf je weg.'

Ik zat er verstijfd bij. Sommige dingen die ik net had gehoord, waren me al duidelijk geweest, andere dingen hoorde ik voor het eerst. Tot dusverre was ik er altijd van uitgegaan dat ik in Asmara was geboren, maar in werkelijkheid was mijn geboorteplaats dus Addis Abeba. Ik had ook nooit iets van de twee kinderen gehoord die mijn moeder nog voor Luul ter wereld had gebracht, en haar zwerftocht in opdracht van mijn vader was me ook volkomen nieuw. Nog nooit had iemand me haar verhaal zo duidelijk en simpel verteld. Altijd had ik mijn leven uit een heleboel stukjes moeten samenstellen zonder dat ik er echt wijs uit werd en nu kreeg ik het verteld als het plot van een film – een tragische film, die ermee eindigde dat mijn wanhopige moeder me in een koffer had gestopt, in haar eigen huis in Asmara, waar ze zich allesbehalve thuisvoelde omdat ze er altijd van gedroomd had dat ze er samen met mijn vader zou wonen.

'Je vader liet Adhanet toen niet zitten, omdat hij bij Abrehet wilde blijven,' ging mijn oma verder, 'maar omdat hij verliefd was geworden op een andere vrouw, die Werhid heette en haar eigen kinderen verliet om met hem te gaan samenwonen. Hij sloeg Abrehet, nam haar haar beide dochters af en vertrok met Werhid van de bergen naar de laagvlakte.'

Dat deel van het verhaal kon ik uit mijn hoofd opzeggen. 'Ik ken Werhid,' zei ik, 'zij was mijn stiefmoeder toen mijn vader me uit het weeshuis liet halen.' Moest ik haar ook nog vertellen dat ik Werhid veel later in Hamburg opnieuw had ontmoet toen ze gescheiden was van mijn vader? Maar mijn oma wimpelde het af, ze voelde kennelijk instinctief aan wat ik wilde zeggen.

'De vrouwen willen altijd wel met Ghebrehiwet,' zei ze droog, 'maar er is iets wat ze belemmert om gelukkig met hem te worden. Ik denk dat hij het zelf is.' Zo had nog nooit iemand over mijn vader gesproken. Zonder haat, zonder te roddelen, gewoon simpel: het was niet mogelijk om gelukkig met hem te zijn.

'Dank je,' zei ik alleen en ik omhelsde mijn oma, 'Bedankt, dat je mij dat allemaal verteld hebt.'

'Ik heb het met liefde gedaan, omdat je het wilde horen,' zei ze. 'Doe ermee wat je wilt.'

Dat was het mooiste wat ze tegen me kon zeggen. Mijn oma had het verhaal van mijn ouders tot een geschenk gemaakt – een waardevoller geschenk kon ik nauwelijks mee naar huis nemen uit het Eritrese hoogland.

SPOORBANEN

Na het verhaal van mijn oma praatten we nog een beetje, maar ik voelde dat ik afscheid moest nemen. Ik had rust nodig, ik had een kamer nodig en ik moest mijn gedachten op orde zien te krijgen. Ik moest mijn leven innerlijk opnieuw in elkaar zetten en een plek vinden voor mijn broer, voor mijn oma en voor mijn tantes. Voor alles wat mijn moeder met mijn vader had moeten doormaken. Ik moest nadenken en ook nog een beetje huilen.

Maar zo gemakkelijk was het niet om afscheid te nemen, want de twee vrouwen wilden me bij zich houden. Ik kon me alleen losmaken nadat ik plechtig had beloofd dat ik de volgende dag al terug zou komen.

Toen ik met Dawit de straat op stapte, ging de zon achter de bergkam aan de horizon onder. Er gierde een koele wind door de straten en ik rilde. Over een paar minuten zou het pikdonker en een paar graden kouder zijn. Wat had ik er een hekel aan om kou te lijden en helemaal in mijn vaderland!

We hadden dus een dak boven ons hoofd nodig en snel ook. Maar dat was gemakkelijker gezegd dan gedaan. Ik had niet bij mijn familie willen overnachten, omdat ik hen niet te veel op de lip wilde zitten, nog afgezien van het feit dat ik dan op de kale vloer had moeten slapen of een van mijn familieleden van zijn bed had beroofd – vooruitzichten die me geen van beide bevielen. Maar waar was hier een hotel?

'Geen probleem,' zei Dawit, 'die zijn er bij de vleet.'

Ik heb geen idee hoe hij het voor elkaar kreeg ons met zijn taxi in een mum van tijd naar een hotel te brengen, want niets aan het gebouw wees erop dat het een hotel was – er hing geen bord en er stond niets op de gevel, er brandde niet eens licht. Waarschijnlijk had hij er een zesde zintuig voor, dat veel taxichauffeurs ontwikkelen om zich te redden.

We moesten kloppen en roepen tot er iemand kwam die de deur

voor ons opendeed. Toen we naar binnen gingen zag ik dat het niet alleen een hotel, maar ook een restaurant en een bar was. De kamers bevonden zich op de eerste verdieping en Dawit zei later dat hij vanwege die extra verdieping had gedacht dat het een hotel was, want bijna alle andere huizen hadden maar één verdieping.

Op de eerste verdieping liep een open gang om een binnenplaats heen. In één vertrek was zelfs een wc, maar er was geen licht. De kamers waren net kleine, holle kubussen, even lang als breed als hoog. In het midden stond een bed, aan het plafond hing een gloeilamp, één wand werd onderbroken door een getralied raam en dat was alles. Voor die prijs kon je met de beste wil van de wereld ook niet meer eisen: de hotelhouder wilde per kamer twintig nakfa per nacht, wat ongeveer een euro is. Ik was blij dat er een bed en beddengoed waren, maar ik kon nu nog niet in de kamer blijven, daarvoor leek hij te veel op een gevangeniscel.

Dus gingen we nog even in het restaurant zitten. Je kon er bier krijgen en er stonden asbakken. Er was zelfs een televisie, die met veel geflikker een documentaire vertoonde over de Eritrese spoorwegen – over trajecten uit de Italiaanse koloniale tijd die allang waren opgeheven en over stoomlocomotieven die rijp waren voor het museum. Zo interessant was het niet, maar ik had het altijd nog liever dan dat ik alleen in mijn kamer lag en naar de gloeilamp staarde.

Daar zat ik nu in het restaurant, ik keek naar de spoorwegen en herkauwde met Dawit de oude verhalen uit mijn jeugd, waar mijn familie slechts met tegenzin op in wilde gaan. Ik wist natuurlijk dat niet alleen mijn familie er problemen mee had om over vroeger te praten, maar dat de meeste mensen in Afrika het niet erg op prijs stelden om terug te kijken, net zomin als naar de toekomst. Je leefde in het hier en nu en loste de problemen op waar je op dit moment mee geconfronteerd werd. Die waren meestal groot genoeg en eisten je helemaal op. De mensen waren blij dat ze de vorige dag heelhuids waren doorgekomen en vertrouwden erop dat de zorgen van morgen niet groter zouden zijn dan die van vandaag.

Als iemand in het verleden begon te wroeten, dacht iedereen meteen dat de ander hem wilde bekritiseren, zwartmaken of veroordelen. De meeste mensen vatten zulke naspeuringen op als een aanval op hun huidige leven, dat al moeilijk genoeg was. Ze konden niet begrijpen dat ik met mijn vragen geen verkeerde bedoelingen had, maar alleen de waarheid wilde achterhalen. Er zijn goede redenen voor die weerstand. De meeste mensen zouden namelijk verstrikt raken in de meest tragische gevoelens als ze over hun leven zouden nadenken. Dan zouden ze aan honger, gebrek en ontbering moeten denken, aan oorlogen en aan hun verloren jeugd en dat zijn niet bepaald de gedachten waarmee je je dagen wilt vullen. Dus hebben ze het liever over hun dieren, de hitte, begrafenissen en huwelijken die voor de deur staan – elk onderwerp is beter dan hun eigen ellende, waar ze immers niets aan kunnen veranderen.

Het eerste waar mijn oma na haar toespraak dan ook over wilde praten was of ik getrouwd was en kinderen had. Ze vond het niet erg dat ik er een ontkennend antwoord op gaf, maar haar advies was duidelijk: 'Je hebt een goed hart, behoud het,' zei ze, 'maar sticht een eigen gezin, dat is het beste voor je.'

Natuurlijk vroeg ze me net zomin als mijn andere familieleden hoe het echt met me ging in Europa. Hoe ik daar leefde, wat ik dacht, wat ik voelde. Niet dat het hun niets kon schelen, het stond alleen zo ver van hun eigen werkelijkheid af dat ze met mijn antwoorden sowieso niet veel hadden kunnen beginnen. Mijn familieleden dachten simpelweg: oké, ze woont in Europa, dus het gaat prima met haar, ze is rijk en kan ons geld geven. Daar hadden ze in zekere zin ook gelijk in, want alles is relatief: in een land waar twintig euro al een goed maandsalaris betekent, kunt je ook met weinig geld al veel doen.

Maar geld was niet alles. Ik wantrouwde weliswaar de tranen van mensen als Said of Abrehet, die bij elke gelegenheid huilden, omdat dat bij ons nu eenmaal gebruikelijk is, maar met de tranen van mijn oma zat het anders. Bij haar waren het geen tranen uit gewoonte, maar uit medelijden. Ik had de indruk dat mijn oma huilde om iets wat ze over mijn verleden wist en waar ze me slechts een deel van had verteld.

Zij was verheven boven elke verdenking dat ze iets voor me geheim wilde houden – tenzij het was om me te beschermen tegen informatie waarvan zij meende dat die schadelijk voor me was. Met Abrehet was het anders. Hoe had ze voor me kunnen verzwijgen dat mijn broer Luul hier in Ādī K'eyih was geweest – mijn enige echte broer! Natuurlijk zou ze tegenover mij ontkennen dat ze er iets vanaf wist, maar in dit gat in de bergen gebeurde nooit iets en als er iemand op bezoek kwam en bovendien nog helemaal uit Addis Abeba, dan wisten alle mensen het die ook maar heel in de verte iets te maken hadden met de familie die dat bezoek had gehad. Maar tegenover mij als buitenstaander hielden ze hun kaken op elkaar, die stugge bergbewoners, en dus zou ik niets gehoord hebben als mijn oma het me niet had verteld.

Ik was degene die met vragen zat, die zich moest aanpassen aan de spelregels van de mensen die hier woonden, zo zat het gewoon in elkaar. Ik moest het er allemaal uittrekken, zonder dat ik wist wat ze voor me wilden verbergen. Het was alleen duidelijk dat ze uit traditie hun eigen familie niet konden compromitteren. Niemand mocht kwaadspreken over zijn eigen familieleden, en iedereen deed het daarom des te liever over alle anderen. De familieleden van mijn vader veroordeelden mijn moeder en prezen mijn vader en omgekeerd.

'Je moeder had zo'n goed karakter,' zei mijn oma, 'er zat geen kwaad in. Alle slechte dingen in je leven zouden niet gebeurd zijn als je vader niet zo'n slecht mens was geweest.' Die zin galmde in me na, terwijl ik rookkringels tegen de bleekgroen geverfde muren blies en keek hoe een gammele stoomlocomotief naar beneden ratelde over het levensgevaarlijke traject van Asmara naar Massawa, de havenstad aan de Rode Zee.

Dawit bleef tot het eind aandachtig naar al die verhalen luisteren. Hij dreef er niet de spot mee, hij vond niets belachelijk en respecteerde mijn verscheurdheid. En hij troostte me: 'Je bent in Gods handen,' zei hij, 'anders zou je allang gek zijn geworden.'

Daar stond ik versteld van. Zo had ik het nog nooit bekeken. Daar had je nu een landgenoot voor nodig, die al zoveel ellende had meegemaakt dat hij zelfs in mijn verhaal nog het goede kon zien en mij de ogen kon openen. Dat was het soort gedachten waaraan ik me kon optrekken.

Om me niet nog verder in de problemen van mijn jeugd te verliezen, vroeg ik Dawit naar zijn leven. Het was het eerste het beste verhaal van een ander mens waar ik in dit naamloze restaurant van het naamloze hotel in dit Eritrese bergstadje naar vroeg – en warempel, ook Dawits leven was vol tragiek, vol tegenstrijdigheden. Zijn ouders waren in de oorlogsperikelen uit Ethiopië naar Asmara gevlucht; net als veel andere Eritreeërs waren ze door de Ethiopiërs als vergelding voor de nederlaag in de burgeroorlog naar het toen net onafhankelijk geworden straatarme Eritrea verdreven. Dawit zelf had alles wat hij bezat – zijn huis, zijn taxi – met keihard werken bij elkaar gespaard, had afgezien van elke vorm van 'luxe', zoals een vrouw en eigen kinderen, en zag nu alles in gevaar komen omdat hij dreigde te worden opgeroepen voor militaire dienst, wat kon inhouden dat hij jarenlang gelegerd zou zijn aan de omstreden grenzen van het land. Daardoor stond Dawit voor een serieus probleem. Moest hij het land verlaten en de weinige bezittingen achterlaten die hij al die jaren met hard werken had verdiend, of moest hij het leger ingaan en hopen dat hij er levend en niet als invalide uit zou komen? In het grensgebied met Ethiopië, dat vol mijnen lag, was dat allesbehalve vanzelfsprekend.

Omdat Dawit goudeerlijk was, had hij besloten niet te trouwen voor de beslissing was gevallen, want een vlucht naar het buitenland kon hij een vrouw en kinderen niet aandoen en als hij jarenlang in het leger zat, wilde hij geen vrouw in Asmara achterlaten, al helemaal niet met kinderen. Van tevoren al met een vrouw samenleven zonder zeker te weten of hij met haar zou trouwen, druiste in tegen zijn opvoeding en ook tegen zijn geloof, want Dawit was van ganser harte en tot in het diepst van zijn ziel christen.

Dawits beslistheid kwam heel lief over en ik vond het geweldig dat hij niemand mee wilde slepen in een ongeluk dat hem nog niet eens was overkomen. Zo'n man moest ik zien te vinden. Met zo iemand zou ik wel kunnen samenleven. Alleen was het cultuurverschil zo enorm groot dat ik zelfs met de beste man uit Afrika onmogelijk op dezelfde golflengte kon komen!

NACHT

Midden in die gedachten kwam de hotelier binnenvallen door luid rammelend onze bierflesjes op te halen.

'Hij gaat sluiten,' zei Dawit, 'we moeten naar boven.'

Die opmerking haalde me hardhandig weer terug in het heden. Naar boven, naar die kale kamer? Alleen de gedachte deprimeerde me al. Ik ben niet verwend, ik heb in een hotelkamer geen luxe nodig, maar een donkere kamer met een tralieraam, zonder televisie of radio, joeg me angst aan. Zo'n kamer lokte de geesten uit mijn onderbewuste, liet de schaduwen uit de donkere hoekjes van mijn ziel kruipen en beelden uit mijn jeugd opflikkeren die ik niet wilde zien. Zo'n cel riep bloed en doodslag op, exploderende bommen, brullende opzichters, nachten waarin je rilde van de koorts. De stilte van de bergen, samen met het donker, deed me geen goed, maar ik wist dat ik ook in het licht van een felle gloeilamp niet zou kunnen slapen.

'Laten we nog ergens anders heen gaan,' zei ik tegen Dawit.

Ik smeekte het hem bijna omdat ik die nacht uit alle macht korter wilde maken, maar hij keek me stomverbaasd aan: 'Waar wil je dan naartoe?'

De hotelier die ons gesprek had gehoord, schudde slechts zijn hoofd. 'Het is elf uur,' zei hij en ik wist wat dat betekende: het was nacht in Ādī K'eyih, en alle gelegenheden die ook maar enigszins op een bar of een kroeg leken, waren gesloten.

Toch stak ik mijn hoofd naar buiten, maar op straat was niets te zien, alleen de lichtkringen van straatlantaarns, zand, stenen, door de koude wind door de lucht geblazen afval en gebarricadeerde ramen. Er was niets uitnodigends aan. Dus naar boven dan maar!

De gang werd spaarzaam verlicht door één gloeilamp. Aan de muren hingen verbleekte, stoffige foto's. Er stonden kinderen en jongeren op, die de fotograaf trots glimlachend halfautomatische wapens presenteerden. Daaronder stonden uitspraken over de vrijheid van Eritrea. Mijn maag draaide zich om. Ik was altijd voor de Eritrese vrijheidsstrijd geweest, maar ik denk dat een dergelijke strijd door volwassenen moet worden uitgevochten. Waarom moeten kinderen de vrijheidsidealen van hun ouders met de dood bekopen?

In mijn hoofd buitelden de gedachten over elkaar heen toen ik het laken over mijn hoofd trok om niet verblind te worden door het kale peertje en om te voorkomen dat ik door en door koud werd, want hoewel ik mijn kleren aan had gehouden, lag ik bibberend op mijn piepende metalen bed te woelen. Plotseling werd het in één klap stikdonker en muisstil. Het continue gebrom van een generator dat daarvoor te horen was geweest, was, zonder dat ik het bewust had waargenomen, verstomd.

Paniek! Ik schoot omhoog, keek uit het raam en zag niets: buiten heerste volkomen duisternis. Ik luisterde en luisterde, maar ik hoorde absoluut niets, alleen mijn adem en mijn hartslag, ingebed in de diepste stilte die me ooit had omringd. Waarschijnlijk zetten ze om middernacht de stroom uit. Zo was dat vroeger ook geweest, vanaf een bepaald tijdstip verzonk het hele land in volledige duisternis.

Alle mensen waren roerloos, de dieren bleven verstijfd zitten, de natuur bestond slechts uit zwijgende stenen, rotsen en zand. Zelfs de wind was gaan liggen. Wat was het hier toch anders dan in Asmara, waar ook 's nachts continu actie was, een onafgebroken komen en gaan, waar licht, flarden van gesprekken en muziek was. Hier voelde ik alleen dood en verlamming en mijn paniek nam steeds meer toe. Ik zat gewoon gevangen in mijn nachtmerrieachtige situatie, omgeven door starheid en zwijgen, met mij als enige levende ziel ermiddenin.

Ik had het graag op een schreeuwen gezet, uit alle macht gebruld om die stilte te doorbreken, maar het geluid bleef in mijn keel steken. Het was te stil om te schreeuwen. Ik was bang dat de mensen om me heen te hoop zouden lopen als ik schreeuwde en me te lijf zouden gaan om me tot zwijgen te brengen. En dat terwijl er nu niets was dat ik dringender nodig had dan een mens. Alsjeblieft, alsjeblieft al was het maar één levend mens!

Dawit! Ik sloop mijn kamer uit en zag niets. Het is griezelig om door een gebouw te lopen waar je niets kunt zien: geen muur, geen vloer, geen plafond. Alsof je in de donkere kamer van een fotograaf bent, maar zonder rode lamp. Trillend zocht ik op de tast mijn weg langs de muur, voelde het papier van de kindsoldatenfoto's onder mijn vingers, een nis, de deur van Dawits kamer. Ik klopte, maar het bleef stil. Ik riep zachtjes Dawits naam, maar er kwam geen antwoord. Ik bleef kloppen, trommelde op het metaal van de deur, tot daarachter geluiden te horen waren. Rollen, schuiven.

'Dawit, ik ben het, doe open!'

Even later stond er een slaapdronken Dawit voor me, die ik wel-iswaar niet kon zien, maar ik merkte toch dat hij er was. Hij was weer eens mijn redding. Hij begreep mijn angst en was niet geïrri-teerd, zoals ik had gevreesd. Dawit sleepte de matras uit zijn kamer naar de mijne en ging naast mijn bed op de grond liggen. Ik luis-terde naar zijn ademhaling, zijn bewegingen in zijn slaap links onder me, ergens bij de muur, die ik niet kon zien. Zijn aanwezig-heid was voor mij het bewijs dat de wereld niet was opgehouden met ronddraaien.

Nog heel wat ademhalingen, nog heel wat hartkloppingen en toen kwam de verlossing. Ik sliep als een kind in de donkere buik van zijn moeder.

TROMMELS

De volgende ochtend klonken er doffe trommelslagen door mijn dromen. Ik zag donkere figuren om een vuur dansen, ik zag akelige tronies, ik hoorde slagen op gespannen dierenhuiden, tot ik wakker werd en omhoogschoot, zoals meestal als ik de droomwereld voor het werkelijke leven verwisselde. Door de tralies viel een vaal licht op mijn laken, nee, het kwam van de lamp boven mijn hoofd, die nu weer brandde.

Was dat een beweging achter me? Ik draaide me met een ruk om.

O ja, dat was Dawit, hij rolde zich op zijn matras op zijn andere zij. Ik werd meteen gekweld door schuldgevoelens. Die arme vent had midden in de nacht moeten opstaan en kon met zijn dunne matrasje vast niet goed slapen op de harde grond. Hij vond me gegarandeerd een grote schijterd die in het donker bang was als een klein kind. Daar moest ik mee leven, want ook al wist ik dat het onnozel was, het zou me bij elke volgende gelegenheid weer net zo vergaan.

Hoe meer ik de nacht van me afschudde, hoe duidelijker ik de trommels hoorde. De slagen waren niet alleen door mijn dromen heen gegalmd, ze kwamen van buiten, en ze kwamen dichterbij. Ik staarde door de tralies, maar er was alleen een lege binnenplaats te zien. Voorzichtig schudde ik Dawit wakker.

'Dawit, we moeten eruit. Er is daar iets aan de hand.'

Ook Dawit schrok op. Hij hoorde de trommels en wist meteen wat er aan de hand was. 'Maar vandaag is het immers *timket*,' zei hij, 'de dag van de verschijning; en dit is de processie.'

Hij sprong op en trok zijn broek aan en vervolgens gingen we op pad. Op deze dag – Epifanie – vieren de oosterse kerken en ook de kopten de verschijning van de pasgeboren Jezus aan de wereld, net als op het westerse Driekoningen. Soms wordt beweerd dat de kopten op 19 januari van onze Europese tijdrekening, dus op Epifanie, kerst vieren, maar dat klopt niet. De kopten gebruiken hun eigen kalender, die erg lijkt op de oude Romeinse, juliaanse, kalender, en niet op de gregoriaanse kalender van de Europeanen. Ze vieren kerst weliswaar net als de andere christenen op 25 december, maar wat 25 december is volgens de koptische kalender, is 7 januari volgens de gregoriaanse.

In de straat voor ons hotel was inmiddels alles in beweging: mannen en vrouwen, gekleed in dezelfde witte gewaden, liepen naar het centrum. Mannen liepen arm in arm met andere mannen, vrouwen liepen gearmd met andere vrouwen. Sommigen hadden rode of groene papieren kronen op waar ze kruizen op hadden getekend of geplakt. Het geluid van de trommels verwijderde zich inmiddels weer.

'Ze zijn voor de kerk,' zei Dawit.

We sloten ons aan bij de andere mensen. Hoe verder we kwamen, hoe dichter het gedrang werd. Normaal gesproken mijd ik dat soort mensenmassa's, maar nu voelde ik me prettig. Ik merkte dat van deze mensen geen gevaar uitging, ze maakten een vrolijke, beheerste indruk.

Toen we bij de trommelaars aankwamen, ging ik samen met Dawit zonder problemen onder in de dichte menigte, die te hoop liep in het midden van het plein. De mensen zongen, neurieden en baden, iedereen leek zijn eigen melodie te hebben, alleen het ritme was voor iedereen hetzelfde en werd bepaald door de diepe slagen op de trommels. Het was geen ordelijke ceremonie, zoals in westerse kerken, waar voor in de kerk de pastoor of dominee iets zegt en alle anderen het vervolgens in koor naprevelen, maar hier leek iedereen te zeggen wat op dat moment bij hem opkwam, of hij nu een priester was of een van de gewone gelovigen. En toch ontstond er saamhorigheid, een groot geheel. Er ontstond een gevoel, een beweging, een samenspel van veel mensen dat me intensiever, hartstochtelijker en ook spiritueler leek dan ik ooit in een westerse kerk had meegemaakt.

De trommels, de witte gewaden, de op het ritme naar voren en naar achteren bewegende lichamen leken me eerst totaal niet te passen bij de teksten die de popes zongen over Jezus, over de Drie-eenheid en over de verschijning van de Heer, die op deze dag werd gevierd. Het geheel kwam eerder op me over als een Afrikaanse rite, als oude stammendansen uit de heidense tijd. Maar wat de mensen hier vierden was een door en door christelijk feest en ze voelden zich ook door en door christen – het christendom bestond hier tenslotte al bijna zeventienhonderd jaar.

Hoe verder het feest vorderde, hoe extatischer de mensen bewogen. De popes hadden ketels met wijwater voor zich staan, waaruit ze als hoogtepunt van de ceremonie met kleine bezempjes de menigte besprenkelden. Ik was enthousiast en voelde me er erg bij betrokken. Ik was één met mezelf, met de wereld en met mijn geloof toen het feest tot een eind kwam. Tot nu tot had ik het christendom altijd als iets Europees beschouwd – ten onrechte omdat het immers in het Oosten is ontstaan, net als de twee andere grote wereldgodsdiensten, het jodendom en de islam. Hier was ik dichter bij de wortels van mijn geloof dan in de Berlijnse Gedächtniskirche, die strenge betonnen kolos met zijn bonte glasramen, die als een stille oase midden in de drukte tussen de Kurfürstendamm en Bahnhof Zoo staat en waar ik me soms terugtrek voor een paar minuten van bezinning.

Wat vond ik het merkwaardig om op een zanderig plein vol witte figuren midden in Ādī K'eyih aan de Berlijnse Gedächtniskirche te denken, maar ik droeg beide werelden in me – de Afrikaanse en de Duitse – en ik kon en wilde geen scheidslijn tussen die werelden trekken, ook al kwam mijn ziel uit het Eritrese hoogland. Mijn ziel trilde op hetzelfde ritme als de zielen van de mensen hier, maar mijn bewustzijn en mijn rationele overtuigingen werden tegelijkertijd bepaald door de ervaringen en zekerheden die ik in Duitsland had meegekregen.

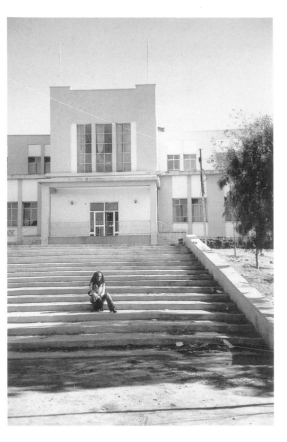

Het staatsweeshuis
Orfan, waar ik mijn
eerste jaren doorbracht.

In deze straat staat het woonhuis van mijn grootouders in Asmara.

Vroeger woonde ik hier in het kindertehuis, tegenwoordig is het de ingang van het woongedeelte van het Comboni-klooster in Asmara.

Mbrat, mijn tante, die zich als mijn moeder voordeed om me uit het weeshuis te kunnen halen.

Uitzicht over Maitemenai, mijn toenmalige woonbuurt in Asmara.

De hoofdstraat van Ādī K'eyih, waar mijn vader een winkeltje voor mijn moeder had gekocht.

Na onze aankomst in Khartoem liet onze oom Haile een foto maken van Tzegehana (midden), Yaldiyan (rechts) en mij (links).

Mijn hervonden familie: Abrehet (voor, rechts), de moeder van Tzegehana en Yaldiyan, hun jongste dochter Fiori (voor, midden), en twee zussen van mijn vader (staand, achter, rechts). In het midden een koptische geestelijke.

Lula zong samen met mij bij dit optreden in Asmara.

Bij de processie op Epifanie waren zowel de mannen als de vrouwen gehuld in witte gewaden.

Ik stond er versteld van toen ik 's ochtends een poster ontdekte waarop een concert van mij werd aangekondigd.

Ik genoot van de zonsondergang bij de Nijl.

De aanleiding voor deze foto, te midden van mijn pas ontdekte familie van mijn moeders kant, was verdrietig. Gehuld in de witte doek van de bewoners van het bergland maakte mijn oom Tsegeab (midden) bekend dat mijn oma was overleden.

Ik was helemaal verliefd op mijn broer Luul.

De verloofde van Luul vond ik erg aardig.

Foto: Tilman Lothspeich

De processie was nog maar nauwelijks voorbij of de mensen stoven alle kanten op. Het dagelijkse leven ging weer verder en de kinderen keerden terug naar de plek waar ze op de aankomst van een tank-auto met water wachtten, want door de droogtetijd waren veel putten opgedroogd. Terwijl de kinderen naar de trommels hadden geluisterd, stonden hun plastic jerrycans in een lange rij voor de plek waar het water werd uitgedeeld en hielden het plaatsje van hun eigenaar in de rij bezet. Normaal wordt er in Afrika overal voorgedrongen en gestoeid, maar het zou bij niemand opkomen zijn jerrycan in de rij stiekem verder naar voren te zetten. Water halen is van levensbelang, het is zo'n serieuze aangelegenheid dat je de boel niet kunt bedotten.

De allerjongste kinderen mochten nu weer verdergaan met hun spelletjes, die fascinerend waren doordat ze blijk gaven van zoveel improvisatietalent. Sommigen stapelden gewoon stenen op elkaar en stelden zich daarbij misschien rijke koninklijke paleizen voor, anderen reden op dunne takken die ze afgebroken hadden, maar de meesten speelden met een bal van een samengebonden bundel lompen, die ze met een touw aan een elektriciteitsmast hadden bevestigd, zodat ze de armzalige kluwen met een grote zwaai van de ene kant naar de andere kant of in de rondte konden slingeren.

Ook de volwassenen gingen weer verder met hun bezigheden. De vrouwen keerden naar huis terug om het feestmaal te bereiden; *enjera*, zoals elke dag, en in de welgesteldere gezinnen voor de feestelijkheid met een paar stukjes vlees. De mannen stonden op de hoeken van de straten met elkaar te praten, als ze niet in een van de talrijke bars aanlegden en hun gesprek onder het genot van een glas thee of water voortzetten. Bier of cola konden maar heel weinig mensen zich veroorloven.

Ik ging boodschappen doen in een piepklein winkeltje, waar de treurigste en toch meest liefdevol versierde kerstboom stond die ik ooit had gezien. Er hingen zelfgemaakte versieringen in het bijna verdroogde, vaalgroene naaldboompje: sterren en kaarsen, die de winkelierster uit oude tijdschriften en kartonnen dozen had geknipt. Op de schappen achter de boom lag alles wat ik voor mijn oma en mijn tante wilde meebrengen: koffie, olie, meel, zout, suiker, gedroogde bonen, peper, zeep en zelfs tomaten, al zaten ze in blik. Dat klinkt niet erg origineel, maar in de bergen is het leven nog veel soberder en armzaliger dan in de stad; als je ergens op visite gaat verwacht de gastvrouw niet dat je snuisterijtjes meeneemt, maar iets waar je wat aan hebt, dingen die je helpen overleven. Met buitenissige dingen hadden de twee vrouwen niets kunnen beginnen – nog afgezien van het feit dat die in Ādī K'eyih niet te koop waren.

Bij mijn oma werd ik weer met open armen ontvangen, ditmaal met *enjera* en alles erop en eraan. Weer zat ik naast haar, maar ditmaal leek ze door haar gespreksstof heen. Het gesprek kwam niet echt op gang, wat me echter niet stoorde omdat ik het voldoende vond om gewoon naast haar te zitten, naar haar te kijken, haar handen vast te houden en af en toe over mezelf te vertellen. Omdat ik niet meer zo zenuwachtig was als bij mijn eerste bezoek, viel me meer op en ik merkte dat onze ontmoeting haar hevig ontroerde. Ze was zwakker dan ze me op het eerste gezicht had geleken. Hoe oud ze was wist ze niet eens bij benadering te zeggen. Said schatte haar midden in de zeventig. Voor die leeftijd kwam ze naar Afrikaanse maatstaven nog heel kras over. Maar weinig vrouwen worden hier zo oud.

Mijn oma wist zelf niet precies wat ze aan haar ogen had. Said zei dat ze ooit bij een vrouwelijke arts was geweest, die haar een bril had aangeraden. Maar de vijftig euro die dat kostte hadden ze simpelweg niet. Ik gaf haar meteen het geld en nog een paar bankbiljetten extra. Want misschien kon mijn oma me dan zien als ik haar de volgende keer zou bezoeken. Ik had me toen al vast voorgenomen zo snel mogelijk terug te keren naar Ādī K'eyih.

Mijn oma was erg aangedaan toen ik dat tegen haar zei. 'Je ouders hebben je niet goed behandeld,' zei ze, 'en toch ben je een goed meisje geworden.'

Iemand anders mocht zulke dingen niet tegen me zeggen, maar het deed me goed het uit haar mond te horen.

'Ik wil niet kwaadspreken over je ouders,' zei ze en ze dacht vast aan mijn opwinding van gisteren, 'het komt gewoon zo in me op. Maar het zijn toch je ouders, zonder hen zou je er niet zijn.' Beter had ik het zelf niet onder woorden kunnen brengen.

Natuurlijk verlangde ik er nog steeds naar om meer over mijn moeder te horen, maar Sifan was heel terughoudend met details, misschien had ze het meeste ook al verteld.

'Het was een levenslustige, vrolijke vrouw,' zei ze alleen. 'Ik weet nog hoe blij ze was toen ze de laatste keer afscheid nam, hoewel ze zich nog maar een paar uur daarvoor misselijk had gevoeld. Daarom nam ze ook een bus later dan ze eerst van plan was. Als ze dat niet had gedaan, was ze nu nog in leven en zou ze hier ook zitten.'

Mijn moeder had haar misselijkheid met de dood bekocht. Ze was ongesteld geweest – het woord waarmee Afrikaanse vrouwen hun menstruatie omschrijven omdat vrouwen dat onderwerp niet graag aanroeren. Misselijk, en in een bus gestapt die op de rit van hier naar Asmara de helling afgestort was. Ik beschreef oma Sifan het wrak dat Dawit en ik op de rit hierheen hadden gezien – het was exact de bus waarin mijn moeder was omgekomen.

'Ik hoop dat ze bij God is,' zei mijn oma, ze sloeg een kruis en ik kon niet anders dan haar nadoen. Misschien is dat wel een verstandige manier om een tragisch onderwerp af te sluiten en voor altijd afscheid van iemand te nemen.

Al na een paar uur samen met mijn oma in haar huis te hebben doorgebracht, raakte ik in afscheidsstemming. Dat kwam niet doordat ik maar een paar dagen in Ādī K'eyih had gepland, maar vooral door het gevoel dat mijn oma al op het punt stond afscheid van haar leven te nemen. Af en toe, als ze zo in het achterste deel van haar huis zat en schijnbaar nadenkend in de richting van het licht keek dat door de altijd halfgeopende deur naar binnen scheen, leek het alsof ze niet meer van deze wereld was. Alsof ze in dat lichtschijnsel al een andere levensperiode zag stralen die niet meer lang op zich liet wachten.

Toen ik haar er behoedzaam naar vroeg, wilde ze zich er niet over uitlaten. 'Mijn tijd is om,' zei ze, 'maar God neemt de beslissing.'

Sifan voldeed niet aan het beeld van een krasse vrouw op leeftijd, zoals het Europese ideaal van het ouder worden, maar volkomen aan het Afrikaanse beeld van een oud iemand, die zijn leven in Gods handen heeft gelegd en daarvoor wordt beloond met wijsheid.

Het afscheid van Abrehet, die ik tijdens mijn verblijf in Ādī K'eyih nog een paar keer bezocht, vond ik gemakkelijker. Ik merkte steeds meer dat er weinig was dat me aan haar bond en zij voelde waarschijnlijk hetzelfde. Het was niet eenvoudig voor me om dat te accepteren. Ik had mijn familie zo lang gemist, dat ik me nu gedwongen voelde gretig elk takje te grijpen dat mijn familie naar me uitstak. Strikt genomen behoorde Abrehet weliswaar niet tot mijn familie, maar dat onderscheid wilde ik niet maken. Ik besloot me niet meer verplicht te voelen met Abrehet om te gaan, maar toch het positieve in haar te zien en ook te waarderen. Wat me niet beviel was dat Abrehet een wig tussen mij en mijn oma wilde drijven.

'Geloof niet alles wat Sifan je vertelt,' waarschuwde ze me samenzweerderig. Het was me duidelijk dat dat de gebruikelijke manier was waarop de ene Afrikaanse de kletsverhalen van de andere wilde pareren om haar eigen verhalen beter te kunnen slijten, maar toch hield ik er niet van.

Positief aan Abrehet vond ik dat ze ondanks alles wat er gebeurd was, nog steeds de goede kanten van mijn vader kon zien. Al met al konden maar weinig mensen dat. 'Zijn mooiste kant was het zingen,' zei Abrehet, 'dat kwam van binnenuit, heel diep van binnenuit. Veel mensen moesten huilen als hij zong, ik ook. Met zijn gezang veroverde hij mijn hart, niet met zijn opschepperige praatjes. Daar hield ik meteen al niet van.'

Daarmee appelleerde Abrehet aan datgene wat me aan mijn vader het meest fascineerde: de muziek. Ik herinnerde me dat hij soms zo ontroerd was door zijn eigen zingen dat hij begon te huilen, terwijl hij dat helemaal niet wilde. Als hij huilde, huilde ik altijd mee. Niet omdat dat zo hoorde, maar omdat ik werd overmand door emotie.

Mijn vader huilde bovendien niet uit zwakte, maar uit kracht, want een Afrikaanse man hoort niet te huilen, tranen zijn voor vrouwen. Hij had echter de kracht om het toch te doen, zelfs als er andere mensen bij waren. Ook de kracht en het doorzettingsvermogen om mijn eigen plannen te realiseren heb ik van hem geërfd. Ik heb heel wat zwakke punten, maar mijn doorzettingsvermogen heb ik van hem. Het verschil tussen ons tweeën is waarschijnlijk dat hij zijn kracht jammer genoeg voor zoveel slechte dingen heeft gebruikt, terwijl ik probeer, voor zover het in mijn vermogen ligt, die kracht voor iets goeds te gebruiken.

Ik nam niet alleen afscheid van Abrehet en Fiori, maar ook van de pope Afewerki en zijn vrouw Semira, die Dawit en mij hadden uitgenodigd om te komen eten. Ik had me verbaasd over de soberheid van hun huis, dat er niet groter of beter uitzag dan Abrehets onderkomen, hoewel de priester drie kinderen en zelfs al bijna volwassen kleinkinderen in het buitenland had en daar dus vast geld vandaan kreeg. Nadat ik een paar uur bij Afewerki en Semira had doorgebracht was me echter duidelijk waarom het er hier niet deftiger uitzag; het lag aan het speciale levensrecept van de pope.

'Als je 's ochtends opstaat,' zei hij tegen Dawit, 'moet je eerst een *araki* drinken, daar wordt je geest helder van.' Mij durfde hij gelukkig die therapie met de vreselijke anijsbrandewijn niet voor te stellen. Naar zijn mening was het iets voor mannen.

De kuur bestond echter uit meer dan een borrel 's ochtends. ''s Middags eet je wat,' adviseerde Afewerki verder, 'en daar drink je een glas bier en een *araki* bij voor de spijsvertering. 's Avonds doe je hetzelfde. Alleen moet je 's avonds na het echte eten twee of drie *araki* drinken om alles te verteren. Later neem je er nog één om lekker op te slapen, zo blijf je gezond.'

Kennelijk meende de pope zijn adviezen serieus en volgde hij ze consciëntieus op. Zijn vrouw Semira glimlachte alleen een beetje toen hij over zijn kuur vertelde en deed alsof ze haar man niet serieus nam, maar ik merkte al snel dat ook zij niet vies was van *araki*. Dat zou een plausibele verklaring voor hun armzalige onderkomen zijn, want *araki* is het duurste levensmiddel dat je in Eritrea kunt kopen – als je een fles drank tenminste een levensmiddel kunt noemen.

Zo gingen er een paar dagen voorbij met zitten, praten, *enjera* eten, koffiedrinken en weer zitten en praten tot ik afscheid had genomen van al mijn tantes, stieftantes, nichten, neven en natuurlijk van mijn oma. Een kleine mensenkluwen hing om de gele Kia heen toen Dawit en ik definitief wegreden, nadat we ons vertrek al een paar keer hadden aangekondigd en vervolgens toch niet waren vertrokken. Toen we dan toch de kant van Asmara op reden, werd mijn zwaaiende familie al snel opgeslokt door alle voetgangers en mensen die gewoon op straat stonden te wachten tot er iets gebeurde – bijvoorbeeld dat een gele taxi met een eigenaardige, huilende vrouw langsreed.

Zwijgend reden we Ādī K'eyih uit, de bergen in. Het schemerde al – niet bepaald de optimale omstandigheid voor een lange rit, want de straten worden in het donker over het algemeen als onveilig beschouwd, maar mijn familie had me niet eerder laten gaan. Dawit leek zich er niets van aan te trekken, hij was blij dat hij eindelijk terug kon naar Asmara. Bovendien hoefden we op deze route tenminste niet bang te zijn voor controles, wegversperringen of boeven, omdat we ons in het min of meer vreedzame midden van Eritrea bevonden. In het westen van het land of in de Danakil-regio aan de Rode Zee, waar islamitische rebellen huishielden, zouden we het daarentegen terecht nooit hebben aangedurfd om in de avondschemering te vertrekken. Daar zou ik zelfs overdag en met z'n tweeën mijn bedenkingen hebben gehad bij een dergelijke reis.

Hoe hoger we de bergen in gingen, hoe meer we te maken kregen met een andere tegenstander die ons dwarszat: mist. Ik vond het heel merkwaardig om midden in dit kurkdroge, volledig verdorde landschap kilometers door de mist te rijden; die was dichter dan ik ooit op waterkoude novemberavonden in Hamburg of Berlijn had gezien. Je kon nog net de motorkap van de auto onderscheiden en het voorste deel ervan begon al te vervagen. Voor de auto kon je nog een klein stukje weg waarnemen, hoogstens twee of drie meter, dan ging alles over in vlokkig wit – of in donkergrijs, als de afgrond dichterbij kwam dan die twee of drie meter.

Ik zat stokstijf naar buiten te staren. Af en toe draaide ik het raampje naar beneden om mijn hoofd naar buiten te steken in de hoop zo meer te zien, maar dat bleek niet het geval. We zaten in de dichtste mist die je je kunt voorstellen en er bleef niets anders over dan stapvoets rijden. En dat vond ik al zo bliksemsnel dat ik telkens weer verkrampte en begon te schreeuwen als er ineens iets onverwachts als een rotsblok of een afgrond in het schijnsel van onze koplampen opdook en Dawit snel het stuur moest omgooien om geen ongeluk te krijgen. Hij reageerde veel te abrupt en veel te laat, vond ik, maar hij was heel rustig. Ik dacht er de hele tijd alleen maar aan dat dit het stuk was waar haar bus in het ravijn was gestort.

Er waren uren voorbijgegaan, onderbroken voor diverse rook-pauzes, toen de mist ineens begon op te trekken. Daarachter zagen wij echter niet, zoals verwacht, volslagen duisternis, maar lichtjes, huizen, mensen en straten – we reden Asmara binnen.

Geen wonder dat men ons in Ādī K'eyih een veel langere rit terug had voorspeld dan heen. En toch had niemand van mijn familie ons voor de mist gewaarschuwd, maar Dawit zei dat het in de bergen vaak mistte als koude en warme luchtmassa's elkaar ont-moeten. Misschien waren zij ervan uitgegaan dat wij dat sowieso wel wisten, want voor hen was mist iets vanzelfsprekends. Dit was Afrika en hier werden afstanden niet in kilometers, maar in uren gemeten. Niemand had een idee hoe ver het ergens naartoe was, zelfs al had hij die route al honderd keer afgelegd, maar iedereen wist hoe lang de rit kon duren: twee uur als het zicht goed en de weg droog was; zes uur als er dikke mist hing. Of twee dagen als tij-dens de regentijd slijk- en gruislawines, aardverschuivingen en waterstromen elke weg in de bergen in een modderige en hobbelige glijbaan veranderden.

GROTE STAD

Toen we eindelijk voor het Ambassador stopten, voelde ik me geradbraakt. Door mijn angst en mijn zenuwen had ik me meer ingespannen dan Dawit, die zo fris was als een hoentje. Ook had-den de laatste paar honderd meter over de grote boulevard van de stad een overweldigende indruk op me gemaakt – al die mensen, die lichtjes, die huizen! Toen ik hier uit Berlijn was aangekomen had ik nog het gevoel gehad dat ik in een vredig klein stadje terecht was gekomen, maar nu zag ik een bruisende grote stad voor me, zo groot was het contrast tussen Asmara en de geïsoleerde wereld in de bergen waar we net vandaan kwamen.

In het hotel werd ik door het personeel aan de receptie, in het restaurant en in de bar begroet alsof ik al honderd jaar een trouwe gast was, die zich tien jaar niet had laten zien. We omhelsden elkaar, zoenden elkaar en drukten elkaar aan het hart als broers en zussen die elkaar lang hadden moeten missen en ik genoot van de warmte en emotionaliteit van de mensen, die veel opener en toegankelijker overkwamen dan de bewoners van het schrale bergland.

De volgende dagen, de laatste van mijn verblijf in Eritrea, vlogen voorbij. Overdag bezocht ik Dagniou en haar familie in Maitemenai, 's avonds ging ik naar de bar in de Sunshine-club en ontmoette Tesfay met zijn muzikantenvrienden. Elke keer ging ik het podium op om een paar songs te zingen en het leek wel of de bar avond aan avond voller werd. De eigenaar van de club wilde me zelfs voor langere tijd engageren en bood me een vorstelijk honorarium van omgerekend tien euro per avond aan. Ik wees het van de hand – moest ik hem vertellen dat ik daarvoor in een Berlijns restaurant niet eens een maaltijd kon kopen? Ook voor de avonden waarop ik optrad wilde ik geen geld, want wat moesten de andere musici wel denken, die nog niet de helft verdienden van wat hij mij wilde geven? In plaats daarvan vroeg ik de eigenaar hen op die avonden meer te geven, wat na enig morren ook gebeurde, en zo had iedereen er baat bij.

Ook het Comboni-klooster bezocht ik nog een keer, om zuster Haregu te ontmoeten. Ze was blij me weer te zien, maar had niets nieuws kunnen ontdekken, er waren te veel documenten uit mijn tijd in het weeshuis verloren gegaan tijdens de bewogen geschiedenis van het klooster. Toch bedankte ik haar uitbundig en zij zegende me. Ik wens echt geen enkel kind toe dat het zonder ouders moet opgroeien, maar als het niet anders kan, dan is het bij vrouwen als zuster Haregu nog het best af.

De bedelende kinderen voor het hotel hadden vol verlangen op me staan wachten. Ze maakten zich al zorgen dat ik voor altijd was vertrokken, want dat had de portier verteld om ze kwijt te raken. Ik vergaf hem zijn leugen – waarschijnlijk hadden de gewiekste bengels, die ik in mijn hart had gesloten, hem op zijn zenuwen gewerkt.

De bruiloft van Flora's zus, waarvoor ze mij had uitgenodigd, was een bruisend feest, dat 's ochtends vroeg begon met een huwelijksplechtigheid in de kerk. 's Middags werd er een feest gegeven in de kelder van het Sunshine-hotel, die speciaal voor dat soort gelegenheden met de geweldigste geluidsinstallatie van Eritrea was uitgerust. Toen de traditionele Tigrinja-band zijn abrupte, stampende ritmes op het publiek losliet, voelde ik de bassen tegen mijn buik hameren en toen ze begonnen de hele batterij reusachtige, met dierenvellen bespannen blikken trommels te bewerken, drukten de geluidsgolven niet alleen tegen mijn borstkas, ook mijn oren begonnen te suizen, het hamerde tegen mijn slapen en klopte tegen mijn schedel – of lag dat aan de lauwe *sua*, het van gegiste *enjera* gemaakte bier?

De *sua* had echter ook een goede uitwerking. In de loop van de tijd veranderde de door lawaai veroorzaakte pijn in beweging en warmte. Die warmte steeg uit je maag naar je hoofd, de beweging zakte daarentegen van je heupen naar beneden naar je voeten en veranderde de hele zaal in een heksenketel waarin de mensen elkaar bij de schouders pakten en in lange, cirkelvormige kettingen dansten. Alleen het bruidspaar moest de hele tijd als een koningspaar roerloos op twee naast elkaar staande troonzetels blijven zitten. Toen ik niet meer kon en badend in het zweet, volkomen stukgedanst en zo ontspannen als ik lang niet was geweest, met tuitende oren en een duf hoofd naar huis waggelde, zaten ze er nog steeds, alsof ze er hun hele huwelijk zouden blijven zitten.

Ik zag echter ook minder fraaie taferelen in mijn nieuwe favoriete grote stad: mannen die op de Liberty Avenue halsoverkop wegrenden, sommige nog halve kinderen. Ze vluchtten voor ronselaars van het Eritrese leger om niet gedwongen gerekruteerd te worden. Eritrea had nog steeds een grenzeloze honger naar soldaten, die de grenzen moesten bewaken en het land tegen de zogenaamd absoluut vijandig gezinde buurlanden moesten verdedigen. De ronselaars gingen niet bepaald zachtzinnig te werk, ze pakten wie ze konden krijgen. Bidden en smeken, schreeuwen en protesteren hielp niet. Als ze je te pakken kregen, smeten ze je hardhandig in een bestelwagen zonder ramen en ging de reis naar de dichtstbijzijnde kazerne.

In de enige boekhandel van de stad – vermoedelijk de enige echte boekhandel van het land – wilde ik meer over de politieke en sociale situatie van Eritrea te weten komen, maar ze hadden simpelweg niets over dat onderwerp. Afgezien van een paar wonderlijke boeken over de bevrijding van Eritrea, landkaarten en een reisgids die zich uitputte in loftuitingen, lagen er alleen flutromans en kinderboeken uitgestald. Dat kun je niet alleen de regering of de culturele instanties verwijten, dat is geen wonder in een land waar slechts een paar duizend mensen zich überhaupt een boek kunnen permitteren. Als er maar één alternatief is: lichamelijk of geestelijk verhongeren, dan zou ik eerlijk gezegd ook de voorkeur geven aan geestelijk verhongeren.

SHOWTIME

De paar dagen in Asmara waren voldoende geweest om een grote en hechte vriendenkring op te bouwen, iets wat me in een Duitse stad pas in een paar maanden zou zijn gelukt. Oorspronkelijk was ik niet eens van plan geweest om zo'n gezellig leven te leiden. Je bent bij je familie en verder slenter je wat door de stad – zo en niet anders had ik me de dagen in Asmara voorgesteld.

Maar ik had buiten de Eritreeërs gerekend, die zich op iedereen stortten die uit het buitenland naar hen toe kwam, omdat ze zo graag meer van de 'buitenwereld' wilden horen, waar ze zich grotendeels van afgesloten voelden.

We ontmoetten elkaar dagelijks, vroeg in de avond na zonsondergang, in de lounge van het Ambassador – zonder dat we het hadden afgesproken, zonder te telefoneren. Er was toen nog geen mobiel telefoonnet in Eritrea en maar heel weinig mensen hadden telefoon. In de bar zaten we gezellig met elkaar grapjes te maken en te kletsen tot het tijd was om naar een concert, een disco of een club te gaan waar goede muziek te horen was; meestal werd het de bar van het Sunshine-hotel. Vaak deden we alles achter elkaar. In bijna alle disco's en clubs van de stad werd dagelijks livemuziek gemaakt en later in de nacht diepten de dj's hun schatten op, voor het grootste deel Eritrese en Ethiopische muziek. Tussendoor lieten ze alles horen wat ze aan internationale hits bij zich hadden, meestal dancefloor- of hiphopnummers van een paar jaar oud.

Op een van mijn laatste dagen in Asmara leerde ik Russom kennen. Russom was een heel slimme Eritreeër, die met handel, goede contacten en een grote mond aan een geldig paspoort, een donker pak, een oude, groene Mercedes en een paar gouden ringen was gekomen. Ik denk dat hij ook mij graag bij zijn verzameling had gevoegd, maar dat stuitte op mijn vastberaden verzet. Ik heb iets tegen types die zo overtuigd zijn van zichzelf dat ze nauwelijks merken hoe het met de mensen om hen heen gaat.

Afgezien daarvan vond ik Russom geweldig onderhoudend, een handige ritselaar en iemand die goed grappen kon vertellen. Eritreeërs houden van grappen en de beste grappen maken ze over zichzelf. Een grap die ik heb onthouden omdat hij zo raak was, ging zo: de presidenten van de wereld zijn overleden en komen allemaal in de hel. Als ze in de vlammen branden, vragen ze de duivel of ze bij wijze van uitzondering naar huis mogen bellen. 'Goed,' zegt de duivel, 'maar jullie moeten er wel voor betalen.' Eerst belt Bush zijn gezin in Washington op en praat een hele tijd met zijn vrouw en kinderen. 'Dat is tweehonderd dollar,' zegt de duivel. Dan mag Chirac naar Parijs bellen. Die is nog veel babbelzieker dan Bush en zijn gesprek duurt twee keer zo lang. 'Voor jou is het driehonderd euro,' zegt de duivel ditmaal. Zo gaat dat om de beurt, tot Isaias Afewerki mag, de president van Eritrea. Hij praat uren, omdat hij van alle presidenten de grootste mond heeft. Als hij klaar is, deelt de duivel hem zijn tarief mee: 'Vijf nafka,' iets meer dan twintig cent. De andere presidenten protesteren luidkeels: 'Hoe kan het dat hij zo weinig hoeft te betalen en wij zoveel? Hij heeft immers het langst gepraat?' 'Tja,' antwoordt de duivel, 'maar dat was lokaal tarief.'

Toen Russom vroeg of ik niet in een grote club een groot concert wilde geven, ging ik akkoord, zonder er echt over na te denken. Mijn terugvlucht zou over drie dagen zijn, en die tijd wilde ik zo vrolijk en intensief mogelijk doorbrengen, zonder me het hoofd te breken over de muziekmanagersambities van een oppervlakkige kennis.

Ik was dan ook des te verraster toen ik de volgende ochtend het hotel uit kwam om zoals altijd in een Italiaansachtige bar een paar gebouwen verderop mijn ochtendkopje *latte macchiato* te drinken. Al na een paar passen over de boulevard zag ik mijn foto in een etalage. Het duurde even voor de boodschap tot me doordrong: hé, dat was ikzelf! Abrupt bleef ik staan, schudde mijn hoofd en keek om. Wat was dat? Een foto van mij, midden in Asmara? Zag ik spoken?

Ik liep een paar passen terug om me ervan te overtuigen dat ik me had vergist, maar dat bleek niet het geval. Het was niet bij één foto gebleven, op de winkelruit van een winkel hingen zelfs drie foto's van mij, naast elkaar gekopieerd op een aanplakbiljet dat een concert aankondigde waar ik zou zingen. Mijn poster werd omringd door de wonderlijkste voorwerpen en spullen: een verpakte Italiaanse cake, een oude perforator, een paar biscuitjes en een muizenval. Op de ruit schitterde een gouden, op het glas gespoten zon met zwarte silhouetten van soldaten die verwees naar de tiende verjaardag van de bevrijding, de militaire overwinning van de rebellen op Mengistu, die in 2001 was gevierd. Ernaast hing een poster met een blauwe kwal, met daaroverheen een wijnglas getekend, met het opschrift 'God zegene de mens die de wijn uitvond en God vergeve de mens die het glas zo klein gemaakt heeft.' Daarna viel mijn blik nog een keer op de aankondiging voor het concert. De laatste regel gaf aan dat de show vanavond om elf uur zou plaatsvinden.

Nu moest ik eerst koffiedrinken en een sigaret roken. Op de volgende tweehonderd meter naar de bar zag ik nog drie of vier posters van mezelf. Waarschijnlijk had Russom ze op alle etalages van de hoofdstraat laten plakken.

Ik keek de kringeltjes rook na en luisterde nauwelijks toen de serveersters me vrolijk giechelend complimenten maakten. Ze hadden de posters allemaal gezien en al vol verlangen op me gewacht. Maar ik vroeg me ongerust af wat ik vanavond moest zingen, wat ik op de bühne aan zou trekken, wat ik de mensen zou vertellen. Kon ik niet beter snel de benen nemen?

Ik had er nog niet lang over nagedacht toen Russom opeens breed grijnzend voor me stond. Hij had simpelweg in het hotel naar me geïnformeerd en het personeel daar wist natuurlijk exact in welke bar ik gewoonlijk ontbeet. Niet dat ik het hun had verteld, dat was niet eens nodig, dat wisten ze toch wel. In Afrika heb je niet veel telefoons, maar veel snellere wegen om informatie door te geven. Misschien had de serveerster een neef die in het Ambassador werkte. Wie weet hadden de straatkinderen het verteld. Of was de vriendin van de receptioniste met de vriend van de caissière uit de bar wezen stappen. Hoe het ook zij: Russom had er lucht van gekregen en nu was hij hier. Ik zat in de val en kon niet meer terug.

'We verheugen ons allemaal op vanavond,' zei hij. 'Weet je al wat je gaat zingen? Wanneer ga je met de band oefenen?'

Het behoeft geen betoog dat het een drukke dag werd. Vroeg in de middag leerde ik de band kennen, we oefenden een paar songs – Eritrese liederen, maar ook gouwe ouwe Amerikaanse soul – en vervolgens gingen we verder met de soundcheck. Mocambo, waar het concert zou plaatsvinden, was een enorme club, die van een Engelse was. Ze beschikten dus over een professionele geluidsinstallatie en ik zou voor een internationaal publiek optreden – zo internationaal als in Asmara mogelijk was, want afgezien van ambassadepersoneel, vn-soldaten, ontwikkelingswerkers, avonturiers en een paar Arabische, Soedanese en Chinese handelaars woonden er geen buitenlanders in de stad. De zeven toeristen die er in Eritrea waren, was ik allemaal al een paar keer tegengekomen: drie Amerikaanse lifters, twee archeologiestudenten uit Tübingen en twee voormalige communisten uit Wenen.

's Avonds zag ik ze allemaal weer in Mocambo, samen met de groepen uit de lounge van het Ambassador en de Sunshine-club en een heleboel onbekende gezichten. De zaal was afgeladen vol en de stemming zat er zelfs voor het concert begonnen was al helemaal in.

Toen ik optrad was het muisstil. De meeste mensen zag me als een buitenlandse zangeres en waren benieuwd wat ik hen te bieden zou hebben. Ze waren dan ook verrast toen ik ze in het Tigrinja toesprak. Telkens weer moest ik vaststellen dat mijn westerse uiterlijk zwaarder woog dan mijn donkere huidskleur. Het verbaasde niemand dat ik in Berlijn woonde, maar ze stonden allemaal perplex als ze me in hun moedertaal hoorden spreken.

Al na het eerste lied was het ijs gebroken. De mensen legden alles in hun applaus, net als ik alles in mijn stem legde. Na het afgesproken uur moest ik nog een paar toegiften zingen, voor ze me van het podium lieten gaan.

Het feest na het optreden was één groot familiefeest en ik werd belegerd door mensen die meer over me wilden weten. Ik leerde veel Eritreeërs kennen die in het buitenland woonden en met kerst op bezoek waren in hun vaderland en ik maakte kennis met een heel nieuw netwerk: dat van de over de hele wereld verstrooide Eritrese gemeenschappen. Bij mij aan tafel zaten landgenoten uit Sydney, Kopenhagen, Frankfurt, Londen, New York en Milaan. Wat hen verenigde was hun trots op hun vaderland en het bewustzijn dat ze hier geen bestaan konden opbouwen, noch in materieel opzicht noch qua bewegingsvrijheid.

WET VAN DE WOESTIJN

Toen we in een grote groep Mocambo verlieten, in opperbeste stemming en op weg naar een andere discotheek om daar op Eritrese ritmes te dansen, barstte de zeepbel abrupt uiteen. Voor het café was geschreeuw te horen, een aantal mannen riepen naar elkaar. Er hing geweld in de lucht en de angst hield me meteen in een klemmende greep.

'Ik heb voor het land gevochten en ik was er bijna geweest!' schreeuwde de een.

'Je bent een leugenaar! Een luilak, tuig! Wegwezen, anders maak ik je af!' brulde een ander in uniform. Hij droeg een wapen dat hij nu omhoogstak. Twee andere gewapende mannen snelden hem te hulp.

Voor ik begreep wat er aan de hand was, trokken de anderen me weg. Ik stribbelde tegen omdat ik voelde dat er iets niet in de haak was. De eerste schreeuwlelijk zat in een rolstoel, zag ik nu, een gekromde gestalte, die geen onderbenen meer had.

'Jullie hebben het recht niet om me zo te behandelen!' brulde hij tegen de geüniformeerde mannen. 'Jullie weten niet wie jullie voor je hebben. Ik heb voor jullie vrijheid gevochten!'

De geüniformeerde mannen maakten aanstalten hem weg te duwen, maar de man in de rolstoel verzette zich. 'Ik heb net als iedereen het recht om naar binnen te gaan,' riep hij en wees naar de ingang van de club.

'Wat is er aan de hand?' riep ik, maar Russom pakte me stevig bij de hand en trok me weg. 'Laat ze,' zei hij, 'ze zijn gevaarlijk.'

Ik protesteerde en mepte om me heen, maar hij liet me niet los. Ik kon nog net zien hoe een van de geüniformeerde mannen zijn wapen afdeed en de kolf op de invalide liet neerkomen, toen Russom me al zijn Mercedes inloodste.

Daarna propten zich nog een paar mensen in de auto, tot het zo krap was dat ik me nauwelijks meer kon bewegen. Russom gaf gas en we verlieten het slagveld. De anderen ontspanden zich, maar ik stak mijn irritatie niet onder stoelen of banken.

'Wat heeft dat te betekenen?' snauwde ik tegen Russom. 'We hadden die man moeten helpen. Hij deed immers geen vlieg kwaad!' Op dat soort momenten kwam ik in een reflex op voor de zwakkere. 'Wat was er eigenlijk aan de hand?' wilde ik weten.

Russom legde het uit. De man zonder onderbenen, kennelijk een oorlogsveteraan, wilde de disco binnengelaten worden, maar een van de soldaten die de club bewaakten, had hem teruggestuurd omdat gehandicapten er – net als in alle andere clubs van de stad – niet welkom waren. Men beweerde dat ze er niet thuishoorden, de weg versperden en anderen beletten zich zorgeloos te amuseren.

Ik was woest. 'Is er dan geen wet die zoiets verbiedt?'

'Natuurlijk wel,' zei Russom, 'maar net als bij veel andere wetten houdt niemand zich eraan. Het heeft geen zin om met zulke lui te discussiëren. Ze zijn dronken, hebben het gevoel dat ze in hun recht staan en zijn niet bepaald zachtzinnig. Als iemand ze in de weg zit, schieten ze en geen mens die voor jouw rechten opkomt of je verdedigt als je midden op straat met een kogel in je buik doodbloedt. We zijn hier niet in Berlijn!' voegde hij er sussend aan toe alsof dat er wat toe deed. 'We zijn in de derde wereld.'

Mijn god, waar was ik terechtgekomen?

Ik was nog behoorlijk onder de indruk toen we voor een andere club stopten. Had ik echt niets moeten doen om die knokpartij te verhinderen? Stond ik werkelijk machteloos? Was het te rechtvaardigen dat we er zo snel vandoor waren gegaan?

Geen van de andere Eritreeërs met wie ik op stap was – de meeste waren musici – leek zich ook maar in de verste verte op te winden over wat er was gebeurd. Ik vroeg Tesfay, de zanger, wat hij ervan vond, maar hij haalde slechts zijn schouders op.

'Ik vind het zielig,' zei hij, 'maar die jongens met hun geweren zijn stoned en het is me te gevaarlijk mijn leven voor anderen in de waagschaal te stellen. Iedereen moet zichzelf maar zien te redden.'

Hier gold, en dat had ik allang moeten begrijpen, de wet van de woestijn, ook al waren de hoofdstraten hier geasfalteerd en omzoomd door Italiaans aandoende koloniale gebouwen.

Die wet van de woestijn zou ik die nacht nog een paar keer aan den lijve ondervinden: in de club waar we naartoe gereden waren stond de muziek zo hard dat de mensen bijna tegen de muren werden gedrukt en het was er zo heet als in een sauna. Toch lukte het de bezoekers uitgelaten te dansen en liters bier naar binnen te werken. Al snel ontstonden de eerste ruzies – eerst bekvechten, vervolgens geduw en getrek, ontaardend in een kleine vechtpartij en allemaal om futiliteiten. Iemand dacht dat hij scheef werd aangekeken, iemand anders dacht dat zijn vrouw het slachtoffer was van opdringerig gedrag, een derde voelde zich op z'n teentjes getrapt.

Het waren altijd de mannen die ruzie maakten, de vrouwen bleven rustig op de achtergrond. Ik voelde niet meer de geringste behoefte om in te grijpen, ik wilde alleen nog maar weg.

In de volgende club, iets buiten de stad, leek het aanvankelijk beter. Daar zong de beroemdste Eritrese zangeres Helen Meles. Zij is een voormalig soldate, die zich al op haar dertiende bij het EPLF, het zegevierende Eritrese rebellenleger, aansloot. Haar liederen zijn sterke, patriottische liederen, die blijk geven van haar liefde voor haar land en haar landgenoten, evenals van haar trots op de onafhankelijkheid van Eritrea. Helen zingt echter geen onnozele strijdliederen, haar songs vibreren van kracht, zijn in muzikaal opzicht origineel en geven uiting aan een diepe betrokkenheid bij haar landgenoten. Ik mag haar ontzettend graag.

Helen had naar haar concert een paar vriendinnen meegenomen die zichzelf als haar beschermsters zagen, het waren uitsluitend oud-soldates. Het is de meeste vrouwen meteen aan te zien dat ze aan het front zijn geweest. Hun gelaatstrekken zijn hard, hun bovenarmen goed getraind; velen van hen hebben littekens in hun gezicht of op andere zichtbare plekken op hun lichaam en ze bewegen zich als mannen. Voormalige soldates herken je doordat het hun ontbreekt aan de terughoudende, verlegen, zich voortdurend aan de man onderwerpende lichaamstaal, ze kijken in hachelijke situaties niet meteen naar de grond, gedrag dat een beetje te typerend is voor de meeste Afrikaanse vrouwen. Soldates kunnen nooit vergeten dat ze vroeger schouder aan schouder met de mannen in de loopgraven stonden en moesten toezien hoe hun vrouwelijke en mannelijke kameraden door granaten werden stukgereten en stierven. Ze kunnen niet vergeten dat ze in de oorlog hetzelfde hebben gepresteerd, hebben geleden en ook hebben gevochten als hun mannelijke kameraden. Waarom zouden ze dan na de oorlog ineens een toontje lager zingen – helemaal gezien het feit dat er in Eritrea elk moment weer een oorlog kan uitbreken?!

Een van Helens beschermsters kreeg ruzie met een meisje dat uit New York naar Asmara was gekomen om kerst te vieren. Ze woonde in de Verenigde Staten, maar haar familie kwam uit Eritrea – ze was net zo Eritrees als wij allemaal. Maar dat meisje voelde zich beter, ze maakte steeds weer negatieve opmerkingen over haar vaderland, domme opmerkingen over de mensen om haar heen: omdat ze niet zo duur gekleed gingen als zij, omdat ze zich niet zo fraai opmaakten, omdat ze hun haar anders droegen, omdat ze zich praktisch geen drankjes konden veroorloven. Het waren de simpele steken onder water van een meisje dat niets over haar land wist, dat geen idee had wat gebrek en armoede inhielden en dat haar heil zocht in consumptie, in uiterlijkheden die wel leuk en aardig zijn, maar die nooit iemands wezen vormen.

Helens vriendin en beschermster voelde zich door die opmerkingen persoonlijk aangevallen en wilde het per se niet op zich laten zitten. De soldates hadden in de bevrijdingsoorlog niet alleen geleerd onverbiddelijk tegen hun vijanden te zijn, ze moesten zich ook tegen hun mannelijke kameraden en superieuren verdedigen. Ze moesten simpelweg voor alles en iedereen op hun hoede zijn – een houding die na dertig jaar bevrijdingsoorlog en jaren van oorlog tegen Ethiopië de psyche van een heel volk had gevormd.

Dus sprong de soldate op en riep de Amerikaanse Eritrese ter verantwoording. 'Of je neemt terug wat je zonet over mijn mensen zei, of het zal je slecht vergaan, rat! Je beledigt mijn volk!'

Het meisje wilde echter niet zwichten. 'We zijn niet meer in oorlog,' schreeuwde ze, 'en ik laat me door jullie stinkende sloeries sowieso niet de les lezen! Ik ben nota bene Amerikaans staatsburger!'

Dat had ze nu niet moeten zeggen. De soldate was in één sprong bij de volgende tafel, greep een halfleeg bierflesje en sloeg het op de rand van de tafel in tweeën. Vervolgens stortte ze zich op de Amerikaanse, die er met ontstelde kreten vandoor stormde, met de soldate op haar hielen.

Gelukkig merkten de mensen van de beveiliging, die zoals in de meeste Eritrese clubs op verschillende plekken in de ruimte waren opgesteld, wat er aan de hand was. Twee van hen kwamen aangesprongen om de oud-soldate te overmeesteren. Dat was niet eenvoudig omdat ze zich luid schreeuwend verzette en fel rondzwaaide met het kapotgeslagen flesje.

Pas toen nog twee veiligheidsbeambten zich ermee bemoeiden, lukte het hen om de vrouw met zijn vieren te vast te pakken en haar de fles afhandig te maken. Het baarde veel opzien toen ze de woest scheldende en uit alle macht trappelende soldate naar buiten droegen. De reacties van de mensen in de zaal waren verschillend, sommige waren voor de soldate, andere voor de Amerikaanse. Een aantal veiligheidsbeambten kwam naar binnen en stelde zich zodanig op dat het een eventueel uitbrekende vechtpartij tussen de twee partijen in de kiem kon smoren.

Na dat voorval had ik er genoeg van. Ik had genoeg van de agressie en het geweld die hier overal en op elk moment aan de oppervlakte konden komen, sneller, directer en feller dan in Duitsland. Ik had een leuke avond willen hebben. Ik wilde gewoon wat kletsen met een paar aardige mensen, naar goede muziek luisteren, wat dansen en me vermaken. En wat was het resultaat? Twee keer was ik bijna betrokken geraakt bij vechtpartijen die meer waren dan wat gestoei tussen krachtpatsers en het uiten van beledigingen en die elk moment konden omslaan in een wreed, bloedig handgemeen.

Ik kwam pas op verhaal toen ik eindelijk weer mijn stille, donkere hotelkamer binnen kon gaan, waar het schijnsel van de lantaarns op Liberty Avenue binnenviel – en, zoals ik tot mijn schrik merkte, ook al de eerste schemering van de naderende ochtend. Ik maakte dus dat ik mijn bed in kwam en de deken over mijn hoofd trok, want als de zon eenmaal boven de horizon uit was, duurde het maar een paar minuten voor er een nieuwe, verblindend felle dag over het land heen golfde en geen mens meer in slaap kwam.

De volgende dag was mijn laatste in Asmara. Het was een dag van afscheidnemen. Van mijn familie, van zuster Haregu, die ik nog een keer in het klooster opzocht, van de straatkinderen die voor het hotel op me wachtten. 's Avonds zat ik nog een keer met mijn groep in de lounge van het Ambassador. Ook Tesfay de zanger was er, en Lula, die zo graag zangeres wilde zijn.

Tesfay vertelde over zijn familie, over zijn dochtertje van drie en over zijn dromen. Hij zou net als veel andere Eritreeërs ook graag zijn geluk in het buitenland willen beproeven, maar het ontbrak hem aan geld om paspoorten voor zichzelf, zijn vrouw en zijn kind te kopen. Hij had niet eens genoeg voor één paspoort. Hij had geen geld voor visa of voor vliegtickets. Eigenlijk was het geld van zijn optredens meestal alleen genoeg voor de huur en voor stroom en om zijn vrouw de volgende dag een bankbiljet mee te kunnen geven voor de markt zodat ze een paar handenvol *tef*-meel kon kopen om *enjera* te bakken, een paar uien, tomaten en misschien nog een cactusvrucht voor hun dochter. Als hij twee optredens op een avond had, kon ze de volgende dag ook nog een kip kopen en een fles Fanta, of ze konden samen ergens een kop koffie gaan drinken.

Het leven was geen pretje voor Tesfay, die net als zijn idool Louis Armstrong zo graag over de '*Sunny Side of the Street*' zong en ondanks alle ontberingen deed alsof hij het over zichzelf had. Over zichzelf en zijn met enorm veel Afrikaanse zon tot barstens toe gevulde hart, dat altijd leek over te stromen als Tesfay zijn mond opendeed om te zingen. Een zon wiens stralen zichtbaar werden zodra hij zijn tanden maar een klein beetje liet flikkeren en glimlachte, wat hij bijna continu deed. Ik zweer dat er tussen mij en Tesfay niets was, maar als hij niet getrouwd was geweest en geen klein kind had gehad, dan weet ik niet hoe het me was vergaan onder de voortdurend mild glimlachende zon van deze geweldige man.

Maar ik was nog meer verliefd geworden op Lula, de dappere soldate. Haar moeder had haar op haar elfde bij het EPLF aangemeld. Hoewel mijn vader mij en mijn twee zussen naar het ELF had gebracht, en we dus bij concurrerende bevrijdingsorganisaties hadden gezeten dreef dat geen wig tussen ons, het verbond ons juist.

Zowel Lula als ik voelde niet voor politieke partijen of ideeën, we koesterden achteraf voor geen van beide fracties in de bevrijdings-strijd bijzondere sympathie. We waren blij dat ons land onafhanke-lijk was en daarmee hadden voor ons alle politieke kwesties afge-daan.

Veel meer dan voor politiek interesseerden we ons voor het lot van de ander. En het lot had Lula lelijk te grazen genomen. Ze was haar vader in de oorlog kwijtgeraakt toen ze zo klein was dat ze zich hem niet kon herinneren. Ook Lula's moeder was soldate geweest. Haar ouders hadden elkaar aan het front leren kennen, het waren allebei, zoals de meeste Eritreeërs in die tijd, vurige patriotten. Zo werd hun dochter ook opgevoed: Lula groeide op in het leger-onderdeel van haar moeder. De leraren van het EPLF leerden haar lezen en schrijven, haar moeder liet haar zien hoe je een geweer uit elkaar moest halen en weer in elkaar moest zetten. Op haar elfde kreeg ze, zoals dat toen gebruikelijk was, haar militaire opleiding in een kinderkamp van het EPLF en ze zou haar moeder een paar jaar niet zien.

Lula's levensverhaal klonk zo verschrikkelijk dat ik het nauwe-lijks had geloofd als ik niet iets soortgelijks had meegemaakt. Hoe ongelooflijk het ook klinkt, Lula's jeugd is voor kinderen van mijn generatie in Eritrea niets ongewoons.

Lula deelde mijn ontzetting over haar levensverhaal niet. 'Ik was er trots op dat ik mijn land verdedigde,' zei ze zonder pathos of bit-tere ondertoon en zonder negatieve bijklank, 'en dat ben ik nog steeds. Ik heb in die jaren zoveel vrouwen zien sterven, ik zag zoveel dode kameraden, dat ik wist dat er geen weg terug was. Ik zag dat we door moesten vechten tot de overwinning, omdat onze tegen-stander geen genade kende. Daarom mochten wij zelf ook geen genade tonen.'

Ik vond Lula's ondoordachte, ongedesillusioneerde kijk op din-gen onvoorstelbaar; zo hard, zo zonder medelijden en toch zo waar als het ging om de manier waarop ze het zei. Wat ze zei beviel me niet, maar haarzelf, dat voelde ik met elke zin die ze uitsprak, mocht ik buitengewoon graag.

'Ik wilde een heldin worden,' zei ze met een allerliefste glimlach, die direct uit haar hart leek te komen, 'ik wilde vechten, net als de volwassenen, net als mijn moeder. Ik verheugde me over elke vijand die we doodschoten. Ook in de laatste oorlog, in 1998, toen de Ethiopiërs ons aanvielen, heb ik me meteen weer bij het leger gemeld, maar ze wezen me af omdat ik zwanger was. Dat vond ik jammer, ik voelde me minderwaardig. Achteraf,' voegde ze eraantoe, 'was ik echter blij dat ik niet was gerekruteerd omdat ik merkte dat het leger te zwaar was voor iemand die zwanger was. Ik kon me toen nauwelijks voorstellen dat mijn moeder haar zwangerschap bij de partizanen goed had doorstaan, toen de levensomstandigheden nog veel slechter waren dan later bij het reguliere Eritrese leger – altijd in angst voor bommen, voor de vijandige overmacht, verschanst in onderaardse stellingen, altijd met te weinig water en met veel te weinig te eten.'

Pas haar eigen kind, dat nu net naar school ging, had Lula's opvatting over de oorlog veranderd. Als moeder bekeek ze het doden van de andere kant: stel dat haar dochter iets zou overkomen? Stel dat zij er zelf op een keer niet meer voor haar was?

'Pas toen had ik genoeg van het vechten. Nu ben ik blij dat je als moeder niet meer wordt gerekruteerd. Toen ik zelf nog jong was beschouwde ik het altijd als iets geweldigs om voor mijn land te sterven. Ik was tijdens de gevechten weliswaar altijd bang, voor de dood of voor pijn, maar als ik heel erg aan de vrijheid dacht, dan ging die angst weg en kon ik weer in de aanval.'

Lula's absolute eerlijkheid fascineerde me evenzeer als haar rechtlijnige manier van denken. Niemand van de Eritreeërs die ik uit Duitsland kende en die in de oorlog hadden gevochten, had tegenover mij ooit zo open over zijn gedachten gesproken. Niemand had toegegeven dat hij bang was geweest, niemand had op die manier de verantwoording voor zijn verleden op zich genomen – zo onverbloemd positief, zonder politieke overtuiging. Gewoon zoals we het als kind allemaal te horen hadden gekregen: dat niets belangrijker was dan vrij te zijn en dat het de moeite waard was om daarvoor te sterven.

Dat was een gedachte die ik als kind al van de hand had gewezen, zonder erover na te denken, een idee dat ik altijd had gehaat – niet uit overtuiging, maar instinctief. Ik had altijd gevoeld dat de dood iets verschrikkelijks en wreeds is. En pijn doet. Dat de dood door niets te rechtvaardigen is, ook niet door vlaggen, ideeën of liederen. Dat is één ding. Het andere is dat ik in tegenstelling tot Lula maar weinig aanvoerders bij de partizanen als lichtend voorbeeld kon zien. Voor mij waren de meeste volwassenen mensen met fouten, vergissingen en slechte eigenschappen, net als andere mensen. Ik kon in de verste verte niets of niemand vinden waarvoor het de moeite waard was om te sterven. Of kwam het alleen doordat ik te laf was om bereidwillig voor het vaderland te sterven? Wat moest het woord 'vaderland' ook betekenen voor iemand als ik, die eerder bang voor haar vader was dan dat ze van hem hield? Wier vader haar op haar zesde naar een rebellenorganisatie had gestuurd om een land te verdedigen dat in die tijd nog niet eens bestond?

Lula glimlachte alleen als ik haar over dat soort gedachten vertelde. Zo zag zij het niet.

'Mijn moeder werd gedreven door een sterke vrijheidsdrang,' zei ze, 'voor haar was het belangrijkste dat Eritrea vrij was. Verder was niets belangrijk eigenlijk, ook ik niet.' Zelfs dat zei Lula zonder enige bitterheid. 'Ik heb haar daarom altijd bewonderd en nog steeds,' voegde ze er snel aan toe toen ze mijn ongelovige blikken zag. 'Bij mensen van haar generatie was dat nu eenmaal zo. Het land was toen belangrijker dan je eigen kinderen.'

Wat had ik graag gewild dat ik ook zo onbevangen over mijn eigen ouders had kunnen praten! Het getuigde van karakter als je zo'n groot gebrek bij je eigen moeder zag, een dergelijke achterstelling door je moeder had ervaren en het toch uit liefde door de vingers kon zien! Ik vond het groot dat je het iemand niet kwalijk nam dat hij zijn eigen kind had weggegeven – doordat je de omstandigheden meewoog. Doordat je echt kon vergeven.

Lula had vergeven, maar was nooit zwak geworden. Ze had geleerd op eigen benen te staan. Ze kon liefde geven, maar ze nam ook wat ze nodig had. Dat was misschien het grootste succes van de Eritrese revolutie: dat de vrouwen door de oorlog moesten leren om zich los te maken van de traditie en om dezelfde rechten op te eisen als de mannen, om voor zichzelf te zorgen. Dat het er in de praktijk anders uitziet is een ander verhaal. In de praktijk hebben de mannen het in Eritrea nog steeds voor het zeggen, zij zijn de baas in huis, terwijl de vrouwen het meeste werk doen. Dat is nog steeds niet veranderd. Toch heeft de strenge, traditionele sociale ordening scheuren opgelopen en dat komt door toedoen van vrouwen als Lula, die voor zichzelf kunnen zorgen, die zichzelf wel redden en hun kind erbij. Want de vader van Lula's dochter had zich allang uit de voeten gemaakt, ze kreeg geen geld of hulp van hem, om maar te zwijgen van emotionele steun. Lula verdiende als zangeres zo goed als niets, maar toch verhongerde ze niet. Ze hielp hier en daar, werkte soms als serveerster, deed schoonmaakwerk, was hulp in de huishouding. Geen vaste baan, maar van de hand in de tand, zoals dat in Afrika gebruikelijk is. Net voldoende om te overleven.

'Lula,' riep ik en ik viel haar midden in de lounge van het Ambassador in de armen, 'ik bewonder je omdat je goedheid uitstraalt! Omdat je kunt vergeven!' Lula glimlachte onzeker en keek me vriendelijk vragend aan.

'Ik weet niet precies wat je bedoelt,' zei ze, 'maar ik ben er blij om.'

Lula, beste Lula, wat deed je me op dat moment goed! En zij dacht dat ik haar een gunst bewees toen ik haar vertelde over het kleine beetje dat ik had beleefd in de zogenaamde grote, wijde wereld. In een wereld waar de mensen niet wisten wat ze moesten doen of laten omdat het hen aan duidelijke morele richtlijnen ontbrak. Lula bezat die richtlijnen, en had geen idee wat voor kostbaars ze daarmee bezat.

II
Thuis is ergens anders

TUSSENRIJK

Toen de taxichauffeur bij het Berlijnse vliegveld Tegel me berispte omdat mijn koffer volgens hem te zwaar was, wist ik echt dat ik weer in Duitsland was. Als ik hier ben vallen zulke dingen me niet meer op, maar pas uit Afrika teruggekeerd reageerden mijn zintuigen scherper dan anders. Een taxichauffeur die aan mij in een half uur evenveel verdient als een Afrikaanse arbeider in een maand, en ook nog slechtgehumeurd is en het gevoel heeft onderdrukt te worden omdat hij voor een vlieggewicht vrouw als ik een koffer uit een auto moet tillen? Dat kon ik, net uit Afrika komend, niet zo goed begrijpen.

Zo verging het me in de meest uiteenlopende situaties. Ik reageerde geïrriteerder op vriendinnen die aan de telefoon een half uur wilden overleggen of we elkaar 's avonds in café zus of café zo zouden ontmoeten of welke jurk ze aan zouden trekken of welk mobieltje ze zouden gaan kopen – hadden ze niets beters te doen dan zich het hoofd breken over de finesses van het consumeren? Wisten ze niet dat ik uit een land kwam, waar de meeste mensen hun hele leven lang, afgezien van hun directe voedsel, niet meer consumeerden dan een paar kleren uit een hulpverleningspakket, een jerrycan van plastic, een hoofddoek, een mat en een paar plastic sandalen?

Het klinkt misschien schoolmeesterachtig en afgezaagd, maar de verschillen in levensstandaard tussen Eritrea en Europa kwamen zo op me af dat ik ze in mijn gewone leven niet meer kon negeren. Alles wat ik in Berlijn zag, ervoer ik als uiterst overdreven, onwerkelijk en zinloos. Al die barstensvolle supermarkten; de porties in de restaurants, waarvan ik meestal de helft terug moest sturen; al die zwaarlijvige mensen; de schaamteloze posters die opriepen tot nog meer geschrans; de kinderen voor de hamburgertenten, die zonder nadenken hele bergen vlees naar binnen werkten. Ik had er enorm veel moeite mee om weer te wennen aan het land dat ik nog maar een paar weken daarvoor vanzelfsprekend als mijn vaderland had betiteld.

STRIJDEN VOOR MIJN LAND

En eigenlijk had ik geen tijd om me over zulke dingen op te winden. Ik schreef onder hoogspanning aan *Strijden voor mijn land*, mijn eerste boek. Ik stond in de studio om een nieuwe cd op te nemen, ik onderhandelde met platenfirma's, uitgevers en telkens weer met mijn manager, ik was wekenlang compleet volgeboekt. Zo gingen er maanden voorbij die algauw uitgroeiden tot een heel jaar, want mijn idee dat alles voorbij zou zijn als mijn boek maar af was, bleek een grote vergissing. Nu begon het werk pas echt, ik reisde van het ene praatprogramma, het ene interview, de ene lezing naar de andere.

Die krachttoer was niet gepland door mij of door de uitgeverij of door iemand anders, het was het resultaat van de grote belangstelling die *Strijden voor mijn land* opriep. De aanvragen voor interviews gingen maar door en op de verzoeken om lezingen, om deel te nemen aan discussieforums en aan kleine optredens wilde ik graag ingaan omdat ze meestal uitgingen van scholen, culturele verenigingen of welzijnsorganisaties. Dat gaf me het gevoel iets te kunnen doen om in Duitsland de kennis over het probleem van de kinderoorlogen te vergroten. Ik wilde het publiek bewust maken van het vergeten continent Afrika en mijn eigen levensverhaal als middel daarvoor gebruiken.

Ik wilde de mensen aansporen zich bezig te houden met mijn verhaal, met een verhaal dat weliswaar weinig met henzelf te maken had, maar dat hun kon laten zien dat er op slechts een paar uur vliegen van het rijke Europa mensen leefden die het heel anders hadden dan zij. Dat de relatieve veiligheid en welstand waarin ze leefden niet vanzelfsprekend waren, zodat ze zouden beseffen dat ze geluk hadden en het zouden waarderen. Ik dacht dat ik de mensen kon vertellen dat ze iets bereikt hadden – hun welstand, hun vrijheid – dat de moeite waard was om voor te vechten. Ik wilde de lezers met mijn levensverhaal een voorbeeld geven hoe je je uit een uitzichtloze situatie kunt bevrijden als het geluk je welgezind is – en als je er zelf alles aan doet om uit de puree te komen.

Ik wilde de mensen vertellen dat ze een piepklein stukje van hun welstand zouden kunnen weggeven aan mensen die minder fortuinlijk waren. Daarmee bedoelde ik niet alleen brieven schrijven uit solidariteit, maar substantiële dingen als geld geven aan projecten die het voormalige kindsoldaten mogelijk maken om weer een normaal, zinvol leven te leiden – zoals bijvoorbeeld van Aktion Weißes Friedensband. Ik denk dat ik er succes mee had. Het lukte me in elk geval een paar mensen op Afrika te attenderen, op mijn vaderland Eritrea, op de problemen van kinderen die door volwassenen als kanonnenvoer werden en worden misbruikt.

Maar ook ikzelf werd tijdens de manifestaties telkens weer geraakt. Vooral aangrijpend was het na een concert in Hannover dat werd georganiseerd door Aktion Weißes Friedensband. Daar stond een vrouw op die vertelde dat ze een van de vele kinderen was geweest die mijnen moesten zoeken. Waar haar ene arm had moeten zitten hing een prothese, haar andere arm zat onder de littekens. Ze was samen met een paar vroegere kameraden uit het leger naar het concert gekomen. Na de discussie praatten we nog lang met elkaar. De vrouw was pas achttien en in 1992, kort na het eind van de bevrijdingsoorlog was ze net zes jaar – een klein kind dat als levende mijndetector was ingezet en daardoor haar arm had verloren.

Mijn boek, mijn televisieoptredens, mijn lezingen en de discussies waaraan ik deelnam vonden steeds meer weerklank. Die belangstelling eiste me zo op dat ik steeds duidelijker met mijn grenzen werd geconfronteerd, zowel geestelijk als lichamelijk. Het was niet gemakkelijk om maandenlang bijna elke dag, elke avond hetzelfde verhaal te moeten vertellen, het leed van kindsoldaten duidelijk te maken, telkens opnieuw met de ellende te worden geconfronteerd die ik heb doorgemaakt. Het was ook niet gemakkelijk om elke dag in een ander hotelbed wakker te worden, in een andere trein of een ander vliegtuig te stappen, honderd nieuwe handen te schudden, in honderd nieuwe gezichten te kijken.

Daar kwam nog bij dat er niet alleen positieve reacties kwamen op mijn boek en op mijn werk in zijn geheel. Het Duitse publiek bejegende me weliswaar voor ongeveer honderd procent met goedkeuring, deelneming en sympathie, maar bij manifestaties waar veel leden van de Eritrese gemeenschap in Duitsland aanwezig waren, namen regelmatig tegenstanders het woord. Dat waren meestal mensen die in bekrompen politieke schema's dachten en mijn boek niet als aanklacht tegen de onmenselijkheid opvatten, niet als verslag van mijn heel persoonlijke levensweg, maar het zuiver en alleen als aanval op de staat Eritrea lazen. Het waren mensen die zich door mij in hun eer, in hun nationale trots voelden aangetast.

Ik vond dat een absurde veronderstelling. Het was niet mijn bedoeling met *Strijden voor mijn land* een staat aan de schandpaal te nagelen, ik wilde geen politiek boek schrijven en heb dat ook niet gedaan. Ik wilde een boek maken over iemand die zich verweert, ook al is ze nog maar een klein meisje. Een kind dat in een militair apparaat terechtkwam en daar bijna aan te gronde ging. Ik heb een boek over mijn eigen leven geschreven, en ik kan er ook niets aan doen dat ik mijn eerste, donkere jaren in Eritrea heb doorgebracht. Ik was in die oorlogstijd maar al te graag ergens anders geweest, mijn ervaringen in de strijd tussen Eritrea en Ethiopië kan ik missen als kiespijn! Maar dat was jammer genoeg niet mogelijk, je hebt je lot niet voor het uitkiezen.

Ik weet natuurlijk dat in veel landen van Afrika, en niet alleen daar, kinderen tot soldaat zijn gemaakt, maar ik kon alleen over mijn eigen lot schrijven. Had ik een ander lot moeten verzinnen?

De mensen die me aanvielen, waren niet onder de indruk van mijn argumenten. Ze leken doof voor elk bewijs en ik had totaal geen zin in ruzie, in agressieve, emotionele woordenwisselingen. Zo kwam het bij een aantal lezingen tot eigenaardige confrontaties: mensen scholden me uit, beschuldigden me ervan dat ik loog en als ik met hen wilde praten, schreeuwden ze nog harder en werden ze nog dover, tot ik me terugtrok en de show overliet aan het publiek. Daardoor voelden andere luisteraars zich geroepen me te verdedigen. Er ontstond ruzie tussen hen en de mensen die tegen mij waren. Algauw was iedereen tegen elkaar aan het schreeuwen of ging zelfs met elkaar op de vuist. En dat terwijl het vaak heel onschuldig begon: na een lezing zei een luisteraar dat hij in mijn boek had gelezen dat ik al op mijn vijfde een wapen had gekregen – dat was een leugen, want zulke jonge soldaten waren er in Eritrea nooit geweest. Ik antwoordde daarop dat dat ook niet klopte. Ik had de eerste jaren water gehaald, vuur gemaakt en in de keuken geholpen. Pas op mijn zevende was de militaire dril begonnen met lopen, uithoudingsoefeningen en later ook schietoefeningen. De man liet zich echter niet van zijn stuk brengen. Kinderen, zei hij, hadden nooit voor Eritrea gevochten.

Een Eritrese onder de toehoorders schreeuwde daarop tegen hem dat het niet klopte wat hij zei, ze had het zelf meegemaakt. Toen werd de man onbeschoft: 'Sloerie,' brulde hij terug, 'ga toch bij haar op het podium staan, landverraadster!' Dat schoot de vriend van de vrouw in het verkeerde keelgat en hij begon mijn tegenstander te beledigen. Die liet dat weer niet op zich zitten en het duurde niet lang of hij had vijf mensen die hem steunden. Ook de mensen die het voor mij opnamen, verzamelden medestanders die nog talrijker bleken dan de eerste schreeuwers. Een voor een stonden ze allemaal op en gingen met elkaar op de vuist. Het ging er hard aan toe. Dat was het moment waarop ik het podium verliet en de coulissen inrende, want op een dergelijke geweldsuitbarsting was ik niet voorbereid. Met mijn boek wilde ik mensen ervan bewustmaken hoe kinderen geweld wordt aangedaan en nu werd het gebruikt om ruzie te schoppen. Daar kon ik niet tegen.

Een deel van mijn Eritrese toehoorders en lezers, is van mening dat ik kritiek op hen lever of tegen ons land ben, wat niet klopt. Ik wil Eritrea niet in een slecht daglicht stellen. Ik wil mijn land niet benadelen, want Eritrea heeft het altijd al moeilijk genoeg gehad. Na de koloniale tijd en voor de bevrijdingsoorlog heersten de Ethiopiërs in Eritrea. Ze onderdrukten de mensen op wrede wijze. De Eritreeërs voerden oorlog om het juk af te werpen. Dat kan ik begrijpen en ook accepteren, onder één voorbehoud: als een staat oorlog voert moet hij daarvoor burgers inzetten die overtuigd zijn van de idee die aan die oorlog ten grondslag ligt. Hij moet mensen tot soldaat maken die voor die vrijheid willen vechten, maar geen mensen die afhankelijk en onwetend zijn en al helemaal geen kinderen.

Een kind voelt niets bij vrijheidsidealen, het weet niets van nationale zelfbeschikking. Ik ben van mening dat je kinderen niet voor de realisering van je nationale en vrijheidsideeën mag inzetten. Geen staatsman of veldheer, ook al is het nog zo'n geweldig revolutionair leider, mag kinderen gebruiken om zijn idealen te bereiken of zijn ego te bevredigen. Wie van die ideeën overtuigd is, moet zelf de wapens maar opnemen en zijn kinderen er niet mee opzadelen.

Ik ben dus niet tegen Eritrea, helemaal niet, ik ben alleen niet kapot van de huidige politieke situatie, maar daar gaat het hier niet over. Ik vind het niet goed als kinderen worden gerekruteerd en ik houd er niet van als mensen gedwongen worden tot een oorlog die ze niet willen. Tot een oorlog die hun niets anders oplevert dan ellende, honger en dood.

Dat moeten de Eritreeërs die kritiek op me hebben begrijpen. Ze moeten ondanks hun verwijten niet de goede dingen vergeten die ik voor ons land probeer te bereiken: de giften die er door mijn toedoen komen, de successen – hoe bescheiden ook – van mijn sociale engagement en niet in de laatste plaats de liefde die ik voor mijn land en zijn inwoners heb.

OP

Na de bijeenkomst met de knokpartij kon ik niet meer, ik had geen kracht meer. Die nacht lag ik wakker in mijn hotelkamer, ik trilde over mijn hele lichaam en moest toegeven dat ik de volgende avond niet weer voor een zaal kon zitten. Als er weer iemand tegen me begon te schreeuwen en me verweet dat ik verraad pleegde aan mijn vaderland, zou ik het niet aankunnen en voor de ogen van alle mensen in tranen uitbarsten.

Ik wist echter ook dat er mensen waren die zich verheugden op de lezingen die aan het eind van mijn tournee gepland waren. Ze hadden een avond vrij genomen om die bijeenkomsten te bezoeken en zouden er met positieve verwachtingen naartoe gaan. Dat waardeerde ik, maar ik kon niet anders dan de volgende ochtend, geradbraakt door de slapeloze nacht, mijn manager opbellen en de lezingen afzeggen. Die beslissing was me niet licht gevallen, maar ik voelde dat ik nu rekening met mezelf moest houden. De afspraken voor lezingen op scholen, die later zouden plaatsvinden, wilde ik allemaal nakomen, want daar had ik nog nooit slechte ervaringen mee opgedaan, alleen openbare lezingen wilde ik op dat moment niet meer geven.

Het was een pak van mijn hart toen ik de hoorn op de haak legde en weer naar bed kon. Ik had een paar uur slaap nodig voor ik aan de dag kon beginnen.

's Middags reisde ik terug naar Berlijn en ik was nog maar net thuis of ik ging meteen weer in bed liggen. Ik wilde alleen nog maar mijn ogen dichtdoen, stilte horen, niemand zien. Dat duurde echter slechts een paar minuten. Ineens zat ik achter de computer. Alsof ik op afstand werd bestuurd startte ik het muziekprogramma op en begon te experimenteren met de melodie van een nieuw lied, waar ik maanden geleden mee was begonnen, maar dat ik uit tijdgebrek niet had afgemaakt.

Ik was al snel weer thuis in de fragmenten die ik toen op de computer had achtergelaten, zette ze opnieuw in elkaar en componeerde de ontbrekende overgangen. Even later was ik zo verdiept in mijn muziek dat ik alles om me heen vergat. Het bed waar ik zo graag in wilde liggen. De koffer die erop wachtte uitgepakt te worden. De verwarming die ik aan moest zetten omdat het alweer herfstig koel werd. De honger waarmee ik uit het vliegtuig was gestapt.

Eindelijk was ik na lange tijd terug in mijn eigen sfeer: in de wereld van de muziek. Ik had die wereld veel te lang de rug toegekeerd, ik had me veel te lang op onbekend terrein gewaagd. Lezingen, discussies, televisie, politieke manifestaties waren me vreemd. Ik hoorde thuis in de muziek en nergens anders. Ik voelde dat het vast veel beter met me zou gaan als ik meer tijd voor mijn muziek had.

Maar de muziek was niet het enige wat ik miste. Diep vanbinnen merkte ik dat ik niet bij mezelf was, maar slechts in een tussenrijk. Maar waarheen mijn reis zou gaan, durfde ik zelfs voor mezelf niet uit te spreken.

Tot ik een paar maanden later weer in het vliegtuig zat, achteroverleunde, mijn ogen dichtdeed en slechts drie woorden mompelde voor ik insliep: 'Welkom in Afrika!'

III

Mijn Afrikaanse familie

ETHIOPIË

Toen mijn mobieltje afging stond ik voor de troon van Haile Selassie. Ik schrok enorm omdat ik de beltoon niet kende, ik had het prepaid mobieltje pas kort daarvoor bij de receptie van het hotel geleend. Het geluid doorsneed de stilte van de kathedraal van de Heilige Drie-eenheid, een enorm grote, stille en plechtige ruimte midden in de bruisende Ethiopische hoofdstad Addis Abeba. Het stoorde op een plek waar je eigenlijk geen mobieltjes zou mogen horen. Maar mijn gids stelde me gerust: 'Geen probleem, neem maar op!' Wie zich in Afrika een mobieltje kan permitteren, belt overal en bij elke gelegenheid, dus ook in een kerk – waarvoor heb je anders zo'n ding?

Ik nam op en hoorde de stem van mijn broer. Als het enige bereikbare zitmeubel niet de troon van de laatste keizer van Ethiopië was geweest, dan was ik er meteen op gaan zitten, maar nu moest ik blijven staan, terwijl alles om me heen begon te draaien. Ik zocht steun bij de eerste de beste zuil van het schip van de kerk en zei voor het eerst van mijn leven mijn broer gedag, die niet alleen dezelfde vader maar ook dezelfde moeder had als ik. De enige mens op de wereld met dezelfde set genen als waaruit ik ben gemaakt. Ik zweer bij God dat dat geen gewoon moment was – vooral niet omdat het tot kort na de voltooiing van mijn dertigste levensjaar had moeten duren voor we de eerste woorden met elkaar konden wisselen.

'Ik ben Luul,' zei de stem aan mijn oor.

Het was een vriendelijke en wat onzekere stem, die mijn moedertaal Tigrinja sprak. Ik wist niet wat ik moest zeggen.

'Je broer Luul,' voegde de stem er nog wat onzekerder aan toe. Hij klonk als de stem van mijn vader, alleen een beetje hoger. Lag dat aan de telefoon?

'Ik ben Senait,' zei ik nuchter, als verdoofd. Toen werd er gezwegen. De gids die me de kathedraal liet zien en de pope die zich bij ons had gevoegd keken me vol verwachting aan.

'Mijn broer,' herhaalde ik, half tegen Luul, half tegen hen tweeën, 'ik heb mijn broer teruggevonden!' Dat klopte niet helemaal, want ik was Luul nooit kwijtgeraakt, omdat ik hem nog nooit had gehad.

'Luul,' zei ik nog een keer in de telefoon, nu al wat luider. 'Luul,' herhaalde ik, nog luider. 'Luul,' riep ik, bijna te luid voor in een kerk, 'we moeten elkaar zien!'

Nadat we hadden afgesproken dat we elkaar tegen de avond in een café zouden ontmoeten, moest ik de gids en de pope eerst uitleggen wat het telefoontje te betekenen had, anders waren ze doodgegaan van nieuwsgierigheid. Ik vertelde hen dat ik de vorige dag van Duitsland naar Ethiopië was gevlogen om voor het eerst van mijn leven mijn broer te ontmoeten. Mijn broer, die Afrika nog nooit had verlaten en bijna tot het laatst bij onze moeder had gewoond, die ik slechts eenmaal in mijn leven bewust een paar uur had gezien, omdat ik sinds mijn eerste levensweken van haar gescheiden was.

Ik had de gids of de pope nog nooit eerder ontmoet, het waren volslagen vreemden, maar toch interesseerden ze zich erg voor mijn verhaal. Dat had alleen niets met mij persoonlijk te maken, maar met Afrika. De mensen zijn hier nieuwsgieriger dan in Europa, ze smachten naar verhalen, nieuwtjes en sensatie. Mijn levensverhaal is voor hen even interessant als dat van Marilyn Monroe. Hun interesse hangt niet af van het feit of iemand al dan niet belangrijk is, het enige wat telt is of het een spannend verhaal is of niet. En dat gold kennelijk voor het verhaal van Luul en mij.

Ik was alleen niet naar Addis Abeba gekomen om mijn verhaal te vertellen, maar om het me te láten vertellen – door mijn oudste broer die ik tot dusverre alleen uit een paar brieven en van een wazige foto kende. Oorspronkelijk was ik niet van plan geweest zo snel weer terug te keren naar Afrika, maar hoe meer ik over mijn belevenissen op de reis naar Eritrea nadacht, hoe vaker ik de foto's van daar had bekeken, hoe beter ik Luuls brieven had bestudeerd, hoe sterker het begon te trekken. Ik wilde de zoektocht naar mijn Afrikaanse verleden voortzetten, een zoektocht die niet alleen Luul, maar mijn hele familie van moederszijde betrof, want ik wist dat een paar familieleden van mijn moeder ook in Addis Abeba woonden. Daarna had ik me voorgenomen naar Khartoem in Soedan te gaan, om de plekken op te zoeken waar ik als kind met mijn zussen en mijn oom Haile had gewoond, nadat hij ons van de verschrikkingen van de Eritrees-Ethiopische oorlog had bevrijd en over de Soedanese grens in veiligheid had gebracht. Vanuit Khartoem wilde ik ten slotte nog een keer naar Eritrea reizen, naar Asmara en Ādī K'eyih, om alle nieuwe familieleden terug te zien die ik meer dan twee jaar daarvoor tijdens mijn laatste reis had leren kennen.

ADDIS ABEBA

Nu moest ik een paar uur zien te overbruggen tot ik Luul kon zien – hij kon pas aan het eind van de middag weg van zijn werk. Luul had zich daarvoor over de telefoon een paar keer uitvoerig verontschuldigd, alsof hij eigenlijk verplicht was op zijn werk alles aan de kant te gooien als zijn zuster hem riep.

Geduldig liet ik me door de gids verder door de kathedraal rondleiden. Maar ik was er niet meer helemaal met mijn gedachten bij toen hij me de prachtige fresco's liet zien, zoals de Heilige Drie-eenheid van God de Vader, Jezus en de Heilige Geest, die hier net als op andere plekken in Ethiopië werden afgebeeld als drie bebaarde, langharige mannen. Of de politieke fresco's boven het hoogaltaar, die keizer Haile Selassie bij zijn terugkeer uit ballingschap uitbeeldden, toen hem door de toenmalige Italiaanse koloniale heersers de macht over Ethiopië werd overhandigd.

De pope, een slanke oude man met een verzorgde grijze baard, die aldoor een rijkversierd houten kruis in zijn hand had, vroeg of hij geen foto van mij op de troon van de keizer zou maken, maar dat wees ik geschrokken af – ik zou nooit op die stoel durven gaan zitten. Daar had ik niet het recht toe en ik vond dat de pope daar eigenlijk net zo over moest denken. Beschouwde hij me soms als een onnozele toerist?

Ik vroeg hem of hij er zelf niet wilde gaan zitten, maar ook hij wees het ontsteld af. Ondanks het smadelijke eind van het keizerrijk en ondanks de daarop volgende communistische dictatuur was zijn respect, zoals vermoedelijk dat van de meeste Ethiopiërs, nog veel te groot om zoiets respectloos te durven doen. 'Sommige toeristen willen het,' zei hij schouderophalend.

'Ze betalen ervoor,' voegde de gids, die in dienst was bij de kerk, eraan toe.

Ik vond het triest dat ze hun trots te grabbel gooiden, maar aan de andere kant hadden ze anders geen inkomsten. Priesters krijgen bij ons geen salaris, ze leven van de giften van hun gelovigen – als die iets overhouden om weg te geven. In Afrika komt het overal telkens weer neer op de vraag waar de volgende maaltijd vandaan moet komen.

Nog vier uur voor ik Luul zie, dacht ik, toen ik uit het schemer van de kathedraal weer in het schelle zonlicht stapte. Vier uur! De tijd tot onze ontmoeting scheen me aan de ene kant erg lang toe, maar aan de andere kant ook weer heel kort vergeleken met de dertig jaar die tot deze afspraak waren verlopen. Ik besloot een beetje door de stad te slenteren. Ik kende die nauwelijks, want ik was hier voor het eerst en tot dusverre voor het laatst geweest toen ik mijn moeder had bezocht. En nu dus haar zoon Luul, mijn eigen broer!

Ik wandelde door de straten van Addis Abeba en stelde vast dat de mensen minder op me letten dan in Asmara. Ik voelde me hier weliswaar minder thuis, maar op de mensen kwam dat kennelijk niet zo over, anders hadden ze me meer aangestaard. Dat ze dat niet deden lag ook aan het feit dat Addis met circa vijf miljoen inwoners bijna tien keer zo groot is als Asmara. De hoofdstad van Eritrea is een groot dorp, maar Addis is een echte grote stad, waar de mensen elkaar niet als jaloerse buren in de gaten houden en wat nonchalanter met elkaar omgaan.

Het was een nonchalance die grensde aan onverschilligheid. Om de haverklap zag je mensen die midden op de straat leken te creperen zonder dat iemand in actie kwam, het verkeer reed alleen met een boog om de pechvogel heen. Hoe langer ik door Addis heen liep, hoe harder de stad op me overkwam. Ik zag bedelaars aan de straatrand, die smekend hun handen naar me toe staken. Ik zag vrouwen die met kaarsen zo dun als luciferhoutjes in hun schoot, met een paar mariabeeldjes, een klein hoopje wierookkorrels of een kruis voor de kerk zaten om hun waar aan de gelovigen te verkopen.

Ik zag al die mensen, die langs de rand van de straat zaten te wachten. Dat waren mensen die door de droogte, uitgeputte gronden en de honger of ook door relatief kleine rampen als de dood van hun enige koe of het uitblijven van hulpgoederen van het platteland naar de stad waren getrokken in de hoop hier werk en een inkomen te vinden. Maar het enige wat ze vonden waren dagloner-baantjes en de ijdele hoop dat er iets zou gebeuren als ze aan de rand van de straat op betere tijden wachtten. De straat bood hen de beste vooruitzichten, omdat hier altijd iets kon gebeuren – en omdat ze geen andere plek hadden, afgezien van het krot dat ze in een van de talloze sloppenwijken van de stad van verpakkingsafval, puin en droge takken hadden gebouwd.

Ik zag invaliden, meestal poliopatiënten of slachtoffers van landmijnen, die geen benen meer hadden of hun benen als slappe, verwelkte stengels achter zich aan trokken, terwijl ze slechts met behulp van hun armen tussen de auto's door tijgerden om op de ruiten van de taxi's en de dure terreinwagens om een aalmoes te kloppen. Voordat de drom auto's zich bij groen of soms al een paar seconden daarvoor in beweging zette, kropen deze armsten der armen bliksemsnel weer terug naar de rand van de straat, of er nu een raampje naar beneden was gelaten of niet. Deze mensen, die zich op teckelhoogte tussen de rijbanen heen en weer sleepten, moesten constant op hun qui-vive zijn dat ze niet werden platgewalst, omdat ze door veel chauffeurs, die hoog boven in hun ouderwetse vrachtauto's of bussen troonden, niet eens werden opgemerkt.

Ik zag kinderen die voor mij op de knieën vielen toen ik ze wilde passeren om me door hun onderdanigheid tot een kleine aalmoes over te halen. Eén *birr*, omgerekend nog geen tien eurocent, beschouwden deze kinderen al als een geweldig geschenk. De plaatselijke bewoners gooiden er hoogstens een paar *birr*-cent tegenaan, zulke kleine bedragen dat je ze in eurocenten nauwelijks kunt uitdrukken.

Ik zag oude vrouwen helemaal voorovergebogen hele bergen zelf uitgegraven wortels sjouwen, die ze als brandhout wilden verkopen.

Ik zag menselijke wrakken, die helemaal onder de goedkope drugs zaten, schreeuwend en gebaren makend tussen de auto's doorlopen om de aandacht te trekken en een aalmoes te krijgen. Ik zag kleine kinderen in aan flarden gescheurde lompen, die niet wisten wat ze moesten doen om aan iets eetbaars te komen en maar gewoon aan de rand van de straat zaten te wachten.

En tussen al die ellende liepen op hun dooie gemak heel wat goedgeklede mensen. Anderen zaten in dikke auto's, beschermden zich met parasols tegen de felle zon en keken uit dat hun kleren bij het passeren van een bedelaar door een uitgestoken hand niet werden besmeurd.

Hoe meer van dat soort beelden ik zag, hoe dieper de ontzetting over al die ellende en ongerechtigheid doordrong tot mijn ziel. Ik wist niet meer waar ik moest kijken zonder meteen iets verschrikkelijks, verdrietigs of onmenselijks te zien. Het was niet zo dat ik me aan de realiteit wilde onttrekken, maar ik merkte algauw dat ik er niet tegen kon. Dat ik met die werkelijkheid niet kon omgaan. Misschien later, dacht ik, als ik met Luul door de stad ga, maar niet alleen. Alleen voelde ik me er niet sterk genoeg voor.

Ik brak mijn wandeling af en keerde snel naar het hotel terug. Het was een luxe hotel, dat moet ik toegeven, waar een kamer per dag net zoveel kostte als een arme familie in een jaar uitgaf. En het was niet eens zo'n geweldig hotel, maar de goedkopere hotels hadden me alleen al door hun lobby's angst aangejaagd. Dat waren duistere, half vervallen betonnen kolossen met slechtgehumeurd baliepersoneel geweest, waar obscure types in de bar rondhingen, hoeren en slecht geklede soldaten met een automatisch geweer nonchalant over de schouder. Het waren hotels met een getraliede ingang in een onverlichte, doodlopende straat of in een stoffige zijstraat. Je kon er niet eten en er stonden geen taxi's te wachten. Hotels die ik 's avonds nauwelijks zou durven verlaten, want in Addis hebben de taxi's geen mobilofoon, heb je geen taxistandplaatsen en ook geen felverlichte trottoirs, terwijl er 's avonds des te meer ongure types op straat zijn, waardoor het me niet raadzaam leek na het donker nog naar buiten te gaan om *enjera* te gaan eten. En al helemaal niet als je, zoals ik, duidelijk een vreemdeling, een vrouw uit het buitenland was.

Toen ik het hotelterrein op liep, dat door een paar bewakers en een hoog traliehek hermetisch van de buitenwereld was afgesloten, en me naast het enorme zwembad op een tuinstoel liet vallen en aan een exotische vruchtencocktail kon lurken, kwam ik weer een beetje op verhaal.

Het onbehagen bleef echter. Waaraan had uitgerekend ik het geluk te danken dat mijn levensstandaard zo mijlenver uitsteeg boven die van de mensen die zich dag in dag uit afsloofden rond dit piepkleine welvarende eilandje midden in een zee van ellende? Waarom was ik overduidelijk de enige op dit eiland die dat feit niet als een gegeven beschouwde en daardoor een kwaad geweten had?

LUUL

Ik herkende Luul meteen. Aan zijn manier van lopen, aan zijn postuur en zelfs aan zijn gelaatstrekken, toen hij nog zover van mij verwijderd was dat ik ze nauwelijks kon onderscheiden. Ik herkende Luul omdat het eigenlijk Ghebrehiwet was die hier de straat overstak, ons beider vader. Misschien lijkt hij wel een beetje op hem, had ik van tevoren nog gedacht, en kan ik hem daardoor herkennen. Ik was er niet op voorbereid geweest dat hij er precies zo uitzag.

Luul liep onzeker en slungelig voorbij. Hij keek niet mijn kant op omdat het oversteken van de straat al zijn aandacht opeiste, want de automobilisten stoven zo hard ze konden voorbij en een onschuldige voetganger was voor niemand reden om gas terug te nemen. Zo kon ik Luul in alle rust bekijken. Hij had zijn haren kortgeschoren, zijn tanden en ogen stonden net zo naar voren in zijn gezicht als bij onze vader, hij had net zulke flaporen en hij droeg net zo'n snor. Luul was alleen nog magerder, bijna vel over been, met ingevallen wangen en een gebogen gang. Hij zag er veel jonger uit dan onze vader, maar niet veel gezonder.

Met een kordate sprong wist Luul zich voor een paar aanscheurende auto's aan mijn kant van de straat in veiligheid te brengen en hij keek vervolgens zoekend om zich heen. Ik zat op het terras van een klein cafeetje, dat hij als plaats had voorgesteld om elkaar te

187

ontmoeten, en glimlachte naar hem. Het duurde lang voor zijn heen en weer dwalende blikken op mij vielen. Snel en praktisch is Luul kennelijk niet, dacht ik. Maar toen hij me eindelijk in het oog kreeg was hem direct duidelijk dat hij zijn zus had gevonden.

'Luul?!' riep ik hem toe en hij straalde over zijn hele gezicht, zodat er twee lange rijen spierwitte tanden zichtbaar werden. Ik bedacht me dat dat bij ons volk weinig voorkwam en vroeg me af of hij de traditionele stokjes gebruikte om zijn tanden te reinigen. Op belangrijke momenten schoten me altijd de idiootste dingen te binnen, waarmee ik kennelijk mijn onzekerheid voor mezelf probeerde te verbergen.

'Senait?' vroeg Luul op zijn beurt zachtjes. Hij stond voor me, keek alleen maar naar me en glimlachte nog breder dan daarvoor. Hij wist niet waar hij zijn handen moest laten, stopte ze in zijn zakken, haalde ze er weer uit en liet ze onhandig hangen.

Ik was mijn schrik te boven zodra ik mijn naam hoorde. Die was als de derde sleutel in het derde slot van mijn meervoudig beveiligde deur gegleden, die nu eindelijk kon openspringen. 'Luul!' Ik schreeuwde zijn naam bijna uit, sprong op en omarmde mijn broer.

'Senait,' zei hij nog een keer, een beetje harder, en omhelsde me onhandig.

Zo stonden we een tijdje op een terrasje in Addis Abeba, tot grote verbazing van de serveerster en drie of vier gasten, want een man en een vrouw omarmen elkaar niet in het openbaar. Dat is alleen gepast voor twee mannen of vrouwen die bevriend of familie zijn, maar niet voor echtparen of voor stelletjes. Luul wist dat en daarom geneerde hij zich waarschijnlijk. Ik was er ook van op de hoogte, maar mij kon het niets schelen. Ik kon er immers ook niets aan doen dat de anderen niet wisten dat wij broer en zus waren.

'Adhanet,' zei Luul, toen ik twee stappen achteruit deed om hem beter te kunnen bekijken. 'Je ziet er net zo uit als Adhanet!'

Die opmerking was een klap in mijn gezicht, want ik had duistere herinneringen aan onze moeder. Duister omdat onze levenswegen ons voor slechts een paar uur bij elkaar hadden gebracht, maar ook duister omdat mijn moeder altijd een zwarte vlek in mijn leven was geweest: de onbekende die mij als zuigeling had verlaten. Die me koel had ontvangen toen ik op mijn negentiende een paar dagen in Addis op bezoek was. Die met de bus in een ravijn was gereden voor ik haar als echt volwassen vrouw weer terug kon zien. En ik zag er net zo uit als zij?

Maar ik was niet de enige die op iemand leek. 'Ghebrehiwet,' zei ik tegen Luul. 'Jij ziet eruit als Ghebrehiwet!'

Omdat we dezelfde ouders hadden, moesten we eigenlijk ook wel op elkáár lijken. Was dat ook zo?

'Lijk jij op mij?' vroeg ik aan Luul, maar die vraag konden we nu niet beantwoorden. Niet terwijl we hier stonden en iedereen toekeek. Het viel me alleen op dat we dezelfde mond hadden, ook al stonden mijn tanden niet zo naar voren – dat hoopte ik tenminste.

'Laten we toch gaan zitten.'

Daar zaten we dan als versteend naar elkaar te staren. Het is heel eigenaardig om eenendertig jaar na je geboorte voor het eerst iemand voorgeschoteld te krijgen die behoorlijk veel op je zou moeten lijken. Een soort levende spiegel, die antwoorden gaf. Zou ik me in hem herkennen? Zou ik iets anders in hem herkennen?

Er gebeurde iets heel merkwaardigs: het gevoel groeide in me dat ik Luul al eens eerder had gezien. En ik bedoelde dat niet in overdrachtelijke zin, ik bedoelde echt gezien. Het was maar een zaadje, maar het ontkiemde snel en nam steeds meer ruimte in in mijn gedachten. Ik had Luul al eens gezien. Maar waar? Wanneer? Ik zei tegen mezelf dat het niet mogelijk was, dus ik roerde het niet aan. Misschien was het ook maar zinsbegoocheling, opgeroepen door zijn gelijkenis met mijn vader. Maar daarna vroeg ik mezelf opnieuw: verdraaid, waar had ik Luul toch eerder gezien?

Eén ding stond vast: mijn oorspronkelijke twijfel of de man die beweerde mijn broer Luul te zijn te vertrouwen was, was duidelijk totaal ongegrond. Toen ik hem de straat over zag komen, was me al duidelijk dat het niemand anders dan mijn broer was. Ik had het niet alleen gezien, maar ook gevoeld. Hoe kon ik toch zo argwanend zijn, waarom had ik allerlei lelijke dingen gedacht die in Luuls aanwezigheid meteen in rook opgingen?

'Ik ben zo blij dat ik je gevonden heb,' zei Luul heel serieus. 'Ik heb God bedankt toen je op mijn brief antwoordde en ik zal God nogmaals bedanken dat hij je hierheen heeft gestuurd.'

Ook ik had God bedankt, dacht ik, hoewel ik het niet zo fatalistisch bekeek als Luul. Wat mij betreft was het eerder de Lufthansa die me hier had gebracht dan God en ik denk dat ieder mens zelf verantwoordelijk is voor wat hij doet en wat hij bereikt. Maar dat het ons als broer en zus vergund was om contact te hebben, zag ook ik als een goddelijke beschikking.

'Ik ben ook heel blij, Luul,' zei ik. 'Wat heb je al die jaren gedaan? Waar zat je?'

'Ik ben aan de dood ontsnapt,' antwoordde Luul bloedserieus, 'en wel zo vaak dat ik het me bijna niet meer kan herinneren. De dood is al behoorlijk wanhopig. Hij gelooft niet dat hij me nog te pakken kan krijgen.'

Ik keek hem aandachtig aan. Luul zag er niet alleen zo uit als onze vader, hij had ook dezelfde droge humor!

'Luul,' vroeg ik, 'door wie heb je zo leren praten?'

'Niet door de dood,' zei Luul terug. 'Daardoor laat ik me niets leren. Ik doe gewoon alsof ik er niets mee te maken heb.'

Dat was weer onze vader. Altijd nog een sarcastische opmerking eroverheen.

'Ik dacht dat je dat van onze vader had,' zei ik.

'De dood? Dat is goed mogelijk. Daar was onze vader immers in gespecialiseerd.' Daar was hij alweer: papa ten voeten uit. Ik ontmoette hem in mijn eigen broer en dat maakte me bijna waanzinnig van geluk. Ik denk dat mijn moleculen feestvierden. Mijn rode en witte bloedlichaampjes dansten met elkaar, alles in me huppelde en dartelde. Ik kwam bijna los van de grond. Senait, nu lukt alles, dacht ik, nu kun je vliegen. Ik moest Luul simpelweg nog een keer omarmen. 'Mijn broer,' fluisterde ik aan zijn oor, 'dat ik je heb.'

De mensen in het café keken ons inmiddels zo eigenaardig aan dat we besloten te vertrekken. Maar waarnaartoe? We wilden alleen in rust kunnen praten, praten en nog eens praten. Ik had eenendertig en Luul, die ongeveer zes jaar ouder was dan ik, zelfs zevenendertig jaar bij te praten.

Ik stelde voor met hem naar huis te gaan, maar dat wees hij af. Eerst vroeg ik me af of hij me niet vertrouwde. Maar ik begreep al snel dat hij zich waarschijnlijk diep schaamde voor zijn armzalige onderkomen. Die Luul! Hoe kon hij denken dat ik een slechte indruk van hem zou krijgen, alleen omdat hij in materieel opzicht niets bezat? Wist hij maar hoe weinig me dat kon schelen – wist hij maar dat ik naar Europese maatstaven ook zo arm als een kerkrat was! Maar Luul dacht dat ik ermee zou zitten om hem in armoede te zien... Wat was hij toch gevoelig en attent!

Omdat ik hem niet in verlegenheid wilde brengen, stelde ik voor iets te gaan eten. Ik kon op dat moment weliswaar geen hap door mijn keel krijgen, maar in Addis zijn geen gelegenheden waar je gewoon een kop koffie of thee kunt gaan drinken, je moet er altijd voor naar een restaurant. En een bar was voor Luul niet de juiste plek geweest, want hij had me meteen aan het begin van onze ontmoeting verteld dat hij heel gelovig was. 'God is mijn steun en toeverlaat,' waren zijn woorden, 'hij heeft me in mijn leven altijd geleid. Ik bid elke dag tot hem dat hij me niet verlaat.'

Dat hield vast in dat Luul geen alcohol dronk en zich daarom in een omgeving waar alleen gedronken werd niet prettig kon voelen. Ik wilde hem echter ook niet meteen meenemen naar mijn hotel omdat ik dacht dat het overdreven luxe gedoe, dat sommige medewerkers en ook gasten tentoonspreidden, hem onzeker zou maken.

Later hoorde ik dat Luul niet alleen niet dronk, maar ook niet rookte. Hij ging elke zondag naar de kerk, bad regelmatig en... speelde keyboard. 'Dat is een slechte gewoonte van me,' zei Luul grijnzend. Wat had ik toch een engel van een broer!

Dus reden we naar een pizzeria die ik de vorige dag had gezien. Dat was een klein restaurant met op elk vrij plekje Coca-Cola-reclame, maar het was er rustig en je had er afgescheiden zithoekjes, die vooral bezet werden door verliefde stelletjes die elkaar voor het huwelijk natuurlijk niet in het huis van hun ouders konden ontmoeten als ze niet het risico wilden lopen door hun vader te worden afgerammeld of het huis uit te worden gezet. Die omgeving leek me passend, omdat wij in zekere zin ook een soort pasverliefd stelletje waren, al was het ook in andere zin dan de stellen om ons heen: we hielden niet van elkaar omdat we ons bloed wilden vermengen, maar juist omdat hetzelfde bloed door onze aderen stroomde.

Hoe meer we elkaar vertelden, hoe meer we van elkaar wisten, hoe meer onze broer- en zusterliefde groeide. En hoe meer ik Luul over mijn leven vertelde, hoe meer hij zich opwond. 'Wat heb jij wel allemaal niet moeten meemaken!' riep hij telkens weer. 'God bescherme je!'

Hoe meer ik over Luul hoorde, hoe duidelijker het me werd dat hij een sterk karakter en een taaie wil had. Deze man had situaties doorstaan die ik nooit overleefd zou hebben. Luul kwam zo onhandig en onzeker over als een bang konijntje, maar schijn bedroog. In werkelijkheid had hij het hart van een tijger, en wel van een heel grappige tijger die steeds kleurrijker en beheerster praatte, naarmate hij langer aan het woord was. Ik had het gevoel of Luul er jarenlang op had gewacht om me zijn verhaal te vertellen. Zijn moment was nu aangebroken.

'Waarmee kan ik jullie van dienst zijn?' vroeg de ober, maar Luul wist niet wat hij moest zeggen. Hij kende niet een van de gerechten op de kaart omdat hij nog nooit in zijn leven in een pizzeria was geweest. Hij had vast wel eens pasta gegeten, maar *Carbonara*, *Bolognese* en *Margherita* waren voor hem een verzameling zinloze lettergrepen, ook al stonden ze op het menu in Amhaarse letters gedrukt. Toch wendde de ober zich uitsluitend tot Luul, want als in Ethiopië een man en een vrouw samen op stap zijn, is het de man die verantwoordelijk is voor alle vragen, antwoorden en bestellingen.

Toch zei ik in zijn plaats: 'Hij weet het nog niet. Hij kent de namen niet.'

De ober liet zich niet uit het veld slaan. 'En wat wil zij?' vroeg hij aan Luul en wees op mij. Ik denk dat ik het soms best moeilijk zou hebben als ik voor altijd in Ethiopië zou zijn.

Toen de ober eindelijk tevreden met onze bestelling vertrok, begon Luul over zijn odyssee te vertellen. 'Ik was drieëntwintig toen ik uit Addis Abeba moest vluchten omdat de Ethiopiërs na hun nederlaag tegen Eritrea alle Eritreeërs uit het land verdreven. Ik werd bij hen als Eritreeër beschouwd omdat papa Eritrees is. Ik wilde naar zijn broer Haile vluchten, mijn oom in Khartoem. Ik ben te voet op weg gegaan en was een week lang onderweg. Maar vlak over de grens kregen Soedanese politieagenten me te pakken, die me de hele nacht sloegen alsof ik een schurftige hond was omdat ik niet kon bewijzen wie ik was. Ik had namelijk geen paspoort. Ze lieten me gaan toen ze me niets meer afhandig konden maken. Haile kwam me te hulp. Ik kon bij hem wonen, in zijn kasteel in Khartoem.'

Ik viel Luul in de rede: 'Net als bij mij! Haile heeft ook mij en mijn zussen gered. Hij is het beste familielid dat we hebben.'

Ik moest giechelen over Luuls opmerking over het kasteel. Haile woonde indertijd in een huis in onderhuur met vijf of zes kamers, een sobere betonnen doos uit de jaren zestig. En dat was volgens Luul al een kasteel?

'Haile showde me als een aapje aan een Egyptisch familielid van hem,' ging Luul verder. Dat was de eigenaresse van het 'kasteel', bij wie onze oom had gewoond. 'Hij vertelde haar dat ik Ghebrehiwets zoon was. Ze gaf me te eten en te drinken en ik dacht dat ik er veilig was. Maar toen ik de volgende dag alleen naar haar toe ging, dreigde ze me met een pak slaag en joeg ze me weg.

Toch kon ik wel werken in Khartoem. Ik sjouwde zakken op een bouwterrein. Haile onderhield voortdurend contact met Ghebrehiwet. Ik heb zelfs een paar keer met papa gebeld, via het Rode Kruis, waar Haile werkte. Papa zei tegen me dat hij me naar Duitsland zou halen. Dat was mijn grote hoop – Duitsland! Europa! Daar zou ik niet zo hard hoeven te werken, beloofde hij me, daar had ik een woning, daar was genoeg water, ook heet water en heel veel te eten. Als ik flink werkte kon ik zelfs een auto kopen, een Volkswagen!

Papa schreef me dat hij me niet uit Soedan kon halen, maar alleen uit Kenia. Ik moest daarheen reizen, naar een vriend van hem, en hij zou me er afhalen of ervoor zorgen dat ik een ticket naar Duitsland kreeg. Hij stuurde me geld voor de reis naar Nairobi.'

Mijn handpalmen werden vochtig van opwinding. Toen, het moet rond 1992 of 1993 zijn geweest, was ik allang in Duitsland, al meer dan vijf jaar. Ik was het huis uit en had stevige ruzie met mijn vader. Een grote broer, die me dingen uitlegde en me steunde, had ik goed kunnen gebruiken.

Waarom was het niet gelukt met Luuls geplande reis naar Duitsland, waar ik toen geen flauw idee van had? Hoe had ik het moeten
weten – ik wist immers niet eens dat ik überhaupt een grote broer
had...

'Van het geld van papa en van wat ik had verdiend kocht ik op de
zwarte markt een paspoort en nam ik het vliegtuig naar Kenia. Ik
ontmoette Ghebrehiwets vriend en kon bij hem logeren. Voor één
dag, maar er kwam geen telefoontje. Ik logeerde er nog een dag en
weer geen telefoontje, geen post, geen bericht. Toen zette zijn
vriend me op straat. "Mijn huis is geen postkantoor," zei hij, "en ik
ben geen postbeambte." Eerst leefde ik nog van de rest van het geld
dat papa me had gestuurd, maar dat was snel op en toen moest ik
op straat slapen, op een stuk karton in een rustig hoekje helemaal
aan de rand van de stad, want in de stad zou het te gevaarlijk zijn
geweest. Daar waren overal bendes, die iedereen overvielen die buiten sliep. Sommigen hadden immers nog een paar bij elkaar gebe-
delde munten bij zich of iets te eten.

Algauw had ik zelfs niets meer te bikken. Ik ging elke dag te voet
naar de stad, maar er was nog steeds geen nieuws. Als ik niet wilde
verhongeren, bleef er niets anders over dan werk te zoeken. Ik vond
iets in een restaurant. Daar maakte ik de keuken schoon, waste af,
ruimde het vuilnis op, deed inkopen – je kunt me beter vragen wat
ik daar níet deed, dat kan ik sneller vertellen dan wat ik moest doen.
In ruil kreeg ik te eten en vijfentwintig Keniaanse shilling per dag.
Nu is dat nog geen dertig eurocent, maar toen kon je er net een
maaltijd van kopen. Ik ging nog steeds elke dag naar de rand van de
stad om daar te slapen. Ik gaf nauwelijks iets uit en zo kon ik geld
sparen. Maar dat geld had ik niet lang doordat ik bestolen werd,
nota bene door politieagenten! Ze schopten me wakker en pakten
me alles af. Ze dreigden dat ze me zouden opsluiten als ik me verzette. Foute boel, daar in Kenia!'

Luul rolde bij zulke beschrijvingen met zijn ogen, draaide zijn
hoofd om en huiverde alsof de verschrikkingen van de situatie hem
pas nu als een wild geworden leeuw besprongen. Maar het ergste
moest nog komen.

'Ik zei tegen de agenten dat ik officieel in Kenia was en liet ze
mijn paspoort zien. Ik hoopte dat ze niet zouden zien dat het ver-

valst was. De agenten keken niet eens naar het identiteitsbewijs, maar verscheurden het voor mijn ogen. "Zo," zeiden ze, "en wat doe je nu? Waar zijn je papieren?!" Bij hen betekenden documenten niets, alleen geld was belangrijk, om ze om te kopen. En dat hadden ze me afgepakt.

Zo ging het een paar keer. Telkens als ik geld had verdiend, pakten de agenten het me weer af. Ze zaten er gewoon op te wachten om me te kunnen plukken. Dus werd ik voorzichtiger, rolde het geld klein op en schoof het elke nacht in mijn achterste. Dat leek me de veiligste plek. Ik had mijn achterste nog nooit zo veilig gevonden.

Na bijna twee jaar had ik een paar biljetten bij elkaar, maar er was nog steeds geen nieuws van papa. Ik dacht dat er misschien iets tussen was gekomen en bleef wachten. Ik wist zijn telefoonnummer niet en een telefoontje naar Duitsland kon ik me niet permitteren. Ik informeerde bij het postkantoor – een minuut bellen kostte meer dan ik op een dag met veertien uur werken verdiende. Dus ging ik bijna elke dag naar papa's vriend om navraag te doen, maar er was nooit nieuws.

Op een nacht kwamen de agenten weer naar me toe om me te controleren. Ze sloegen me omdat ik geen geld bij me had. De klappen waren het ergste niet, die was ik van Ghebrehiwet wel gewend, die sloeg me als kind altijd. En in het leger werd ik ook geslagen. Maar het was erger dat ze me meenamen naar het bureau en het geld daar uit mijn gat visten. Ze hielden het en toen ik me erover beklaagde, kreeg ik nog meer slaag en gooiden ze me de straat op. Ik kon bij niemand een klacht indienen omdat ik immers geen papieren had, geen geld, niks. Politieagenten in Kenia zijn net zulke criminelen als de gewone misdadigers op straat.'

Luul trommelde op tafel alsof hij zijn uitspraak kracht wilde bijzetten. Ik moest lachen en dat maakte hem onzeker, maar het beeld dat ik voor me zag was te grappig: misdadigers in uniform, die mijn arme broers zuurverdiende geld uit zijn achterste visten! Ik had het vast nog komischer gevonden als het niet zo'n treurig voorbeeld van ambtelijke willekeur en van verval van het staatsgezag in Afrika was geweest, want Luuls ervaringen waren geen uitzondering. De eerste vraag die bijna alle Afrikanen zichzelf stellen als ze iemand in uniform tegenkomen, is wat hij van hen zou kunnen aftroggelen, stelen of op andere wijze illegaal afnemen; pas in tweede instantie vragen ze zichzelf af of ze iets verkeerd hebben gedaan of de wet hebben overtreden.

Luul pakte de draad weer op. 'Na dat voorval besloot ik terug te keren naar Addis Abeba. Omdat ik geen geld had moest ik gaan lopen, want alle chauffeurs wilden me alleen tegen contante betaling meenemen. Dat is normaal bij ons. Niemand laat een onbekende voor niets instappen. Dus liep ik in zes dagen de bergen over. Telkens weer kwamen mijn moeder en mijn vader me tegemoet, midden op straat. Dat waren hersenschimmen door de honger. 's Nachts had ik graag geslapen om dan in elk geval mijn maag niet te voelen. Gelukkig was ik daarvóór al dun. Dikke mensen overleven zoiets niet.

Omdat er in de bergen wilde dieren zijn, moest ik tijdens het donker in bomen slapen. Ik probeerde altijd een plek te vinden waar ik voor en achter me een tak had. Als ik insliep en vooroverviel ving de ene tak me op, als ik achteroverviel de andere. Beneden waren hyena's, leeuwen, alle wilde dieren van ons land. Maar het was Gods wil dat ik niet naar beneden viel en het overleefde.

Pas nadat ik de Ethiopische grens over was, ging het beter met me. Herders gaven me een beker kamelenmelk. Mijn mond was zo droog en mijn maag zo samengetrokken dat ik bijna niets door mijn keel kreeg, terwijl ik bijna omkwam van honger en dorst. Ik kon maar een paar piepkleine slokjes naar binnen krijgen. Die kamelenmelk heeft me het leven gered.

Later ging ik naar Ādī K'eyih terug, omdat mijn moeder daar woonde. Het leven was er echter niet best, er heersten honger en angst voor nieuwe oorlogen. De Eritreeërs maakten zich zorgen om hun vrijheid, net zoals nu, en de Shabia zocht in het wilde weg naar soldaten – net zoals nu.'

Shabia was de populaire benaming voor het EPLF, dat niet alleen de Ethiopische regeringstroepen had overwonnen, maar ook het concurrerende ELF, waar mijn vader me als klein aankomend soldaatje naartoe had gestuurd. Toen Luul naar Ādī K'eyih kwam was het ELF allang in de pan gehakt en waren de laatste aanhangers ervan naar Soedan gevlucht. De Shabia was echter regeringspartij en was voortdurend op zoek naar soldaten om haar pasgestichte staat te verdedigen.

'Ze namen toen iedereen mee uit Ādī K'eyih, echt iedereen,' herinnerde Luul zich. 'Jonge mensen, oude mensen, zelfs mijn opa moest gaan vechten. Een bruid werd meteen na haar bruiloftsfeest afgehaald, vooruit, naar het front in plaats van het huwelijksbed in, dat was onmenselijk! Alleen mij namen ze niet mee omdat ik er na al mijn hongertochten uitzag als een skelet.

"We komen volgend jaar terug," zeiden ze tegen mij, "als je weer wat vlees op je botten hebt." Ze waren bang dat ik bij het leger zou verhongeren. Of alles zou opeten omdat ik heel wat had in te halen. Terwijl ze best militair voordeel aan mij zouden hebben gehad, ik was toen namelijk zo dun dat geen kogel me ooit geraakt had.'

De honger tekende Luul nog steeds, dacht ik. Zijn gelaatstrekken waren te scherp voor zijn leeftijd, zijn hoofd te knokig, zijn armen, zijn benen, alles aan hem was nog altijd te dun. En hij kon nog steeds niet goed eten. Het bord spaghetti voor hem kwam maar niet op, hoewel hij zijn verhaal telkens weer onderbrak om een hap te nemen. Dat waren piepkleine hapjes, ook al zagen ze er voor zijn mond enorm uit. Mensen die nooit honger hebben geleden, denken dat mensen die honger hebben heel veel eten als ze iets te eten krijgen, maar het tegendeel is waar. Als je echt honger hebt geleden, dat weet ik uit ervaring, heb je jaren nodig om weer normaal te leren eten.

'De ontberingen verdreven me ten slotte uit de bergen,' ging Luul na zijn laatste hapje verder. 'Ik wilde weer vluchten, ditmaal rechtstreeks naar Europa, naar mijn vader. Dat was mijn droomdoel. Ik wilde met de boot gaan, want een vliegticket kon ik me niet permitteren en een visum voor een Europees land had ik niet. Waar had ik het ook in moeten laten zetten? Ik bezat niet eens een verlopen paspoort. En wat nog erger was, ik had geen geld om er een te kopen. Ik wilde via de Rode Zee naar Egypte vluchten en van daaruit door het Suezkanaal naar Europa. Via Nairobi wist ik Dar es Salaam in Tanzania te bereiken. Met vier andere Eritreeërs kwam ik tot de haven, waar een vluchtelingenschip lag, dat wisten we. Maar we waren te laat, we waren te lang in de stad gebleven. We waren stomweg te laat.

Het was een enorme chaos bij de afvaart van het schip, veel mensen wilden nog op het allerlaatste moment aan boord. De vier anderen met wie ik was lukte het, maar ik bleef aan land achter. Ik had er de pest over in, wat was ik verdrietig! Maar later bleek dat ik blij mocht zijn. Toen hoorde ik namelijk dat ze alle vier in zee terecht waren gekomen en waren verdronken. De Chinese matrozen hadden de verstekelingen ontdekt en overboord gezet. Dat vond ik niet zo mooi.'

'O Luul, Luul, hoe heb je het voor elkaar gekregen om de dood telkens weer op een haar na te slim af te zijn? Jouw beschermengel doet vast niet onder voor die van mij en overtreft die zelfs qua originele invallen,' zei ik, maar hij wimpelde het af alsof het allemaal niets betekende. Alsof wat hij vertelde niets bijzonders was. En dat terwijl het leven hem echt lelijk te grazen had genomen. Het leven had hem evenmin verwend als mij.

'Laten we niet gaan afwegen wie de ergste dingen heeft meegemaakt,' zei Luul. 'Niemand kan weten wie meer heeft moeten doorstaan. Dat bepaalt God wel tijdens het laatste oordeel.'

Luul kreeg het altijd weer voor elkaar een verhaal een verrassende wending te geven – ook al was het het laatste oordeel, waar ik op dat moment niet aan had gedacht. Ik merkte vooral dat we hetzelfde voelden. Zou ik dat durven uitspreken? Ik wist niet of Luul ontvankelijk was voor dat soort dingen, tenslotte kende ik mijn broer nauwelijks. Maar de gedachte kwam toch meteen over mijn lippen, want tegenover mensen die ik vertrouw kan ik maar zelden verbergen wat me beweegt. 'Hadden we het maar allemaal samen kunnen doormaken,' zei ik. 'Hadden we maar samen door het leven kunnen gaan, zodat we elkaar onze verhalen niet pas na dertig jaar hoefden te vertellen, alsof het de verhalen zijn van mensen die elkaar toevallig hebben ontmoet. Waren we maar als broer en zus opgegroeid.'

Het was eruit. Luul keek me aan zoals je iemand aankijkt die je aardig vindt, maar niet begrijpt. 'Maar we zíjn immers met elkaar opgegroeid,' zei hij vervolgens, 'we wisten het alleen niet, tot nu toe. Nu kan alleen de Almachtige zelf ons nog scheiden.'

Wat had mijn broer toch? Als een onzeker kind zat hij voor me. Als een opgeschoten, maar nog steeds klein jongetje, dat nog maar net was begonnen met zijn leven, zat hij daar en vertelde mij over zijn onvoorstelbare, kronkelige levensweg, die bij andere mensen genoeg was geweest voor drie levens. Terloops leukte hij zijn verhalen op met filosofische opmerkingen, waar ik nog uren over na zou moeten denken, dat wist ik al terwijl ik naar hem luisterde. Was Luul een kleine profeet van het gewone leven, een verlichte geest uit de sloppenwijk, een man van uit het leven gegrepen wijsheden?

'Yaldiyan en Tzegehana waren al die jaren bij elkaar en konden elkaar steunen,' zei ik zonder precies te weten waarom. Was ik jaloers op hen? 'Onze halfzusjes zijn opgegroeid als normale zussen.' Ik had 'halfzusjes' gezegd, wat ik anders nooit deed, maar nu wilde ik ineens onderscheid maken tussen hen en ons, want pas nu ik Luul had ontmoet, wist ik dat het verschil maakt of twee mensen volle broer en zus zijn of halfbroer en -zus. Dat het iets anders is om dezelfde vader én dezelfde moeder te hebben, dan alleen je vader of moeder te delen.

GELUK

Tot nu toe was alles wat Luul en mij was overkomen in twee volkomen verschillende werelden gebeurd, maar één ding hadden we wel gemeen: de extreme dingen die we hadden meegemaakt. Merkwaardig dat het uitgerekend bij ons tweeën, de kinderen van Adhanet en Ghebrehiwet, zo had moeten lopen. We hadden een heleboel halfbroers en -zusjes – waarom verliep hun leven niet zo extreem? Waarom groeiden zij allemaal bij hun echte broers en zussen op, waarom waren alleen Luul en ik al die jaren van elkaar gescheiden geweest? Was dat een vraag die alleen God, het lot, de voorzienigheid kon beantwoorden? Of lag het antwoord diep verborgen in onze ingewikkelde geschiedenissen?

Het was al laat in de avond toen ik met zulke gedachten terugkeerde in het hotel. Ik wilde alleen nog maar naar mijn kamer, maar dat bleek niet zo eenvoudig.

'Heb je hem gevonden?' schalde het me vanuit de receptie al van verre door de hele hal tegemoet. Dat was Abebe, een van de portiers die me de dag daarvoor hadden helpen zoeken naar het nummer van het bedrijf waar Luul werkte. Natuurlijk had ik hem in het verhaal van mijn zoektocht naar mijn broer moeten inwijden, anders was hij gebarsten van onbevredigde nieuwsgierigheid.

'Ja, Abebe,' riep ik terug, 'maar ik ben zo moe. Dat vertel ik je morgen wel!'

Daarmee had ik buiten de waard gerekend. Meteen schoot hij met twee van zijn collega's, die ook van mijn zoektocht hadden gehoord, achter de balie vandaan en er zat niets anders op dan gedetailleerd verslag uit te brengen: hoe zag Luul eruit? Was hij echt mijn broer? Leek hij op mij? Herinnerde hij zich mij nog? Dat waren hun prangendste vragen en ik beantwoordde ze meteen.

Zelfs de manager van het hotel in zijn kamertje achter de receptie was door de ongewone drukte in de lobby uit zijn rust opgeschrikt. Met uitgestrekte armen kwam hij aangerend. Hij feliciteerde me uitgebreid met mijn nieuwe broer en wilde meteen weten wat mijn eerste gedachte was geweest toen ik Luul ontmoette. Dat was geen eenvoudige vraag! Moest ik deze wildvreemde man nu vertellen dat ik me als eerste had afgevraagd hoe Luul zijn tanden schoonmaakte? Om hem niet op het verkeerde spoor te zetten, vertrouwde ik hem dus liever mijn tweede gedachte toe: 'Ik dacht meteen: Senait, dat is je broer!'

Met dat antwoord nam de man geen genoegen. 'En toen? Wat gebeurde er toen?'

'Ik was in de war en wist niet of ik het heet of koud had. Of ik moest huilen of lachen. Of ik honger had of niet. Het was één grote chaos in me. Pas toen ik zijn omhelzing voelde, was het weer goed.'

Op dat antwoord reageerde de manager door tevreden met zijn tong te klakken, daar kon hij iets mee. 'Heel goed,' zei hij, 'we zijn allemaal blij voor je, Senait.'

Eigenlijk wilde ik nog graag even aan de bar gaan zitten, maar omdat daar alleen hoeren en dronken Scandinavische vn-functionarissen zaten, besloot ik naar boven te gaan, naar mijn kamer. Daar stapte ik het balkon op en zoog de koele, frisse nachtlucht in, die rond die tijd uit de omliggende bergen Addis binnenstroomde. In de verte riep de muezzin op tot het avondgebed; de omtrekken van zwarte, onverlichte flats tekenden zich onwerkelijk af tegen de door sterren helverlichte hemel. Onder me lag het zwembad, enigszins aan het zicht onttrokken door palmen. Ineens stroomde er een warme, zachte golf door me heen, iets wat ik haast nog nooit had meegemaakt, áls ik het ooit had meegemaakt. Wat was het?

Ik bleef me nog een tijdje vasthouden aan dat gevoel, omdat het me zo goeddeed. Dat, dacht ik, was nou geluk.

HUWELIJKSPLANNEN

De volgende dag kwam Luul meteen 's ochtends naar het hotel. Hij zei dat hij niet hoefde te werken, maar ik denk dat hij gewoon niet naar zijn werk ging; hij werkte als hulpje bij een bouwbedrijf. Dat is in Afrika niets bijzonders. Wie niet op zijn werk verschijnt, is er gewoon niet en krijgt ook geen geld. Opzegtermijnen, ziekteverklaringen of vermaningen zijn onbekend omdat zulke simpele dienstbetrekkingen als die van Luul toch al heel los zijn. Als de werknemer geen zin meer heeft komt hij niet meer en als de chef geen zin meer heeft zet hij zijn werknemer op straat, waar die in de meeste gevallen toch al vandaan komt.

Luul kon deze dagen onmogelijk gaan werken want zijn werk bleef er wel, maar zijn zus was er maar een week. Luul wist ook dat het geld dat hij verdiende – ongeveer vijfentwintig euro per maand – een schijntje was vergeleken met wat ik hem kon geven. Dat ik dat zou doen, stond voor hem evenzeer buiten kijf als voor mij. In Afrika staan familieleden elkaar bij en dat betekent dat degene die meer heeft de familieleden die minder hebben iets geeft. Wie dat niet doet verspeelt het recht zich een familielid te noemen en wordt door zijn familieleden verstoten. Die regel geldt niet alleen voor broers en zussen, ouders en kinderen, maar tevens voor veel verdere bloedverwanten als ooms, tantes, neven, nichten en ook achterneven en achternichten – trappen van bloedverwantschap waaraan in Duitsland geen enkele waarde wordt gehecht.

We gingen dus bij het zwembad zitten en bestelden vrolijk gekleurde vruchtensapcocktails, die zo groot waren dat Luuls gezicht bijna verdween tussen de stukken ananas en papaja, de bontgekleurde papieren parasolletjes en de rietjes, en we praatten over de toekomst.

'Luul, wil jij een gezin?'

Die vraag bracht hem echt in verlegenheid. 'Tja,' zei hij, 'ik weet het niet... Eigenlijk wel... Het is nog niet zeker.'

Daar nam ik geen genoegen mee, want ik ben ook een nieuwsgierige Afrikaanse. 'Vooruit, zeg op, Luul, heb je een vriendin?'

Nu moest Luul met de billen bloot en toegeven dat hij verloofd was. Ik barstte bijna van nieuwsgierigheid. 'Hoe heet ze? Hoe ziet ze eruit? Heb je een foto?'

Die had hij natuurlijk niet. Ze heette Seble en Luul beloofde me binnenkort aan haar voor te stellen. Ze werkte als naaister en was nog nooit getrouwd geweest. Met andere woorden, ze was maagd, net als Luul, die zonder duidelijke huwelijksplannen nooit een relatie zou zijn begonnen. Die nooit met een vrouw naar bed zou gaan, voor hij met haar getrouwd was. Die ook nog nooit met een vrouw naar bed was geweest. Dat hoefde hij me niet te vertellen, dat wist ik zo ook wel.

In Eritrea is dat anders, daar zijn de mensen niet zo traditioneel, behalve op het platteland. In Eritrea heeft iedereen seks voor het huwelijk. Hier in Ethiopië ging dat niet zo, of alleen in de grote steden en vooral in Addis Abeba, maar ook daar alleen binnen een kleine laag van de bevolking. Hier had je immers zelfs prostituees en ook discotheken, waar mannen vrouwen konden aanspreken. Maar Luul zou nooit naar zulke gelegenheden gaan, dat had hij de dag daarvoor al gezegd. Vanwege de vrouwen en vanwege de alcohol die daar wordt geschonken – nog afgezien van het feit dat een avond in een dergelijke gelegenheid een maandloon kostte.

Maar er was nog één probleem voordat Luul zijn verloofde een fatsoenlijk huwelijksaanzoek kon doen: hij had geen huis. Waar moesten hij en Seble na het huwelijk wonen? Waar moest hij haar mee naartoe nemen? Naar Ethiopische opvattingen moet een man zijn vrouw een huis aanbieden waar ze zonder zorgen kan wonen en ze zich alleen met het huishouden kan bezighouden. Luul kon zich in de verste verte geen huis veroorloven, net zomin als een gezin onderhouden.

Zijn enige troost was dat hij niet de enige was. Miljoenen Ethiopische mannen hebben geen huis en kunnen geen gezin onderhouden, en toch trouwen ze. En met wat voor vrouwen? Meestal met vrouwen die even arm zijn als zijzelf en dus niets te verliezen hebben als ze met een onbemiddelde man trouwen. Maar zo zat het in Sebles geval kennelijk niet, want zij had immers een vak geleerd, dat ze zelfs uitoefende. Ze stond er beter voor dan de heerscharen van armen, hongerlijders en daklozen die dagelijks de straten van de stad overspoelden.

Dus moest Luul er iets op verzinnen, want met zijn kippenhok van een huis ging het niet. Misschien kon hij eerst eens een echt huis gaan huren? Maar van welk geld? Ik gaf hem vijfhonderd euro, dat was alles wat ik op dat moment bij me had.

Luul was aan de ene kant overdonderd, want dat was een enorm bedrag voor hem. 'Nu hoef ik twee jaar niet te werken,' zei hij en hij grijnsde van oor tot oor, tot hij merkte dat ik hem een beetje streng aankeek. 'Natuurlijk blijf ik wel werken,' voegde hij er schuldbewust aan toe, 'want ik moet sparen voor een huis.' Aan de andere kant nam hij het geld geroutineerd aan, hoewel hij geen routine had in het aannemen van geld; hij had in zijn leven immers haast nog nooit geld gekregen. Maar hij wist dat hij er recht op had, omdat ik zijn zus was en een beetje geld had.

Het kon hem helpen door te gaan op de ingeslagen weg. Hij was weliswaar verloofd met zijn vriendin, maar dat was niet bindend en betekende nog weinig. Nu moest hij drie mannelijke vrienden als boodschappers naar de familie van zijn aanbedene sturen. Die drie bemiddelaars moesten voor hem als potentiële huwelijkskandidaat naar de hand van de dochter des huizes dingen. Daarvoor moesten Luuls bemiddelaars iets kunnen laten zien: de bruidegom moest een beroep hebben, in elk geval een huis, en hij moest uit een goede familie komen.

Als hij die drie er al op uit had gestuurd, had Luul hoog spel gespeeld, want hij kon nog niet veel laten zien: hij werkte als laaggeplaatst hulpje en verdiende daar niet veel mee, zijn woning was een donker hol dat uit één kamer bestond en wat hij aan familie bezat kon je nauwelijks zo noemen – ze lagen met elkaar overhoop, waren verspreid over Ethiopië, Eritrea en Duitsland, zijn moeder was dood, zijn vader niet bijster welwillend en dan had hij nog een heleboel halfzussen en halfbroers met wie hij geen contact had.

Zijn weinige troeven waren snel opgesomd: hij was een brave jongen, hij dronk niet en hij ging 's zondags naar de kerk. Het was allesbehalve zeker of dat voldoende zou zijn voor Sebles familie. Je kon er eigenlijk donder op zeggen dat het hun te min zou zijn. Maar Luuls troeven namen toe, in elk geval een beetje, want nu had hij mij. Nu kon hij verwijzen naar zijn zus, zijn rijke zus uit Duitsland, die hem steunde. Dat ik ook zo arm was als een kerkrat speelde in Afrika geen rol, want zelfs een kerkrat was daar rijk, als de kerk maar midden in Duitsland stond.

Misschien kon hij het er nu op wagen zijn bodes erop uit te sturen. Sebles familie zou zeker niet meteen een besluit nemen, daarvoor beschikten ze over te weinig informatie. Als ze de bodes echter niet meteen bij hun eerste bezoek de deur wezen, was er in elk geval hoop. Dan konden de drie nog eens op pad gaan. Maar die tweede keer mocht Luul ze er niet met lege handen op uitsturen, dan moesten ze geschenken meenemen: levensmiddelen, koffie, misschien een mooi schilderij. Of een pan, een koffiekan, iets praktisch. Een symbool dat betekende: Luul heeft echt belangstelling voor Seble en hij heeft er iets voor over.

Er was een aantal van dit soort bezoeken nodig voor de familie zou besluiten Luul zelf te ontvangen. Mocht dat goed verlopen, dan kon de rest afgesproken worden: de dag van de bruiloft, de hoogte van de bruidsschat, het bruiloftsfeest en heel belangrijk: de betaling daarvan. En ten slotte de plek waar bruid en bruidegom gingen wonen.

Luul wist maar al te goed dat er in dit geval een hele reeks bijna onoplosbare opgaven op hem af zouden komen, maar hij was bereid om die weg te gaan. Hij wist alleen nog niet zo goed waar hij moest beginnen. Maar misschien hadden we vandaag een begin gemaakt...

De allereerste stap was echter het huwelijksaanzoek dat Luul zijn verloofde zelf moest doen. 'Hoe vraag je haar of ze met je wil trouwen?' wilde ik van hem weten.

Luul giechelde en weer kwam zijn bijna maagdelijke verlegenheid tevoorschijn. 'Dan zou ik zeggen: we kennen elkaar al heel lang. Je bent een hele goede vriendin voor me geweest, maar mijn gevoelens stijgen daar ver bovenuit. Omdat ik van je hou en je een prachtige vrouw bent, wil ik oud met je worden. Daarom wil ik je vragen: wil je mijn vrouw worden?'

Dat vond ik niet eens zo slecht om mee te beginnen – wat had ik graag een man gehad die mij zo'n aanzoek deed. Maar hoe zou Seble reageren?

'Wat doe je als ze nee zegt?'

Luul keek me onthutst aan, maar toen gaf hij toe: 'Daar heb ik ook aan gedacht. Daar heb ik al honderd keer over nagedacht. Ik denk dat ik dan maar onopvallend giechel en zo snel mogelijk verdwijn en mijn geluk ergens anders ga beproeven.'

Dat was natuurlijk niet zo handig als je iemand per se de jouwe wilde maken, maar het was in elk geval een oplossing als alles zou mislopen.

GEEN OPWINDING A.U.B.

Een belangrijke sleutel voor mijn broers succes als vrijer was zijn oom Tsegeab, die natuurlijk ook mijn oom was. Hij was de broer van onze moeder, het hoofd van wat er over was van de familie die mijn moeder in Addis Abeba had achtergelaten. Tsegeab was een invloedrijk man omdat hij de belangen van Eritreeërs in Ethiopië behartigde. Hij had een academische titel, een huis – weliswaar slechts gehuurd – een vrouw en ook een dienstmeisje. Met hem kon je dus voor de dag komen en ogenschijnlijk was hij erg geschikt als schoonvader. Er was slechts één maar: hij was Luuls scherpste criticus en liet kennelijk geen spaan van hem heel.

'Ik wil graag naar Tsegeab toe,' zei ik spontaan, toen Luul me over hem vertelde. 'Hij weet vast veel over de familie.'

Aan Luuls reactie merkte ik dat dat voor hem allesbehalve eenvoudig was. 'Dat gaat nu niet,' legde hij me uit, 'onze oom heeft suikerziekte.'

Dat begreep ik niet. 'En daarom kunnen wij hem niet opzoeken? Ligt hij in het ziekenhuis?'

'Nee, hij is thuis, maar hij mag zich niet opwinden.'

'Waarom zou hij zich opwinden?'

Zo kwam aan het licht dat Luul degene was waar onze oom zich het liefst over opwond. Waarom dat zo was begreep ik niet, maar het was goed om te weten, want hier kon ik wat mee. De eerste die ik op ons bezoek moest voorbereiden was dus niet onze oom, maar Luul. 'We gaan er samen heen,' zei ik, 'ik laat niet toe dat je wordt beledigd. We zijn nu broer en zus.'

Daarop vertelde Luul van de dreigementen die oom Tsegeab tegen hem had geuit: dat hij hem een schop zou geven zodat hij iets van zijn leven zou gaan maken. Dat Luul de schande van de familie was, die hij nog een keer van de aardbodem zou wegvagen en meer van dat soort dingen. Dat maakte me nog nieuwsgieriger naar Tsegeab. Was dat net zo'n schreeuwlelijk als onze vader, ook al waren ze geen familie van elkaar?

Diezelfde dag lukte het echter niet meer af te spreken met Tsegeab. Luul moest er eerst een nachtje over slapen en wennen aan de gedachte dat hij onze oom moest opbellen. In plaats daarvan besloten we een kijkje in de stad te nemen. Luul wilde me Addis laten zien. Dat was niet eenvoudig, want in Addis wonen weliswaar circa vijf miljoen mensen en de stad strekt zich uit over een bijna oneindige keten van heuvelruggen en dalen en over een uitgestrekte vlakte, maar hij heeft slechts weinig bezienswaardigheden in de gebruikelijke betekenis van het woord. Volgens Luul waren dat alleen de kathedraal van de Heilige Drie-eenheid, waar ik al was geweest, het Nationaal Museum en het presidentiële paleis, dat alleen van buiten, als je er met de auto langsreed, bezichtigd kon worden. Aan alle andere dingen – de kerken, de moskeeën, de paleizen uit de koloniale tijd, de oude handelshuizen aan het Piazza, zoals het gebied rond de belangrijkste winkelstraten in het centrum heet, de markten, de vele pleinen, de parken – hoefde je volgens Luul geen aandacht te schenken. 'Het is een prachtige stad,' zei hij, 'ik hou van Addis. Maar wat moeten we hier gaan bekijken?'

Dus kozen we het Nationaal Museum. Daar bezochten we Lucy, een van de eerste mensen op de wereld. Haar skelet was in 1974 in een verre uithoek van Ethiopië opgegraven – op het moment dat in het kamp van de archeologen de Beatles te horen waren en wel het nummer 'Lucy in the Sky with Diamonds', vandaar haar naam. Vol verbazing stonden we voor de kleine glazen vitrine met het piepkleine, 3,2 miljoen jaar oude skelet. Het meisje was maar iets langer dan een meter geweest en had niet meer dan dertig kilo gewogen. Hoe klein ze ook was, haar betekenis voor het onderzoek naar de geschiedenis van de mensheid was groot: Lucy had het bewijs geleverd dat het menselijk leven in Afrika was ontstaan en dat de mens al rechtop liep voor zijn hersenen zich echt ontwikkeld hadden. Lucy liep in elk geval op twee benen, maar naar haar kleine hoofdje te oordelen was haar denkniveau niet al te hoog. Mijn respect groeide naarmate we meer over Lucy te weten kwamen en ook Luul kon zich niet aan de fascinatie van de vondst onttrekken – tot ik las dat het tentoongestelde skelet slechts een reconstructie was. De echte beenderen lagen weliswaar in hetzelfde gebouw, maar in het archief.

'Dat is bedrog,' vond Luul. 'Wij betalen nota bene entree en krijgen niet eens het origineel te zien.'

Was hij echt nijdig of speelde hij maar toneel? Voor hij een van de onvriendelijk kijkende bewakers kon bedreigen, sleepte ik hem het museum alweer uit. De representatieve verzameling aardewerk, leer en houtsnijwerk op de volgende etage had hij waarschijnlijk niet zo erg interessant gevonden.

HALLOWEEN

's Avonds aten Luul en ik in het restaurant van het hotel. Luul, die nog nooit in zo'n soort hotel was geweest, keek overal met open mond naar. Afgezien van de restaurants waar hij had gewerkt, had Luul bijna nooit een restaurant bezocht. Hij had ook nog nooit met mes en vork gegeten, omdat dat bij ons niet gebruikelijk is, en dat je voor wijn andere glazen had dan voor water, daar kon hij niet over uit. Het meest vielen de toiletten in het hotel hem op. 'Heb je dat gezien?' vroeg hij vrolijk. 'Er loopt vanzelf stromend water doorheen en dat is zo schoon dat je het zou kunnen drinken.'

Die avond lagen er op de tafels zwart-wit gestreepte tafellakens in zebralook, de serveersters droegen hoge, zwarte en heel spitse hoedjes bij hun zwarte jurken, waar merkwaardige geheime tekens op stonden en op het buffet flakkerden kaarsen in uitgeholde pompoenen. Kennelijk was het vandaag Halloween!

Dat was het laatste wat ik midden in Ethiopië had verwacht, waar dit Amerikaanse feest volslagen onbekend was. Maar het hotel was van een Amerikaanse hotelketen en zulke ondernemingen maken tussen de verschillende landen waar hun hotels staan weinig onderscheid.

Luul en ik kregen niet de prettige rillingen bij het zien van de uitgeholde pompoenen, maar voelden simpelweg afkeer. We hadden allebei in onze jeugd eindeloos vaak pompoen moeten eten, ik vooral tijdens mijn tijd bij het ELF. We hadden pompoen als saus gekregen, gedroogd, als soep, als dunne drank, om op de *enjera* te doen, keihard geworden resten – pompoen was vaak het enige eetbare wat we nog hadden. Daarom moesten we die prut ondanks al onze afkeer naar binnen werken, anders waren we gewoon verhongerd. Een blik op de menukaart leerde dat we nu weer pompoen moesten eten, ook al was het samen met zalmtartaar, eendenborst, fijngesneden rundfilet en andere dingen met namen die Luul van zijn leven nog nooit had gehoord!

Tot mijn verbazing liet Luul zich door het de kouwe drukte van een zesgangenmenu niet uit het veld slaan. Hij probeerde de amuse, rolde de kleine balletjes kaviaar onderzoekend tussen zijn dunne vingers en was verbaasd toen ik aankondigde dat we na de heldere runderbouillon nog meer gerechten konden verwachten.

'Jullie Europeanen eten maar raak,' zei hij goedgehumeurd, maar ook een beetje kritisch, en ik kon niet anders dan hem enigszins gegeneerd gelijk geven. Ik had hem tenslotte voor dit eten uitgenodigd, omdat ik dacht dat hij het misschien wel leuk zou vinden. En dat terwijl ik diep vanbinnen wist dat hij liever gewoon eten had gehad, dat hij kende. Wat bezielde me? Wilde ik hem de voordelen van de Europese keuken bijbrengen? Wilde ik hem laten zien dat ik me in die cultuur thuis voelde? Maar waar voelde ik me eigenlijk thuis?

Luul liet zich door alle vreemde dingen niet van de wijs brengen. Dapper waagde hij zich aan een bloederige steak en keek met grote ogen naar de broos geconstrueerde laagjes gebak boven de *mousse au chocolat*. Alleen de zeevruchten wees hij ronduit af, want garnalen en calamaris hadden bij mijn landgenoten om onverklaarbare redenen een uiterst slechte reputatie – hoewel bijna niemand ze zelf ooit had gezien. Het meest ingenomen was Luul met de baguette met boter en met de pepermuntthee uit een theezakje. De rest van het eten, waarvan hij alleen had geproefd en dat hij weinig vakkundig had aangesneden, brachten de in het zwart geklede dames stug glimlachend na elke gang weer terug naar de keuken.

Op mijn vraag wat hij van het eten had gevonden, zei Luul alleen dat hij liever *enjera* had gehad. Ik was het lachend met hem eens. Dat we voor de prijs van onze maaltijd in de stad een half jaar lang elke dag *enjera* hadden kunnen eten, durfde ik niet tegen hem te zeggen; dat was zo bespottelijk dat ik het zelf nauwelijks kon bevatten en ook niet kon accepteren. Waarom stichtten Europeanen en Amerikanen hier midden in Afrika hun eigen kleine Amerikaanse en Europese rijkjes, waar alles zo moest zijn als thuis, wat echter op het Europese prijsniveau na toch niet werkte?

Ik was met Luul in dit restaurant verzeild geraakt zonder van tevoren te informeren wat hier voor welke prijs werd geboden, maar de andere gasten – bijna allemaal blanken die in Addis woonden – zaten hier omdat het stamgasten waren die een culinaire en culturele omgeving zochten die ze uit hun vaderland kenden. Het verbaasde me dat ze zonder blikken of blozen culinair zaten te genieten, terwijl een paar meter verderop mensen van een handvol graan per dag moesten leven – of zelfs van minder.

Het lukte me alleen mezelf te kalmeren met de gedachte dat de hele wereld zo in elkaar zat. Goed beschouwd maakte het geen verschil of het luxehotel waar de mensen zaten te smullen nu in Afrika of in Duitsland stond. De situatie van de mensen die honger hadden veranderde er niet door.

Innerlijk schudde ik mijn hoofd over de eigenaardige gedachten waarmee ik mezelf kon kalmeren...

GEZINSTOESTANDEN

Veel voedzamer dan garnalen, sausjes en *semifreddo* uit de keuken van het hotel waren Luuls verhalen over mijn familie. Liever gezegd: over ónze familie, maar dat was nog niet in volle omvang tot me doorgedrongen. Wat deed het me goed dat verhaal van iemand te horen die het door en door kende, omdat hij zelf een rol speelde in dat verhaal, in mijn verhaal, dat tegelijkertijd het zijne was.

En aldus had ons verhaal zich volgens Luul afgespeeld: onze moeder Adhanet was veertien of vijftien toen onze vader Ghebrehiwet haar in Ādī K'eyih in het Eritrese hoogland het hof maakte, waar hun beider families woonden. Mama vond hem hinderlijk. Ze wist niet precies wat hij voor iemand was en wat hij uitgerekend van haar wilde. Ze wist al helemaal niet waarom de bijna tien jaar oudere man haar zo brutaal aanstaarde. Dus ging ze naar haar vader toe en vertelde hem dat die vent haar op de zenuwen werkte. 'Die zoon van Mehari,' klaagde ze, 'verspert me de weg en is opdringerig.' Haar vader nam Ghebrehiwet daarop onder handen, waste hem de oren en bracht hem terug naar zijn familie.

Maar Ghebrehiwet was toen al niet bepaald verlegen. Hij bleef naar haar hand dingen, een half jaar lang, tot haar duidelijk werd dat ze niet om hem heen kon. Dus ging ze akkoord, evenals haar familie, en trouwden ze. Korte tijd later – het waren niet helemaal negen maanden, wat bijna een schandaal betekende – bracht Adhanet Luul ter wereld. Ze was toen vijftien, hoogstens zestien jaar oud, exact wist ze dat zelf ook niet. In elk geval kwam Luul niet te vroeg of te laat, maar prima op tijd naar de maatstaven van een Eritrees bergstadje.

Dit begin van het verhaal bracht me in de war. Oma Sifan had me twee jaar geleden verteld dat Adhanet vóór Luul al twee kinderen uit een eerder huwelijk had gehad. Had ze die verzonnen? Wist Luul daar niets van? Verwisselde Sifan, wier herinneringen niet altijd meer zo helder waren, Adhanet met een van haar andere dochters?

Ik vroeg het aan Luul maar hij ontkende het: nee, hij was de eerstgeborene. Bovendien zou Adhanet immers veel te jong zijn geweest om voor hem al twee kinderen te hebben gekregen. Dat overtuigde me en ik besloot Sifan ernaar te vragen als ik haar binnenkort in Ādī K'eyih bezocht.

Luul ging verder met het verhaal. Onze moeder werkte in een klein ziekenhuis. Papa was daarentegen een luilak, hij had geen regelmatig werk, zijn hele leven niet. Terwijl zijn vrouw voor de zieken kookte, organiseerde hij thuis illegale pokerwedstrijden, echt iets voor hem. Mama haatte dat. Ze wilde zijn pokermaten niet over de vloer hebben, ook niet vanwege de kleine Luul. Ze wilde met hem samenleven als een echt gezin, als vader, moeder en kind, zonder al die louche kerels die de hele dag in het enige vertrek van het huis rondhingen. Als het niet ophield, dreigde mama, zou ze zich van papa laten scheiden, wat ze ook al snel deed, met de volledige instemming van haar familie, die eveneens tot de conclusie was gekomen dat deze schoonzoon niet deugde.

Adhanet liet zich dus scheiden en ging met Luul naar Addis Abeba, waar een deel van haar familie vandaan kwam. Dat was toen nog geen probleem, want Ethiopië was vanuit Eritrea beschouwd geen vijandelijk land, maar het moederland, en Eritrea was niets anders dan de noordelijkste provincie van het land. Mama wilde afstand van papa nemen, want hij liet haar nog niet gaan. Ze wilde weg uit zijn invloedssfeer. Ze wist dat ze misschien weer zou bezwijken voor haar ex-man als ze te dicht bij hem in de buurt was.

De grote stad Addis leek onze moeder goed te doen. Ze begon er een nieuw leven en trouwde opnieuw. Onze vader belde haar nog steeds op, maar ze wilde niets meer van hem weten. Via vrienden hoorde de goochemerd echter van haar nieuwe huwelijk. Ze kreeg in de jaren daarop drie kinderen van haar nieuwe man. Ze heetten Grimai, Dawit en Genet.

Adhanet kon Luul kennelijk niet aan en Ghebrehiwet besloot hem bij zich in huis te nemen. Zo groeide hij op in het gezin dat onze vader intussen met Abrehet, zijn tweede vrouw, had gesticht. Zij was voor hem echter niet meer dan een surrogaat voor Adhanet. Een wraakactie omdat onze moeder hem had verlaten. Waarschijnlijk behandelde hij Abrehet daarom ook als voetveeg.

Luul maakte in Ādī K'eyih de geboorte van onze twee halfzusjes Yaldiyan en Tzegehana mee.

Korte tijd later liep het nieuwe huwelijk van onze moeder op de klippen, omdat haar schoonmoeder haar niet mocht. Ze dwong haar zoon van Adhanet te scheiden. Ik had altijd gehoord dat Adhanet hem had weggejaagd, maar zo gaat dat in Afrika nu bijna altijd: als twee mensen over een en dezelfde gebeurtenis vertellen, worden het al snel twee verschillende verhalen.

Wat ook de reden mocht zijn, mama's tweede huwelijk strandde toen de jongste dochter uit die verbintenis nog maar twee maanden oud was. De andere kinderen waren toen drie en vier. Luul vond dat Genet er precies zo uitzag als mama, 'heel blank', zei hij. Daarmee bedoelde hij dat ze een beetje lichter was dan hij, wat niet zo'n kunst was, want Luul is naar Ethiopische maatstaven best donker.

Papa was nog met Abrehet getrouwd, maar zodra hij hoorde dat mama's tweede huwelijk stukgelopen was, maakte hij haar meteen weer het hof. Als het ging om echtelijke trouw had hij totaal geen scrupules. Mama verzette zich eerst nog met hand en tand, maar papa gaf niet op. Zij werd zwakker en hij deed nog meer zijn best om haar voor zich te winnen. Ze hield natuurlijk nog steeds van hem, maar ze wist dat deze man haar te gronde zou richten. Toch was er geen houden meer aan: papa volgde mama naar Addis Abeba en deed haar voor de tweede keer een aanzoek.

Hij hoefde alleen maar tegen haar te zeggen dat ze nog steeds zijn grote liefde was of ze werd al zwak. Voor het eerst sinds jaren brachten onze ouders de nacht samen door, waardoor papa echtbreuk pleegde en mama zwanger werd. Het kind dat vanaf dat moment in haar buik groeide was ik.

Toen ik dat hoorde, sprongen de tranen me in de ogen. Ik wist weliswaar dat ik pas was verwekt toen mijn ouders niet meer samenleefden, maar ik had niet geweten hoe dramatisch mijn moeders situatie was geweest en dat ze tegen haar wil weer met mijn vader in zee was gegaan. Het was ook nieuw voor me dat mijn vader mijn moeder zijn leven lang had vereerd, zonder zich om moraal of gezinsomstandigheden te bekommeren. Pas nu hoorde ik dat ik in de extreemste situatie van die jarenlange wederzijdse afhankelijkheid was ontstaan. Zou daarin de reden voor mijn soms best extreme karakter liggen?

Die gedachte was nog maar net bij me opgekomen toen ik haar alweer verwierp. Toch maakte ze wel enige indruk op mijn onderbewuste dat maar al te gevoelig is voor dat soort gedachten: Senait als product van de ontmoeting van twee mensen die elkaar daarvoor of daarna nooit meer zo intensief, maar ook nooit meer zo vertwijfeld zouden ontmoeten.

De uitgangssituatie voor een nieuwe relatie tussen mijn ouders was uiterst slecht: papa was getrouwd en had al twee kinderen, namelijk Yaldiyan en Tzegehana, en mama had vier kinderen maar geen man en heel wat slechte ervaringen met mannen, die haar waarschijnlijk ook niet gemakkelijker in de omgang hadden gemaakt.

Na mijn geboorte had ze ook mij nog. Luul was toen ongeveer vijf en kon zich de komst van zijn nieuwe zusje nog goed herinneren. We leefden toen weer samen met onze moeder in Weleke, een dorp in de buurt van Addis Abeba, waar ik ter wereld kwam.

Mijn vork viel bijna in de sla, toen Luul dat vertelde. Had Sifan wat dat betreft toch de waarheid verteld? Tot op dat moment had ik haar correctie van mijn levensverhaal nog niet echt geaccepteerd: in mijn paspoort staat als geboorteplaats Asmara, de hoofdstad van Eritrea, en zo was het me daarvoor ook altijd verteld. Mijn moeder, zeiden ze altijd, was met mij in haar buik van Addis naar Asmara gereisd om daar met mijn vader te gaan samenwonen en ik was in Asmara ter wereld gekomen.

Niet alleen Sifan, ook Luul wist zeker dat dat niet het geval was. Toen onze moeder een paar maanden na mijn geboorte inderdaad met mij naar Asmara reisde omdat Ghebrehiwet haar weer eens had beloofd dat hij Abrehet zou verlaten en opnieuw met haar zou trouwen, moest Luul bij zijn oom blijven. Ghebrehiwet had tegen onze moeder gezegd dat ze het winkeltje moest verkopen dat ze toen in Addis dreef en naar Asmara moest gaan. Hij zou zich ook in Asmara vestigen. Luul zou de eerste tijd in Addis blijven en naar Asmara komen zodra ze daar een nieuwe woning had gevonden.

Onze moeder werd het slachtoffer van een sluwe list! Die ouwe slimmerik was in werkelijkheid nooit van plan geweest met mama in Asmara samen te leven, hij wilde haar alleen in zijn buurt hebben als minnares – en zich er op minne wijze voor wreken dat ze hem had verlaten en was hertrouwd. Dat had hij haar nooit vergeven.

Zoals altijd geloofde Abrehet hem echter. Ze liet de drie kinderen uit haar laatste huwelijk en ook Luul in de steek en ging alleen met mij naar Asmara. Maar wie er ook kwam, niet mijn vader.

Toen begon mijn verhaal, dat van het kind uit de koffer. Op het moment dat ze inzag dat ze door Ghebrehiwet om de tuin was geleid, draaide mama door. Ze had haar leven in Addis opgegeven en in Asmara was het haar niet gelukt een nieuw leven te beginnen.

In haar wanhoop probeerde ze van me af te komen en stopte me in een koffer. Ze liet die in haar nieuwe woning staan en ging de stad in. Als een buurvrouw mijn hartbrekende gehuil niet had gehoord, was ik gestikt. Zij bevrijdde me en riep de politie, die onze moeder in de gevangenis stopte en mij naar het weeshuis van Asmara bracht.

Omdat het leven het me in het begin al niet gemakkelijk had gemaakt, werd ik wat ik nu ben: een taai, klein meisje, dat verbeten en zonodig tot het laatst vecht om niet ten onder te gaan.

MISLEIDINGEN

Luuls verhalen op die halloweenavond deden me meer huiveren dan de pompoenmaskers, de spooklampions en plaatjes van heksen, waarmee de serveersters het hotelrestaurant hadden versierd om hun verwende gasten een paar aangename stuipjes op het lijf te jagen.

Ik hoorde onder andere dat mijn moeder er niet al te zwaar voor had hoeven boeten dat ze mij in de steek had gelaten, wat tenslotte een poging tot doodslag was. Ze bracht maar drie, en niet zoals ik altijd had gedacht zes, jaar in de gevangenis door. Wie ooit een Afrikaanse gevangenis heeft gezien weet echter dat die straf even zwaar telt als dertig jaar in een Duitse gevangenis.

Velen dachten toen dat ze zich drie jaar bij haar broer in Addis had verstopt, maar die mensen vergisten zich, ze zat echt in de gevangenis. Luul wist dat zo zeker, omdat hij een paar weken later zoals afgesproken naar mama in Asmara reisde, maar niet naar haar toe kon omdat ze opgesloten zat. Daarom bracht hij die jaren bij onze vader door.

De tijd bij Abrehet bleek voor Luul geen pretje. De stiefmoeder sloeg de jongen, die zoveel op haar weinig geliefde man leek, zoveel ze maar kon. Luul liet me een vinger zien waaraan je nog steeds kon zien waar Abrehet hem krom had gebogen, maar hij droeg zijn smaad dapper. Hij verklikte zijn stiefmoeder nooit, want die kreeg elke avond sowieso klappen van onze vader.

Ghebrehiwet werd in die tijd opnieuw verliefd, op zijn latere vrouw Werhid. Ditmaal verliet hij Abrehet echt en wel samen met zijn dochters Yaldiyan en Tzegehana. Abrehet wilde haar kinderen niet laten gaan en er ontstond een ruzie tussen de echtgenoten, waarbij Abrehet aan het kortste eind trok. Papa sloeg haar met een pan op haar hoofd, zodat ze bewusteloos in elkaar zakte, en verliet met de twee geschrokken meisjes het huis. De mishandelde Abrehet bleef met Luul achter.

Ik vraag me nog steeds af waarom papa Luul niet meenam, in plaats van de twee meisjes. In de meeste Afrikaanse samenlevingen zijn zonen veel meer waard dan dochters, en de meeste Afrikaanse vaders zouden juist het tegenovergestelde hebben gedaan, helemaal omdat hij Luul niet bij zijn biologische moeder achterliet, maar bij zijn stiefmoeder.

'Papa houdt van me, dat weet ik zeker,' zei Luul toen ik hem ernaar vroeg. Hij keek in een onbestemde verte, waar donkere doeken hingen, voorbij de pompoenmaskers. 'Maar ik zou niet weten waarom hij me toen bij Abrehet achterliet.'

Ik heb geen idee waardoor Luul daar zo zeker van was. Ik weet alleen dat zijn levensverhaal niet bepaald het bewijs voor de liefde van onze vader is. Of het moet zo zijn dat hij hem juist niet meenam omdat hij van hem hield, want onze zusjes stond bij Werhid geen gelukkig gezinsleven te wachten, integendeel: papa wilde zijn nieuwe vrouw in het begin van hun relatie iets te bieden hebben, maar hij had geen geld, dus moesten er in elk geval werkkrachten komen, en het liefst werkkrachten die niets kostten. Wat lag er dan meer voor de hand dan de meisjes mee te nemen?

Natuurlijk wist hij van tevoren dat Werhid zijn twee dochters niet goed zou behandelen, ze waren immers van haar vroegere rivale, maar dat kon hem niets schelen. Misschien wilde hij Luul dat lot besparen. Wie weet liet hij zijn zoon echter ook in Ādī K'eyih achter omdat hij met zijn twee dochters en Werhid naar het westen van Eritrea ging en het oorlogsgebied binnentrok, om daar zijn kameraden van het ELF te ondersteunen. Dat dat in elk opzicht gevaarlijk was en helemaal voor een jongen van acht, een prima leeftijd om soldaat te worden, wist hij natuurlijk ook.

Als dat de overwegingen van Ghebrehiwet waren, zat hij ernaast, want het zou zijn zoon Luul nog veel slechter vergaan. Toen papa weg was, zette Abrehet hem meteen het huis uit. "'Een hoerenkind verleen ik geen onderdak"," aapte Luul het gekijf van zijn stiefmoeder uiterst overtuigend na. En daar stond hij dan op zijn achtste of negende op straat. Er was niets om in te pakken of mee te nemen, omdat Luul niets bezat dan wat hij op zich lichaam droeg. Het feit dat hij op straat werd gezet, was een van de ingrijpende gebeurtenissen die zijn levensweg zouden bepalen – en zijn levensopvatting dat je je overal doorheen kunt slaan, als je het maar met heel je ziel wilt.

Luul wilde zich erdoorheen slaan. Hij nam meteen het besluit om naar zijn opa te gaan, de vader van Adhanet, die op een dagmars afstand in een piepklein bergdorpje woonde, waar niet eens een weg heen ging. Luuls geforceerde mars, die hij uit angst voor wilde dieren voor het invallen van de duisternis wilde voltooien, had succes. Zijn opa nam hem in huis en deelde het weinige dat hij bezat met hem. Waarschijnlijk een handvol *tef*-meel, een ei en een paar cactusvruchten, wat iedereen had die boven in de bergen van de landbouw leefde.

Onze vader was niet kapot van de grote tocht van de kleine Luul. Hij nam het hem later zelfs kwalijk dat hij niet naar familie van vaderskant was gegaan, maar naar de vader van zijn moeder. Uit woede daarover weigerde hij lange tijd elk contact met Luul. Maar Luul liet zich niet uit het veld slaan. Zodra hij een paar *birr* bij elkaar had, ging hij met de bus naar Addis Abeba, om weer bij zijn moeder te gaan wonen, die daar weer naartoe was verhuisd na haar gevangenisstraf.

Mijn hoofd voelde algauw aan als een uitgeholde pompoen, waarin de gedachten vrij ronddwarrelden. Mijn leven leek me een puzzel waarvan de stukjes allemaal door elkaar voor me op tafel lagen. Nog een paar dagen geleden had ik gedacht dat ik die puzzel bijna had opgelost. Ik had gedacht dat er nog maar een paar stukjes ontbraken om de laatste witte plek op te vullen, maar nu moest ik toegeven dat het hele mozaïek dreigde te verschuiven. Steeds meer deeltjes gingen hun eigen leven leiden en ik stond op het punt het overzicht te verliezen.

Ik realiseerde me dat ik mijn geboorteplaats moest laten veranderen. Ik zag in dat ik me had vergist met betrekking tot de relatie van mijn ouders. Ik had altijd gedacht dat ik niets anders dan een product van een vluchtige ontmoeting was, een vergissing. Van twee mensen die wel met elkaar waren getrouwd, maar tussen wie het kennelijk niets werd, want ze hadden niet lang met elkaar samengeleefd. Het was geen prettig gevoel om het product van een miskleun te zijn.

Maar nu bleek ik het product van de weliswaar ongelukkige maar toch levenslange hartstocht van twee mensen voor elkaar. Het was mijn ouders niet gelukt een goede relatie op te bouwen, ook al hadden ze het steeds weer geprobeerd. Een sterke aantrekkings-kracht had ze naar elkaar toegetrokken, maar even sterke centrifu-gale krachten hadden hen weer van elkaar weggeslingerd. Dat moest ik eerst zien te verwerken. Wat betekende dat voor mij? Lag daar de bron van mijn veranderlijke en vaak zo verwarde gemoeds-toestand?

Ik merkte ook hoe gemakkelijk de puzzel van mijn leven anders in elkaar gezet had kunnen worden. Stel dat papa Luul toch mee had genomen naar Werhid? Stel dat ik samen met mijn broer was opgegroeid in plaats van met Yaldiyan en Tzegehana? Stel dat Luul met mij bij het ELF was geweest, met mij naar Soedan was gevlucht en met mij naar Duitsland was vertrokken? Of dat hij, omdat hij ouder was en beter deugde voor soldaat dan ik, bij de talrijke inzet-ten in de voorste linies, waaraan hij vast mee had moeten doen, was gestorven? Het was allemaal zo ondenkbaar en tegelijkertijd zo goed mogelijk, dat ik er hoofdpijn van kreeg.

Ineens leek het alsof alle denkbare scenario's voor mij mogelijk waren geweest. Ik had beschermd door mijn broer kunnen opgroeien – waarschijnlijk de ideale situatie voor elk klein meisje. Maar ik had al die jaren net zo goed ruzie met Luul kunnen hebben, omdat hij altijd heel anders tegenover onze vader had gestaan dan ik. Hij had me er nog niet veel over verteld, maar ik had het uit onze gesprekken opgemaakt, het liep als ondertiteling onder al onze gesprekken: Luul hield niet alleen van onze vader, hij onderwierp zich aan hem en wilde bij hem in de smaak vallen. En dat was exact het tegenovergestelde van hoe het bij mij zat: ik moest mij welis-waar vaak aan mijn vader onderwerpen omdat hij me er met geweld toe dwong, maar ik wilde het nooit. Het liet me niet koud of ik bij hem in de smaak viel, maar het stond niet helemaal boven aan het verlanglijstje van mijn leven. In elk geval bepaalde het zeker niet mijn doen en laten.

Veel later, toen ik negentien of bijna twintig was en tijdens mijn eerste reis naar Afrika sinds mijn emigratie naar Duitsland mijn moeder in Addis Abeba ontmoette, kwam het tot de grootste misleiding in het gemeenschappelijke levensverhaal van Luul en mij. Ik bezocht mijn moeder op de eerste en tweede dag alleen, pas de derde dag was mijn zus Tzegehana er ook bij. Ik viel bijna flauw van de zenuwen bij de gedachte aan die ontmoeting. Ditmaal was er buiten ons drieën ook nog een jongeman aanwezig en terwijl ik met mama sprak, praatte Tzegehana de hele tijd op hem in. Ik snapte niet waar ze het over hadden, maar merkte alleen dat ze erg onaardig tegen hem was. Ze beledigde hem een paar keer en maakte hem zo bang, dat hij me niet aan durfde te spreken.

Toen was die jongeman me al merkwaardig vertrouwd voorgekomen, zonder dat ik had kunnen zeggen waardoor. Die jongeman heette Luul en was mijn broer, maar ze hadden het toen allemaal voor me verzwegen – behalve Luul, die het me had willen zeggen, wat hem, god mag weten waarom, door de anderen werd belet. Het ontaardde zelfs in een openlijke ruzie, toen Tzegehana mijn moeder en ook Luul uitschold. Ze was verontwaardigd dat mijn moeder me zo had verwaarloosd en besefte niet dat het niets uithaalde om daarom haat- en wraakgevoelens op te rakelen. Ze zag niet dat dat alleen maar leidde tot een spiraal van beschuldigingen over en weer – nog afgezien van het feit dat Luul er niets aan kon doen.

Luul wist het niet meer, maar ik herinnerde me dat ik bij wijze van grapje tegen hem had gezegd dat hij er net zo uitzag als mijn vader. Ik had er niet verder over nagedacht, maar gewoon aangenomen dat hij een loopjongen van mijn moeder was, want hij was geen imposante verschijning. Door de honger en de ontberingen die hij had doorgemaakt, leek hij me een armetierig, klein, lelijk en onzeker ventje. Had ik maar vermoed wie hij was!

De scène die Tzegehana toen maakte was misschien ook te heftig om verder nog veel op te merken. Luul verstijfde toen ook ik – opgezweept door Tzegehana's argumenten – ruzie met mijn moeder begon te maken. Uiteindelijk leidde dat ertoe dat mijn moeder me de deur uitzette – mij, haar verloren dochter, die ze twintig jaar na haar geboorte voor het eerst had ontmoet, die duizenden kilometers met het vliegtuig had gereisd om haar te zien. Ze zette me op straat omdat ze mijn tegendraadsheid niet kon verdragen en omdat ze zo'n last had van haar eigen kwade geweten dat ze niet wist wat ze anders moest.

Luul reageerde toen in hachelijke situaties al net zo als nu. Hij stak zijn kin omhoog, begon eraan te krabben en bromde iets onverstaanbaars bij zichzelf, wat als 'hmmm, hmmm' klonk. Inmiddels was ik eraan gewend dat dat bij Luul betekende dat hij niet wist wat hij verder moest zeggen en zich er het liefst met een leugentje uit zou redden.

Ook toen ik hem op die gedenkwaardige halloweenavond vroeg waarom hij me indertijd in vredesnaam niet had gezegd dat wij broer en zus waren, begon hij onbewust weer aan zijn kin te krabben.

'Ik durfde het niet, omdat ik niet wist wat er in jullie omging en of jullie het aankonden. Ik wilde jullie er niet mee belasten.'

Dat was weer een van Luuls ontwijkende antwoorden. Ik voelde er een kern van waarheid in, maar ik merkte ook duidelijk dat er nog iets achter schuilging. Luul zou dat geheim voor mij niet ontsluieren, dat wist ik ook.

OOM TSEGEAB

Het was niet gemakkelijk om Luul te overreden samen met mij oom Tsegeab te bezoeken. Hij was bang voor de broer van onze moeder, het hoofd van onze familie. Maar ik kon onmogelijk alleen naar hem toe gaan, dat wist Luul ook. Onze oom kende mij immers niet en mijn broer moest mij voorstellen. In de taxi erheen werd Luul steeds stiller. Peinzend wreef hij over zijn kin en staarde naar buiten. Dat was geen goed teken.

Tsegeab woonde in een goede wijk van Addis Abeba, ver buiten het centrum. Ik verbaasde me weer eens hoe de taxichauffeurs de weg in deze stad vonden, want er waren geen straatnaambordjes, geen wegwijzers, vaak niet eens straatnamen en natuurlijk had niemand een plattegrond. De meeste mensen zouden zelfs niet hebben geweten wat het was, als je ze een plattegrond onder hun neus had gehouden, of ze nu konden lezen en schrijven of niet.

De buurt van mijn oom werd als goed beschouwd, omdat de hoofdstraten er geasfalteerd waren en de huizen elektriciteit hadden. Er waren geen sloppen, geen illegaal gebouwde krotten van verpakkingsafval, golfplaten en houten planken, maar gemetselde huizen met tuinen, die door hoge hekken waren afgeschermd voor nieuwsgierige blikken. Hier waren niet eens bedelaars op straat.

Luul liet de chauffeur voor een grote ijzeren poort stoppen. Hij liep op een klein deurtje in de poort af dat hij geroutineerd opende door een verborgen haak los te maken en toen stonden we in een tuin die zo groot was als een schoolplein en ook bijna net zo vol mensen. Aan de zijkanten stonden drie huizen, waar verschillende gezinnen woonden. Midden in de tuin waren kinderen om een geparkeerde autobus heen aan het spelen. Een paar volwassenen, die onder het afdak van hun huis in de schaduw zaten, begroetten Luul. Dat was voor hem een welkome onderbreking op weg naar onze oom, maar ik trok Luul verder. Waar was Tsegeab?

'Hij woont daar,' Luul wees naar de open deur naast de bus. 'Ga jij maar eerst.'

Dat weigerde ik. 'We gaan samen.' Soms was het niet gemakkelijk met mijn broer. Wat had hij toch?

We waren het huis nog maar net binnengegaan of we stonden al in de woonkamer, de eetkamer, het kantoor en de slaapkamer, want het vertrek vervulde al die functies. Aan de ene kant van de kamer stond een rij stoelen. Op de middelste zat Tsegeab somber voor zich uit te staren en te roken. Hij leek niet echt aanwezig en deed alsof hij ons niet had opgemerkt. Ik herkende hem meteen aan zijn uiterlijk. Zijn gelaatstrekken leken op die van onze moeder, maar waren nog scherper omdat oom Tsegeab heel mager was en een paar jaar ouder dan zij.

Toen ik hem groette, stond hij op en heette me hartelijk welkom. Luul had hem al van mijn aanwezigheid verteld en hem mijn bezoek aangekondigd. Zonder Luul ook maar een blik waardig te keuren, informeerde hij uitgebreid naar mijn reis, naar het hotel en naar hoe het met mij ging. Pas toen Luul weer eens niet wist waar hij met zijn armen, die altijd in de weg leken te hangen, naartoe moest, wreven Tsegeab en zijn neef de schouders tegen elkaar – de traditionele begroeting onder mannen.

Mijn oom was oprecht blij met mijn bezoek, maar ik merkte dat hij ergens verdrietig over was. Hij probeerde wel een rustige en waardige trots uit te stralen, wat hij nog extra onderstreepte met de traditionele witte doek die hij over zijn hemd en broek om zijn bovenlichaam en zijn heupen had geslagen, maar tegelijkertijd trok hij te gulzig aan zijn sigaret, zijn blik gleed te onrustig door het vertrek en hij schoof te zenuwachtig heen en weer op zijn stoel. Ik had hem graag gevraagd waar hij mee zat, maar ik voelde dat dat niet betamelijk was. Een jonge vrouw vraagt een oude man niet wat hem bezighoudt. Tsegeab kon de reden van zijn onrust echter niet lang verborgen houden: 'We hebben slecht nieuws gekregen,' zei hij met een sombere ondertoon, 'mijn moeder is dood.'

'Mijn moeder is dood.' Het duurde even voor die opmerking tot me doordrong. 'Mijn moeder is dood.' Ja, die van mij ook, dacht ik toen oom Tsegeab dat zei, maar toen drong het opeens keihard tot me door: zijn moeder was immers mijn oma! Dat was Sifan, die ik over een week in Eritrea wilde bezoeken. Sifan was dood!

Ik stond er met open mond bij. Sifan, die een jaar geleden nog door mijn toedoen aan haar ogen was geopereerd, in de hoop dat ze me in elk geval aan mijn contouren zou kunnen herkennen als ik haar voor de tweede keer zou bezoeken... Sifan, die me sinds mijn eerste bezoek, bijna twee jaar geleden, talloze malen in dromen was verschenen... Sifan, in wie ik de bron van mijn familieherinneringen zag en aan wie ik nog zoveel te vragen had... Sifan, aan wie ik nog zoveel wilde vertellen... Sifan was nu dood?

'Wanneer is ze gestorven?'

Als we geroerd worden door grote dingen schieten ons vaak alleen kleine vragen te binnen – waarschijnlijk om ons van het grote af te leiden. Maar het antwoord van mijn oom leidde me niet af, het schokte me nog meer: mijn oma was al een half jaar dood.

'Waarom hoor ik dat nu pas?' schreeuwde ik tegen mijn oom omdat ik in dit moment van pijn niet anders met mijn emoties wist om te gaan dan ze de arme man in het gezicht te slingeren.

'Waarom hoor ik nooit wat er in deze familie gebeurt? Waarom wordt alles voor me verzwegen?'

Luul leek nog ontzetter door mijn reactie dan door het overlijdensbericht zelf. Angstig zat hij verkrampt in zijn stoel en beduidde me voorzichtig dat ik me moest inhouden. De zielenpoot was echt bang, maar daar kon ik geen rekening mee houden.

Tsegeab was echter niet kwaad over mijn reactie, alleen verbaasd. 'Ik weet het zelf immers nog maar een paar dagen,' zei hij, 'we hebben niet veel contact met onze familie in Ādī K'eyih.'

Dat was me duidelijk, maar het kalmeerde me niet. Oma Sifan was dood! Huilend stortte ik in.

Dat gedrag leek mijn oom nu weer gepast te vinden, ook al liet hij zichzelf niet zo gaan. 'Ik huil niet, omdat mijn moeder oud was. Omdat het haar tijd was om te gaan. En ik huil niet omdat het hele land sterft. Omdat alle mensen in Eritrea bedreigd worden door honger en ziekte, omdat ze onder hun regering lijden. In die situatie kan ik niet om één mens gaan huilen! Ik vind dat ik dat recht niet heb.'

Mijn lieve oom! Die opmerking kwam zo bitter en hard, maar ook zo eerlijk over dat mijn tranen meteen opdroogden. Luul had me al gezegd dat onze oom een zeer politiek denkend man was, die zijn leven had gewijd aan de bevrijding van Eritrea. Ik wist dat hij met hart en ziel aan zijn vaderland gehecht was, dat hij met veel politieke ontwikkelingen van de laatste jaren meer dan ontevreden was en daar veel verdriet om had. Ik begreep het, respecteerde zijn morele integriteit en zijn onbuigzaamheid, maar tegelijkertijd beklaagde ik hem. Ik had medelijden met hem omdat hij in zijn politieke gefixeerdheid zijn gevoelens was vergeten. Had hij niet, zoals elk mens, het recht om zijn persoonlijke leed te voelen, zijn vreugde te vieren, zich aan zijn verdriet over te geven, zonder dat daardoor andere, verheven idealen werden aangetast? Niemand moet zijn waarden en normen boven zijn leven stellen. Je mag jezelf niet beknotten, ook niet omwille van politieke ideeën, die nooit meer waard kunnen zijn dan een leven dat te betreuren valt!

Dat kon ik allemaal niet tegen mijn oom zeggen. Het zou te veel voor hem zijn geweest om zulke ongehoorde dingen uit mijn mond te horen. Uit de mond van een jonge vrouw die weliswaar zijn nicht was, de dochter van zijn zus, maar die hij slechts een paar minuten daarvoor had leren kennen. Een kennismaking die hem sowieso te snel was gegaan. 'Je familieleden zullen je in alles ondersteunen,' zei hij, helemaal in de rol van de welwillende oom, 'ze zullen je alle informatie geven die je nodig hebt. Ook van mij zul je nog veel adressen van familieleden krijgen, zodat je meer informatie kunt inwinnen, want dat is in het belang van onze familie.'

Jemig, hij klonk bijna als een politicus op een belangrijke internationale missie.

'Maar je moet ons de tijd geven, je moet je inleven. Je moet je aanpassen, je moet op je familieleden afgaan en naar hen luisteren, goed luisteren!'

Ik schrok – wat was er gebeurd?

Natuurlijk had ik er, zo zit ik nu eenmaal in elkaar, niet alleen zwijgend bij gezeten, maar ik had Tsegeab veel vragen gesteld. Ik wilde het een en ander over mijn moeder weten, over mijn neven en nichten, die ik allemaal nog niet kende, en natuurlijk ook over de andere kinderen van mijn moeder: mijn halfbroer en halfzussen, die ik graag zou ontmoeten. Ik had de ene vraag na de andere gesteld omdat dat voor mij een manier is om contact te leggen, maar mijn oom voelde zich meteen in zijn eer aangetast. Hij vond dat het aan hem was om vragen te stellen – en die had ik graag beantwoord – maar er kwamen geen vragen, alleen veelbetekenende blikken, die ik niet wist uit te leggen.

Ik had echter geen tijd, ik drong aan, daar had Tsegeab volkomen gelijk in. Maar ik kon het hem uitleggen. 'Mijn hele leven heb ik in onzekerheid verkeerd over mezelf en over mijn familie,' zei ik. 'Nu kan ik niet meer wachten. Ik ben nu hier bij jullie en wil alles weten, alles in me opzuigen, iedereen leren kennen. Ik dorst naar familie, ik honger naar informatie en ik kan niet meer geduldig zijn, dat ben ik al veel te lang geweest.'

Ik gedroeg me als een kleine stijfkop, dat merkte ik zelf, maar ik kon niet anders. Luul verstopte al onbewust zijn hoofd in zijn handen toen er iets merkwaardigs gebeurde: oom Tsegeab draaide bij. Hij werd inschikkelijk, hij ontspande zich, hij glimlachte en stak mij zijn hand toe.

'Je bent rusteloos, je wilt alles,' zei hij, 'je bent niet diplomatiek, maar eerlijk. Dat bevalt me, want ik ben net zo.'

Luul keek verbaasd op en ook ik kon het nauwelijks bevatten. Achter de ruwe, gewichtigdoenerige façade van onze oom, ging een knipogende deugniet schuil. Een man die over zijn eigen lange, dunne schaduw kon springen. Iemand die een spontane ingeving belangrijker vond dan zijn traditie. Nu moest ik ook glimlachen en onze kleine woordenwisseling, die bijna was uitgegroeid tot een ruzie, was als bij toverslag verdwenen.

Kalm en bereidwillig vertelde mijn oom over zijn situatie. Dat hij vanwege de huidige politieke situatie uit Eritrea was gevlucht. Hij had het over zijn vrouw, die nog in Asmara woonde en die hij al jaren niet meer had gezien. Hij liet zijn verbittering over de haat die tussen de onderling overhoop liggende staten was ontstaan de vrije loop. Hij liet me echter ook voelen dat hij mij niet met die verbittering wilde opzadelen.

'Kom morgen terug,' zei mijn oom en omarmde me. 'Dan deel ik de dood van Sifan aan de hele familie mee.'

RITME AFRIKA

Terug in het hotel dreunde mijn hoofd, zoals vaak na een dag vol familie. Mijn oma was dood. Mijn broer was een kleine lafaard, die bang was voor zijn oom. Mijn oom was een slimme, soms grappige, maar ook verbitterde man, die zijn politieke principes in ere hield, net als mijn vader, maar wie dat lukte zonder geweld, agressie of bloedvergieten. In mijn zak had ik een hele stapel adressen van meer dan tien mensen die allemaal familie van me waren, maar van wie bijna niemand wist dat ik bestond. Ik had een van die dagen beleefd die je leven op zijn kop zetten.

Om weer met beide benen op de grond te komen, besloot ik 's avonds uit te gaan. Ik wilde Ethiopische muziek horen, Ethiopische dansers zien en me, als ik me goed genoeg voelde, zelf ook op de dansvloer wagen. Maar met wie moest ik me in het nachtleven storten? Alleen kon ik niet gaan, dat was me duidelijk, omdat alle mannen me dan automatisch als een hoer zouden beschouwen, want de meeste vrouwen die in Addis 's nachts alleen op stap zijn doen dat uit zakelijke overwegingen. Ik was verbaasd dat prostitutie in veel grote straten zelfs openlijk werd uitgeoefend. Tijdens mijn laatste bezoek aan Addis, dertien jaar geleden, zou dat nog ondenkbaar zijn geweest, want Ethiopië was toen een veel conservatiever land dan Eritrea, waar veel was veranderd in de rolverdeling tussen mannen en vrouwen sinds zoveel vrouwen samen met de mannen ten strijde waren getrokken. Maar kennelijk was de Ethiopische samenleving ook diepgaand aan het veranderen. Hoe diep dat werkelijk ging, zou ik pas later die avond ervaren.

Er moest dus een begeleider komen. Luul kwam jammer genoeg niet in aanmerking omdat hij muziek- en dansgelegenheden en cafés uit religieuze overwegingen afwees – in dat opzicht leek hij me zuiver en onschuldig als een kind. Natuurlijk zou hij me om mij een plezier te doen toch hebben vergezeld, maar ik wilde hem niet meeslepen in situaties waarmee hij niets te maken wilde hebben.

Omdat ik buiten Luul en mijn oom, die voor dat soort uitstapjes veel te oud was, niemand kende, nam ik een taxichauffeur in de arm, die Luul en mij al een paar keer had gereden. Hij heette Salomon en was een engel van een man – altijd geduldig, attent en intelligent, bovendien betrouwbaar en een verdraaid goede chauffeur. In tegenstelling tot de meeste Ethiopische mannen zou hij het niet verkeerd uitleggen als ik hem vroeg me die avond te vergezellen. En zo was het ook.

Ik was blij iemand bij me te hebben die goede uitgaansgelegenheden kende, want ik wilde niet lang hoeven zoeken. Zo kon de nacht beginnen. God, wat had ik die afwisseling nodig!

Onze eerste pleisterplaats was het Habesha, een Ethiopische muziektent, waar de bezoekers aan kleine ronde tafeltjes zaten, waar de *enjera*-plaat die we bestelden net op paste. De serveersters droegen traditionele kleding, die erg leek op de klederdracht van de Balkan: witte blouses en witte rokken met rode en blauwe stroken en bonte sjaals en sandalen met de blokhakken van de oude Nubiërs. Ze droegen hun haar in kleine vlechtjes, strak tegen hun hoofd gevlochten, die in de nek een stevige loshangende bos vormden. Wat een fantastische bediening! Inclusief serveersters en keukenpersoneel liepen er meer mensen te rennen voor de gasten dan er gasten waren.

Op een piepklein podium stond een elektronisch versterkte band met twee keyboards, een drumstel en een elektrische gitaar. De mannen speelden vooral Tigrinja-muziek, snoeihard maar met weinig pretenties. Voor elk lied kwam er een nieuwe zanger of zangeres het podium op. De voorraad mannen in glanzende polyester pakken en vrouwen in lange avondjurken die hartverscheurende liefdesliederen zongen leek onuitputtelijk.

Het fascineerde me met hoeveel vuur zowel mannen als vrouwen tekeergingen, ook al zongen ze niet allemaal zo trefzeker als je zou mogen verwachten op een podium. Ik genoot van het stampende ritme van mijn vaderland, de korte, abrupte opeenvolgingen van melodieën, het gebonk van de trommels.

Toen een van de serveersters, die er eerder uitzag als een prinses, naar ons tafeltje toe kwam, had ik al bijna het Amhaarse woord voor bier op mijn lippen, maar ik onderdrukte het en maakte er 'nog een tonic graag' van. Met spitse vingers en opgetrokken wenkbrauwen pakte ze mijn lege glas en verruilde het voor een vol. Ze wist precies hoe het in elkaar zat. Ze zag aan me dat ik in het buitenland woonde en gewend was aan de manier van leven daar. En nu was ze benieuwd of ik me zou aanpassen. En dat deed ik, om niemand voor het hoofd te stoten. De zangers niet, de serveerster niet en zeker Salomon niet, met wie ik aan tafel zat.

Alle vrouwen die hier zaten hadden alleen een glas cola of tonic, maar zonder gin, voor zich staan, ook al dronken hun mannen als tempeliers en rookten ze als schoorstenen. Wat had ik nu graag een peuk opgestoken en de rook tot aan het plafond geblazen! Maar ik wist dat ik met een sigaret negatief zou opvallen en dat wilde ik niet. Daarvoor beviel de sfeer die de musici uitstraalden me te goed.

Toen ik dacht dat de voorraad musici definitief op was, kwamen er twee vrouwen en een man het podium op. Het waren Oromo, leden van een stam die ten zuiden van Addis woont. Ze voerden een vruchtbaarheidsdans op waar de Oromo beroemd om zijn, een felle, zinnelijke dans. De vrouwen hadden daarvoor erg strakke doeken omgebonden: op hun achterste stonden tot stijfstaande staarten gerolde doeken omhoog, waarmee ze provocerend in de richting van de dansers en in de richting van het publiek heen en weer bewogen. De man op het podium droeg een bos veren die ondubbelzinnig naar de staarten van de twee vrouwen bewoog. Algauw lagen de man en afwisselend een van de twee vrouwen samen in allerlei vreemde bochten op de grond te kronkelen alsof we bij een seksshow zaten.

Toch was het geen dans voor toeristen, die waren er niet eens. Ook was het geen stadse bewerking van een plattelandsdans, maar het origineel, dat ik wel eens eerder te zien had gekregen. Het sloeg nergens op: de vrouwen op het podium mochten zich in de meest wulpse kostuums en poses vertonen, extatisch met hun achterste wiegen en smachtend over de liefde zingen en wij vrouwen in het publiek mochten niet eens een gin-tonic drinken.

Toen na de dansers de zangers weer aan de beurt waren, gaf ik Salomon te kennen dat het niet verkeerd zou zijn om naar een andere gelegenheid te gaan. Hij vond het allemaal best, waarschijnlijk had hij maar al te vaak bij dit soort shows gezeten.

Hij stelde me een andere, 'modernere' gelegenheid voor, zoals hij het noemde. Ik weet de naam van die bar niet meer, maar hij zag eruit als een stamcafé voor studenten in Berlijn-Friedrichshain. De meubels stamden uit de jaren zeventig, aan de muren hingen spiegels en oude filmposters, het licht was er gedempt en het stond er blauw van de rook. Hier kon ik eindelijk roken, want een paar andere vrouwen deden het tot mijn verbazing ook. Op een donker podium speelde een klein bandje en de zangers wisselden elkaar af. Hun repertoire was klassiek-Ethiopisch, met een paar actuele Afrikaanse hits ertussendoor, muzikaal deed het me weinig. Toen ik Salomon na een tijdje vroeg of er in Addis niet iets moderners was, keek hij me alleen even strak aan, ten teken dat we konden opbreken.

Na een paar minuten met de auto was ik in het moderne Ethiopië aangekomen, in de Dream Club. Deze discotheek stond in een straat waar het wemelde van de bars, clubs en restaurants, maar de Dream Club zetelde veruit in het mooiste gebouw. Het zag eruit als de kermis, met een façade met spiegels, bonte verlichting en een portier met gouden tressen en een uniform dat eruitzag alsof het van de feestartikelenverhuur kwam, maar de gespierde man nam zijn werk echt serieus.

Al bij de ingang kwam de nieuwste Amerikaanse soul en hiphop ons tegemoet, en de bassen waren zo sterk dat de muren ervan trilden. Dat was nog maar de eerste verrassing, want hoe verder we ons een weg baanden door trossen mensen en rookwolken, de disco in, hoe verder mijn mond openzakte. Hier waren de meisjes net zo gekleed als in de coolste clubs in Berlijn. Hier was elke navel bloot, alle lippen waren gepiercet en alle rokjes kwamen tot net over het slipje. Naast de bar rekte een animeermeisje zich ongegeneerd uit in een fel verlichte kooi, iedereen dronk gin-tonic en rookte. Sommigen blowden zelfs dat het een lieve lust was.

Eerst wist ik niet of ik daar blij of verdrietig om moest zijn, want zoveel Europa had ik niet verwacht of gehoopt. Maar hoe langer ik met mijn drankje en mijn sigaret naast Salomon aan de bar hing en hoe beter ik de mensen om me heen opnam, hoe treuriger het me te moede werd. Ik zag dat de meisjes allemaal nog heel jong waren en toch al verwelkte gezichten hadden. Ik zag dat de mannen die zich hier met hen onderhielden weinig meer van plan waren dan een slippertje, waarbij ze niet meer te verliezen hadden dan een paar gin-tonics. Ik zag dat een paar meisjes heel dicht langs de grens van de prostitutie scheerden en zichzelf veel te goedkoop verkochten. Ik stelde me de huizen van hun ouders voor, waar ze 's avonds stiekem uit weggeslopen waren toen hun familie allang in slaap was, want geen enkele Ethiopische vader zou zijn dochter vrijwillig of willens en wetens naar deze plek laten gaan. En ik zag hoe de meeste meisjes hier niet tegen alcohol konden, hoe sommigen al tamelijk stuurloos rondzwalkten; een gemakkelijke prooi voor de vele mannelijke jagers die stonden te wachten.

Pas toen het vrij laat was, ging het er Ethiopisch aan toe. De meisjes verdwenen een voor een, terwijl de mannen samendromden om met elkaar te drinken, net zoals hun vaders dat al hadden gedaan, al was het in een andere ambiance. Alleen op de wc ontmoette ik nog een paar vrouwen, die me meteen overstelpten met vragen. Ze wilden nadrukkelijk informatie. Waar kwam ik vandaan, wie was ik eigenlijk? Kon ik hen aan blanke mannen helpen? Was de man naast mij mijn klant?

Pas nu wist ik dat er in wezen niets was veranderd, ook al zag het er op het eerste gezicht zo uit. Ik wist dat hier niet de moderne tijd, maar de hebzucht regeerde. Het werd me duidelijk dat de zeden en gebruiken niet waren veranderd, maar dat ze slechts een ander gezicht hadden gekregen. De vrouwen waren nog steeds afhankelijk van de mannen, ze wilden hen alleen maar gerieven en van dienst zijn. Het enige verschil was dat sommige vrouwen er een beetje geld voor durfden te vragen.

VERDRIET

De volgende ochtend had Luul de pech dat oom Tsegeab weer op het programma stond, die de dood van onze oma wilde bekendmaken. Dat was een gebeurtenis waarbij elk lid van de familie vanzelfsprekend aanwezig moest zijn. Onderweg naar het huis van onze oom bedacht ik me hoe goed het was dat ik Luul de vorige avond niet had meegenomen – zijn hele wereldbeeld zou in elkaar zijn gestort en zijn gestel erbij, want een paar gin-tonics zouden hem zeker te veel zijn geweest. Ook ik had een hamer in mijn hoofd, maar ik had het gewoon nodig gehad om uit de band te springen en toen ik weer in het hotel aankwam was het al bijna ochtend geweest, want de eerste vogels zongen al.

Dus waren we laat vertrokken, hoewel onze oom er een paar maal op had gewezen dat hij de eerste bezoekers al om half zeven 's ochtends verwachtte. De bekendmaking zou weliswaar de hele dag vergen, maar bij dit soort aangelegenheden geldt in Afrika bij wijze van uitzondering het principe 'beter te vroeg dan te laat', want familieaangelegenheden hebben altijd de hoogste prioriteit. Dat zijn dingen waarmee niet te spotten valt. Luul was er dan ook niet gerust op dat we pas zo laat op weg gingen.

Maar we kwamen niet te laat bij Tsegeab. Toen we binnenkwamen was de rij stoelen aan de linkerkant van de woonkamer volledig bezet. Aan de rechterkant waren ook stoelen neergezet, waarvan er twee bezet waren. Het zag eruit als de wachtkamer van een goedlopende tandartsenpraktijk. Ook de sfeer deed daaraan denken. Niemand zei iets en iedereen keek bedrukt naar de vloer. Aan het eind van de kamer zat mijn oom op de verreweg comfortabelste stoel van het huis recht voor zich uit te kijken, zonder de mensen die binnenkwamen op te merken; hij gaf in elk geval geen blijk van herkenning.

Tsegeab ging op deze belangrijke dag nog traditioneler gekleed dan de vorige keer. Hij droeg alleen de witte doek van de Eritrese bergbewoners met een paar gewone halfhoge herenschoenen, verder niets. Het was vreemd om mijn oom in die kleren te zien. Ze werden verder alleen door herders, boeren of arme arbeiders gedragen, niet door stadse intellectuelen als Tsegeab. Hij had immers gestudeerd, was socioloog, gaf een regelmatig verschijnend informatieblad over Eritrea uit, werkte bij een krant en sprak de hele dag over politiek.

Omdat mijn oom ook verder geen aanstalten maakte om ons te begroeten, wilde ik tussen de stoelen door naar hem toe gaan om hem mijn medeleven te betuigen, maar Luul hield me op het laatste moment tegen. Ik keek hem geïrriteerd aan maar hij beduidde me bij hem te blijven.

Ik ben normaal niet iemand die zich er iets van aantrekt als iemand hem aan zijn mouw trekt, maar ditmaal leek het me verstandig. Hier ging iets gebeuren waarvan ik geen weet had. Dus liep ik Luul achterna en gingen we op de lege stoelen zitten.

Vervolgens gebeurde er niets. We zaten er zwijgend bij. Pas na een tijdje nam mijn oom het woord om een gesprek voort te zetten, dat hij kennelijk had onderbroken toen wij binnenkwamen. Het ging over iets onbelangrijks, maar oom Tsegeab was een pietje-precies, dus maakte hij het af. Toen stond hij op om naar Luul en mij toe te gaan en ons te begroeten alsof we net waren binnengekomen.

Dat vond ik eigenaardig, maar ik zei niets. Mijn oom was gewoon zo, dacht ik, toen de volgende bezoeker alweer binnenkwam, een jongeman. Ook hij zocht een plekje, ging zitten, sloeg zijn ogen neer en zat er stil bij. De anderen bleven weer zwijgend zitten, niemand begroette de nieuwkomer. De mensen hier gedroegen zich volgens een bepaald systeem. Het zou spookachtig zijn geweest als ik niet had geweten dat het om een rouwritueel ging.

Nadat onze oom onze begroeting had beëindigd, ging hij weer op zijn stoel zitten. Het dienstmeisje bracht ons beiden iets te eten: *enjera* natuurlijk, met een paar sauzen erbij en Fanta. Toen we al zaten – ik had geen honger, maar in een Afrikaans huis is het volkomen ondenkbaar om te bedanken voor eten dat al geserveerd is –

viel de blik van onze oom op de nieuwkomer. Die begreep het teken meteen, stond op en stelde zich voor, maar mijn oom leek hem niet te kennen.

'Ik ben Alem, de zoon van je oom Kinfe,' zei hij tegen Tsegeab, 'en ik ben gekomen om het bericht van Sifans dood te horen.'

Onze oom knikte daarop peinzend. 'Aha,' zei hij, 'dan zijn we dus familie. Dat is mooi. Ga weer zitten.'

Alem ging à la minute zitten, alsof hij op dat signaal had gewacht. Onze oom vroeg hem nog naar nieuws uit zijn directe familie en verzonk vervolgens weer in stilzwijgen. Alle anderen zeiden hoe dan ook niets.

Een voor een namen de rouwenden afscheid, maar er kwamen steeds weer nieuwe familieleden en vrienden binnen. Ze gedroegen zich allemaal net als Alem: ze namen plaats op een vrije stoel en bleven stilletjes zitten wachten tot onze oom hen uitnodigend aankeek, hen begroette of hen rechtstreeks het woord gaf. Twee van hen werden me als neef en nicht voorgesteld. Ze heetten Mussie en Judith en waren met elkaar getrouwd. Dat was mogelijk omdat ze geen bloedverwanten waren maar uit de twee verschillende delen van mijn familie kwamen: Mussie was familie van de kant van mijn moeder en Judith van mijn vaders kant. In Afrika is het normaal dat een man zijn vrouw in een bevriende familie zoekt en omgekeerd. Dan komt het niet zo snel tot onaangename verrassingen omdat je ongeveer weet hoe het er in de andere familie aan toe gaat.

Mijn hoofd liep om van hun verhalen: over hoe de familierelatie precies in elkaar zat en ook van het verhaal over de langdurige en moeilijke zwerftocht die ze hadden moeten doorstaan om te vluchten voor het krijgsgewoel in Eritrea. Mussie had in Zuid-Afrika gestudeerd en was niet meer teruggekeerd naar Eritrea en Judith was hem gevolgd via een omweg die door Kenia en Oeganda naar Ethiopië voerde. Typisch Afrikaanse levensverhalen, vond ik, de mensen dreigden vermalen te worden tussen de onlusten, oorlogen en hongersnoden en konden zich alleen redden door de kracht en de verbondenheid van hun familie.

Was het mij niet net zo vergaan? Waar zou ik nu zijn zonder mijn familie? Waarschijnlijk zouden mijn zussen en ik de oorlog in Eritrea niet hebben overleefd als oom Haile ons niet naar Khartoem had gehaald. En waarschijnlijk waren we in Khartoem, net als veel andere Eritrese meisjes, als dienstmeisje in een islamitisch gezin geëindigd als onze vader ons niet naar Duitsland had gehaald. Hoe meer verhalen over oorlog, ellende en ontbering, maar ook over hulp door familieleden ik van mijn familie hoorde, hoe beter ik mijn eigen geschiedenis kon dragen. Ik was geen uitzondering. Zo erg was mijn levensverhaal niet, het was geen straf van God. Geen vloek, geen last, niet afgrijselijk; gewoon een Afrikaans verhaal zoals zoveel Afrikaanse verhalen – met een heel andere afloop, zoals ik steeds duidelijker besefte. Ik woonde niet in een tehuis voor vluchtelingen in Addis Abeba, zoals Mussie en Judith, maar in een oud huis in Berlijn. Ik hoefde er niet elke dag rekening mee te houden dat ik werd uitgewezen, moest verhuizen, of weer zou worden verdreven, maar ik woonde als Duits staatsburger in veiligheid en vrede. Ik had het beter dan mijn meeste familieleden. En dat was niet mijn verdienste, het was zuiver te danken aan gunstige omstandigheden. Daarvan werd ik me pas bewust door de confrontatie met al die andere verhalen uit mijn familie. Je mag God wel bedanken, Senait, dacht ik bij mezelf, en ik besloot dat bij de eerstvolgende gelegenheid te doen.

Ik zat dus even stil als de mensen om me heen op mijn stoel en keek naar de grond, maar vanbinnen was ik hevig aangedaan. Ik had nog nooit een groep rouwenden gezien die zo in zichzelf gekeerd was, nog nooit had een plechtigheid me zo aangegrepen en nog nooit had ik aan een op zich negatieve gebeurtenis zoveel troost en vertrouwen ontleend. Ik besloot me helemaal open te stellen voor wat hier gebeurde, want ik merkte dat het niet alleen goed was voor de situatie en voor mijn familie, maar ook voor mij. Ik voelde dat hier krachten aan het werk waren die mijn eigen kracht konden aanvullen en versterken.

Ik werd steeds meer overweldigd door de soberheid van het ritueel, dat uitsluitend inhield dat iedereen bij elkaar zat en dat alleen degene sprak die een vraag van mijn oom kreeg. Ik voelde de soberheid van de situatie, ik voelde de kracht van de traditie, die de mensen stevig in de greep had en hen zekerheid gaf. Niemand mocht zich anders gedragen dan van hem werd verwacht, het was niemand toegestaan de ongeschreven regels te overtreden die het hele vertrek leken te doortrekken, en niemand maakte dan ook aanstalten iets dergelijks te doen. Alles was gericht op mijn oom Tsegeab, het hoofd van de familie, de oudste aanwezige. Tot zíjn oom kwam.

Toen die het vertrek binnenkwam, verstomde Tsegeab, schoot omhoog en bood de oude man, die al erg krom liep, zijn stoel aan. Tsegeab zelf ging tussen de anderen op een stoel in de wachtrij aan de zijkant zitten. Wat kwam hij daar anders over, als een van velen, terwijl de oude man nu het middelpunt vormde.

Hij hoefde niet te wachten tot Tsegeab hem het woord gaf, maar begon zelf te praten. Hij vroeg naar Sifan en Tsegeab vertelde hem in het kort dat ze al maanden geleden was overleden en dat het bericht van haar overlijden hem nu pas had bereikt. Toen de oude man dat hoorde, begon hij luid te huilen. Zonder inleiding of verklaring verkrampte hij als bij toverslag en begon te huilen en te schreeuwen. Hij strekte zijn armen uit naar het plafond en de tranen liepen over zijn stoppelige gezicht, dat hij al snel met zijn handen bedekte. Heel zijn tengere lichaam schokte van zijn snikken, zijn klaaggeluiden vulden het hele huis.

Ik zat er als versteend bij en durfde bijna niet naar de huilende man te kijken. Mannen huilen bij ons normaal gesproken nooit, al helemaal niet als ze zo'n respectabele leeftijd hebben als Tsegeabs oom, maar deze man huilde tranen met tuiten. De anderen leken er niet mee te zitten, ze zaten nog steeds te zwijgen en naar hun knieën te staren. Wat zou er nu gebeuren?

Het duurde niet lang of de man had zichzelf weer onder controle, hij snoot nog een paar keer in een zakdoek, veegde zijn tranen af en bleef rustig zitten, net als de anderen. Toen het dienstmeisje ook hem *enjera* en Fanta bracht, tastte hij resoluut toe en concentreerde zich volledig op zijn maaltijd.

Aangezien ik door de nieuwe schikking pal naast Tsegeab zat, kon ik hem zachtjes aanspreken, omdat de situatie me nu ontspannener leek. Nu Tsegeabs oom zat te eten, was er in het vertrek een aantal gesprekken gaande, alsof het verdriet van de familieoudste de spanning had weggenomen. Ik bewonderde niet alleen de discipline, maar ook de kalmte van de rouwenden. Het was prachtig hoe de mensen de uitbarsting van de man door hun aanwezigheid en

...st hadden opgevangen, zonder medelijden, troost of omhel-
...n, zoals in Europa.

...Onze mensen kunnen goed rouwen,' zei ik tegen mijn oom. 'Ze
...en zich helemaal gaan, net als bij een explosie, ze laten hun
gevoelens de vrije loop en daarna lijkt het of ze oprecht tot rust zijn
gekomen. Ik zou ook graag zo zijn, maar in mij is alles altijd eindeloos aan het gisten. Hoe zit dat bij jou?'

Het was te merken dat mijn oom niet gewend was aan dat soort
vragen, maar hij antwoordde zonder aarzelen: 'Ik heb vanochtend
al gehuild, net als de anderen,' zei hij, 'toen jullie er nog niet
waren.'

Het scheen me toe dat mijn oom zichzelf geen grotere gevoel-
sontlading zou toestaan dan een paar tranen tussen twee gesprekken met familieleden door. Ik vroeg hem ernaar en hij was het met
me eens. 'We kunnen alleen op die manier treuren,' zei hij. 'Op een
andere manier gaat het niet. Als we nog meer en nog langer zouden
treuren zou dat ons te veel verdriet doen. Als we dat zouden doen,
zou het leed ons verstikken en dat zou niet goed zijn.'

Voor mij was de situatie zo overweldigend geweest dat ik naar
buiten moest om een frisse neus te halen. Tsegeab vergezelde me. Ik
vermoedde dat hij dat als zijn taak beschouwde omdat de binnenplaats vol mensen was die ik niet kende: de bewoners van de andere
huizen. Het waren islamitische families, in de eerste plaats die van
de eigenaar van het huis – kennelijk een rijk man, want hij had drie
vrouwen – die lekker in de schaduw van zijn afdak waren gaan zitten. Om hen heen speelden hun gezamenlijke kinderen. Ik kon ze
niet tellen, maar mijn oom zei dat het er in totaal eenentwintig
waren. Dat kon de huisbaas zich alleen permitteren omdat hij een
echt beroep had: hij was chauffeur en zijn bus stond uit voorzorg
midden op de binnenplaats geparkeerd.

Tsegeab nam zijn buren kritisch op. 'Ze hebben te veel kinderen,'
zei hij zachtjes en het was te merken dat hier twee werelden op
elkaar botsten: de christelijke ideeën van mijn oom en de islamitische van zijn buren. 'Maar we leven in harmonie met elkaar.'

Ook Luul was op de binnenplaats, hij kletste met de dienstmeis-
jes van Tsegeab en van de islamitische families. Mijn oom wilde
weer naar binnen en nodigde me uit met hem mee te gaan. Hij

voelde zich ervoor verantwoordelijk dat binnen alles goed verliep. Met een nors handgebaar wenkte hij Luul om te komen. 'Wat doe je daar bij die meisjes?' riep hij hem toe. 'Kom naar binnen, bij de mannen. Je bent toch ook een man!'

Dat was serieus bedoeld en niet als grapje en zo had Luul het ook begrepen. Met hangend hoofd liep hij snel achter Tsegeab aan de deur door.

'Het leed is bijna geleden,' fluisterde ik hem toe. 'We gaan nog een beetje bij de familie zitten en dan vertrekken we.'

Luul knikte dankbaar naar me. Wat was het toch mooi om een klein broertje te hebben... Want ook al was Luul eigenlijk mijn grote broer, ik voelde me verantwoordelijk voor hem als een grote zus.

Toen ik met Luul het huis van onze oom verliet, moest ik mezelf nadrukkelijk voorhouden dat ik weliswaar mijn oma was kwijtgeraakt, maar er een broer bij had gekregen. Natuurlijk was ik me ervan bewust hoe onzinnig een dergelijke overweging was. Het was een belachelijke vergelijking, omdat je twee mensen nooit tegen elkaar kunt wegstrepen, maar het hielp me een beetje om niet wanhopig te worden. Geleidelijk aan begreep ik dat ik mijn oma nooit meer terug zou zien. Dat degene op wie ik zoveel hoop had gevestigd voor altijd weg was. Degene die me antwoord op ontelbaar veel vragen had kunnen geven. Die me zoveel over mijn familie had kunnen uitleggen. Die me beter met mijn cultuur, mijn land en het denken van mijn volk vertrouwd had kunnen maken dan veel andere mensen – en niet door lange uiteenzettingen maar simpelweg doordat ik naast haar in haar huis zou hebben gezeten. Doordat ik met haar door Ādī K'eyih zou zijn gelopen. Door schijnbaar onbelangrijke dingetjes uit haar verleden, die ze zich in mijn bijzijn zou hebben herinnerd.

Maar daarvoor was het nu te laat. Moe nam ik afscheid van mijn oom en ik wist dat ik met deze omarming eigenlijk afscheid van mijn oma moest nemen. Maar dat kon ik nog lang niet. Het kan nog jaren duren voor ik die pijn heb verwerkt.

dat ik van Ethiopië alleen de hoofdstad kende en Luul me de geving tussen Addis en Eritrea wilde laten zien, waar hij wekenlang doorheen was gelopen toen hij op de vlucht was, besloten we een uitstapje naar de bergen ten noorden van Addis te maken, naar de beroemde Kloof van de Blauwe Nijl. Zo gezegd, zo gedaan. Meteen na het ontbijt reden we met een gehuurde terreinwagen naar het noorden – met chauffeur, want ik zou in het chaotische Afrikaanse verkeer nooit zelf achter het stuur durven te zitten en Luul kon, zoals de meeste mensen hier, niet autorijden.

De stad leek nog te slapen toen we vertrokken. De rust scheen me bedrieglijk toe, want eigenlijk heerste er een ondergrondse onrust in Addis. Veel mensen waren ontevreden over de regering. Er gingen geruchten over verkiezingsfraude, waardoor een paar maanden daarvoor de regering van premier Meles Zenawi aan de macht zou zijn gebleven, en men organiseerde telkens weer demonstraties die met geweld uit elkaar werden geslagen. Maar in welk Afrikaanse land leven de mensen nu wel in vrijheid, vrede en democratie?

Voor die dag was er een burgerlijke ongehoorzaamheidsactie aangekondigd: taxichauffeurs moesten 's ochtends een half uur op hun claxon drukken en zo de aandacht op de onvrede in het land vestigen. Het moment van de actie was bijna aangebroken, maar er was geen politie te zien, geen soldaten en ook geen mensen die waren opgepakt. Iedereen die we zagen, stond langs de rand van de straat te wachten op bussen die naar de stad reden. Hoe verder we de stad uit kwamen, hoe meer mensen we zagen staan wachten.

Algauw slingerde de weg zich omhoog de bergen in, die meteen achter de laatste voorsteden van Addis begonnen. De rit ging door een dicht bos naar een hoogvlakte. Telkens weer haalden we hardlopers in, die in de frisse berglucht aan het trainen waren, ver boven de smog van Addis. Ethiopiërs zit het hardlopen kennelijk in het bloed en hun lange, dunne benen hebben hun al heel wat wereldsuccessen bezorgd.

Wat een contrast: aan de ene kant van de straat liepen gespierde jongemannen met elegante, brede bewegingen in strakke t-shirts en korte broek, aan de andere kant van de straat sjouwden helemaal krom lopende vrouwen enorme bossen brandhout of dorre takken. De armsten droegen jerrycans met water, *enjera*-pannenkoeken en zakken meel voor hun familie, omdat ze zich geen ezel konden permitteren om de lading te dragen.

Na een bocht moesten we abrupt remmen omdat een dichte drom voorbijgangers met grote ogen naar een autobus stond te kijken die in de berm was gegleden. Een blinde monnik maakte gebruik van de situatie om luidkeels bij de passagiers in de wachtende auto's om geld te bedelen. Onze chauffeur sloeg bij diens aanblik een kruis, zoals hij dat bij alle kerken en alle kruizen deed die we passeerden. Dat belette hem echter niet om te vloeken als een ketter wanneer een ezel, een fietser of zelfs een langzamer rijdende auto hem in de weg zat. Ik had, zoals zo vaak in Afrika, weer eens het gevoel dat het ene niet helemaal met het andere te rijmen was.

De weg was een van de weinige goed aangelegde wegen in het hele land en ging over een enigszins geaccidenteerde, spaarzaam met bomen begroeide hoogvlakte, die in de verte werd omringd door bergen. Overal golfden velden, weilanden en sappige groene weiden, omdat de regentijd nog maar een paar weken voorbij was. Alles zag er zo vruchtbaar, vriendelijk en bijna kitscherig mooi uit dat je je nauwelijks kon voorstellen dat hier ooit hongersnoden hadden gewoed omdat het land niet voldoende eetbaars had opgeleverd en dat in andere delen van het land ook op dat moment honger werd geleden.

Aan de diepblauwe lucht boven de eindeloze vlakte dreven lichte schapenwolken, langs de straat hoedden herders hun schapen en koeien. In hun tot op de grond reikende witte gewaden en met hun manshoge herdersstaven leken deze mannen op figuren uit de Bijbel en ook de vegetatie, de schapen en de wolkjes zagen er net zo uit als middeleeuwse schilders ze op hun idyllische taferelen in het Heilige Land hadden afgebeeld.

Luul was niet zo ontvankelijk voor deze schoonheid, hij had het liever over de dingen waarover hij zich zorgen maakte. Het bezoek aan oom Tsegeab leek hem erg te hebben aangegrepen. Ik kon dat goed begrijpen, want onze oom had Luul ook tegenover mij beteiteld als een mislukkeling. Iedereen in zijn familie had gestudeerd, had hij me toevertrouwd, en ze woonden allemaal in het buitenland: in Londen en in de Verenigde Staten – wat in Afrika gelijkstaat met van hoge adel zijn.

Ik vond het onbillijk om alle mensen alleen op grond van dat criterium te beoordelen. 'Je bent niet slechter dan de anderen, Luul,' stelde ik mijn broer gerust. 'Niet iedereen is geschikt om te studeren. Bovendien had je niemand die je ondersteunde – hoe had je dat moeten betalen?'

Luul maakte zich grote zorgen over het feit dat hij niet voldeed aan de eisen van zijn familie, hoewel hij zich in zijn leven uit situaties had gered die veel andere familieleden nooit zouden hebben doorstaan. Bovendien koesterde Luul al sinds zijn jeugd wantrouwen tegenover Tsegeab. Deze had vroeger met hem en zijn moeder samengewoond, tot hij achter haar rug het huis had verkocht, zodat onze moeder van de ene dag op de andere met Luul op straat stond – in elk geval volgens Luul.

Terwijl we dat soort gesprekken voerden, sloegen we een stoffige weg in die in smalle bochten naar beneden kronkelde, een breed rivierdal in. We reden door een dorp waar duizenden mensen elkaar op straat verdrongen. Er waren opvallend veel bedelaars, invaliden en moeders met kleine kinderen bij. Ze zaten zo dicht op de weg dat sommigen achterover moesten leunen toen wij hen passeerden. Op de grond, in de schaduw van de huizen, om de markt heen en vooral onder de kroon van een reusachtige boom die bijna het hele dorpsplein vulde, zaten ze rustig naar de nieuwkomers te kijken en te wachten. We kwamen er niet achter waarop. Afrika is vol mensen die ergens op wachten, en veel wachtenden hebben geen idee waarop.

Voorbij het dorp lag ons doel, de kloosterkerk van Debre Libanos, een van de beroemdste christelijke bedevaartplaatsen van Ethiopië, die in de dertiende eeuw door de Ethiopische priester en latere heilige Tekla Haimanot is gesticht. De kerk stamt uit de jaren zestig van de twintigste eeuw, is gebouwd door keizer Haile Selassie, en is zoals alle bouwwerken uit zijn regeringsperiode geen architectonisch hoogstandje, maar eerder een symbool van zijn macht.

Aan de ingang van het klooster werden we aangesproken door een man die ons het complex wilde laten zien. Bij elke Ethiopische bezienswaardigheid voorzien zulke zelfbenoemde *guides* op die

manier in hun levensonderhoud. Ze noemen zichzel
maar zeggen alleen tegen de bezoekers dat ze graag wat
len vertellen en dat ze alles kunnen uitleggen wat er te :
op het laatst om een gift te vragen omdat hun familie
schuld in grote armoede is geraakt. Zo was het ook va
stemden we ermee in, omdat de man ons plekjes kon laten zien die
we anders nooit zouden hebben gevonden. Dus gingen we een
onverlichte trap af, naar de benedenverdieping van de kerk, vanwaar ons doffe trommelslagen tegemoet galmden.

Hoe verder we naar beneden gingen, hoe minder we zagen, maar
we hoorden des te meer. De onderste tree verdween in het bleke
schemerlicht van half opgebrande kaarsen, die een laag gewelf zwak
verlichtten. Pas toen mijn ogen na het felle zonlicht buiten aan het
duister gewend waren, zag ik dat zich in het middelste deel van het
gewelf tussen een paar zuilen een heleboel mensen verdrongen. Ze
waren allemaal in het wit, draaiden ons hun rug toe en volgden met
hun bewegingen het ritme van de trommels. Dat waren enorme,
bolle instrumenten, waarop een paar mannen midden in deze kluwen van mensen stonden te slaan.

Plotseling veranderde het ritme, de lichamen bewogen sneller,
tientallen stemmen begonnen diep uit hun keel te zingen. Tussen
de trommels brandde wierook, waardoor het weinige licht in het
vertrek in een troebele, melkachtige massa veranderde. Sommige
mannen waren van top tot teen gehuld in witte doeken, waaraan je
zag dat het pelgrims waren, terwijl andere donkere gewaden droegen, dat waren de monniken van het klooster.

Het ritme van de trommels werd opgevoerd, de mensen bewogen steeds sneller, steeds onstuimiger. Niemand nam ook maar de
geringste notitie van ons. Als er in het midden geen kruis had
gestaan, als er aan de muur geen levensgrote afbeelding van Maria
was geweest, zou een toevallige toeschouwer nooit hebben gedacht
dat dit een christelijke ceremonie was. Zonder die symbolen zou
iedereen hebben gegokt dat het het geheime ritueel van een heidense natuurgodsdienst betrof.

Luul moest me een paar keer aan mijn mouw trekken tot ik als
uit een trance ontwaakte en hem verbaasd aankeek. Hij fluisterde
me iets toe, waarvan ik door het lawaai van de trommels geen

ʳoord verstond. Daarop herhaalde hij het op normale geluids-
sterkte, maar ik volgde het weer niet.

'We moeten gaan!' brulde hij me in mijn oor.

Ik gehoorzaamde slechts met tegenzin en pas nadat onze *guide*
het verzoek had herhaald. De twee moesten me bijna met geweld
weer omhoogtrekken naar het daglicht.

'Ze willen niet zo lang bekeken worden,' zei de *guide* bijna ver-
ontschuldigend. 'Dat zijn ze niet gewend.'

Ik knikte slechts en keek afwezig naar de fresco's met Bijbelse taferelen. Nog nooit had ik zo'n sterke spirituele kracht gevoeld, een
vorm van geloof die lichamelijk zo aanwezig was. Ik had geen kerk-
dienst, bijbellezing of rozenkransgebed meegemaakt, maar een goddelijke kracht ervaren die zich met muzikale zuiverheid tot zoiets als
zaligheid had verenigd. Dat klinkt misschien sentimenteel, maar het
was exact wat ik ervoer: dat ik hier getuige was geweest van een
uiterste heilige ceremonie waarbij de mensen uit hun kleine aardse
leventje een andere dimensie waren binnengegaan.

Bij de verdere bezichtiging van het klooster voelde ik de bijzondere energie van het oord. Over eeuwenoude, uit de rotsen uitge-
hakte paden boven het klooster liepen we door een duister, bijna
tropisch bos naar de spelonken, waar ook tegenwoordig nog monniken woonden. In een van de spelonken was een kapel, waar werd
gebeden. Over de wanden liep overal water uit de berg, dat de mensen in allemaal potten en pannen opvingen. Het was heilig water,
waarvan werd beweerd dat het het kwaad verdreef en ziekten genas.
Ik dronk er een paar stevige slokken van en voelde de werking meteen: het was helder, vers bronwater dat je direct energie gaf. Of het
de duivel uitdreef die soms in mij tekeerging, kon ik niet beoordelen.

De pelgrims die ook van het water hadden gedronken, namen
meer tijd om van de werking te genieten. Ze zaten in gedachten ver-
zonken of uitrustend voor de ingang, omringd door bedelaars, in
het wild levende aapjes en talloze handelaars, die koekjes of zak-
doeken te koop aanboden.

Maar wij waren die dag nog meer van plan. De rit bracht ons
allereerst over een levensgevaarlijke weg met haarspeldbochten
omlaag naar de Kloof van de Blauwe Nijl, die zich daar door een

honderd kilometer lang ravijn perst. Aansluitend brachten we een bezoek aan de 'Portugese brug', een elegant bouwwerk dat zonder aansluiting op het wegennet als een wonderbaarlijk ding uit een andere wereld, nutteloos maar mooi, midden in de bergen staat. Daarna maakten we nog een wandeling door het stadje Fiche, waar de mensen ons aangaapten alsof we van een andere planeet kwamen en vervolgens cola en koffie met ons dronken alsof we al jaren elke dag op hetzelfde tijdstip op dat terras iets kwamen drinken.

Op de terugreis waren we zo vol indrukken dat we nauwelijks nog iets konden opnemen. Luul keek nu niet meer uit het raam, hij keek in het verleden en haalde herinneringen op aan de tijd dat hij van Ādī K'eyih naar Addis Abeba was gelopen. Alleen het laatste stuk had iemand hem mee laten rijden.

Ādī K'eyih, de plaats waar onze familie vandaan kwam, had hem geen geluk gebracht. Luul was net als ik altijd op zoek geweest naar zijn familie. Net als ik wilde hij altijd contact leggen met zijn familieleden en net als mij was het hem vaak niet gelukt. Hij was heel wat keren naar Ādī K'eyih gereisd en had daar de familie van zijn moeder bezocht: onze oma Sifan of onze tante Said, maar ook Abrehet, die immers ooit zijn stiefmoeder was geweest maar die hem nooit een woord over mij had verteld. Dat hij een volle zus had, kwam hij pas te weten toen oom Haile Abrehet een foto had gestuurd, waarop de drie zusjes te zien waren die hij had gered en meegenomen naar Soedan: Yaldiyan, Tzegehana en ik.

Die foto liet Abrehet ook aan Luul zien. Toen hij hem zag, wist hij meteen dat ik zijn zus was. Hij zag het aan mijn uiterlijk en merkte het aan Abrehets eigenaardige reactie toen hij haar naar mij vroeg en zei dat ik de mooiste van de drie was. Toen siste Abrehet: 'Hoezo, die is toch niet mooi!' En zelfs toen vertelde ze hem niet dat ik zijn zus was.

Ze behandelde hem slecht, ze was de typische boze stiefmoeder uit het sprookje. Is het niet verbazingwekkend dat haar dochters met Werhid hetzelfde overkwam, die later voor Yaldiyan en Tzegehana de boze stiefmoeder was? Werhid gebruikte Abrehets dochters als voetvegen in de huishouding. Soms lijkt het echt alsof God niets vergeet.

Luul vertelde het allemaal zonder haat, zonder verbittering, zonder te schelden. Hij vertelde het rustig en gelaten, alsof het niet over zijn eigen leven ging maar over dat van een ver familielid. De treurigste voorvallen wist hij nog zo te beschrijven dat ik erom moest lachen. Luul was zelfs naar Afrikaanse maatstaven, een continent waar alles luchtiger wordt opgevat dan in Europa, een ontspannen figuur. De enige uitzondering maakte hij voor onze moeder. Over Adhanet wilde hij niets slechts horen. Wie kritiek op haar leverde, kon een scherpe reactie verwachten.

Luul kon Adhanet alleen als slachtoffer zien, zo wilde hij dat graag. Hij waardeerde onze moeder boven alles, ook al sprak er veel tegen haar. Natuurlijk vond Luul het onvergeeflijk dat mijn moeder me als kind in een koffer had achtergelaten. Hij vond het vreselijk wat ze had gedaan, maar het tastte zijn totaalbeeld niet aan. Hij dacht dat ik door het onrecht dat me als baby was aangedaan door God tot iets hogers was uitverkoren. Dat was een volkswijsheid waar ik weinig mee kon. Minder ellende in mijn jeugd en dus een minder hoge voorbeschikking had ik liever gehad.

Omdat Luul zo'n doodgoeie vent is, verdedigde hij zelfs onze vader met hart en ziel, ook al had die al jaren geen contact meer met hem. Luul had in zijn zoekactie via het Rode Kruis niet alleen mij, maar ook mijn vader betrokken. Die had Luul geantwoord dat hij hem vast haatte om wat hij ons, hem en zijn zussen, had aangedaan. Dat kon Luul weliswaar niet ontkennen, maar hij wilde geen oude wonden openrijten, dus liet hij papa's brief onbeantwoord.

Ik vroeg Luul meer over onze moeder, hoewel het me duidelijk was dat ik van hem niets objectiefs zou horen. Maar welk kind spreekt er nu neutraal over zijn eigen ouders? Van Luul kreeg ik alleen positieve dingen over haar te horen. Volgens hem was ze een rustige, nadenkende vrouw geweest, terwijl alle anderen me hadden verteld dat ze een agressieve furie was. Luul zei dat onze moeder oneerlijke of slechte mensen meteen had doorzien. Als dat klopte moest ze elke ochtend geschrokken zijn van haar spiegelbeeld, als ze een spiegel had gehad. Maar er was tenminste íémand die van haar hield en dat was haar zoon.

Ik wist dat ik de hele waarheid over haar waarschijnlijk nooit te horen zou krijgen. Bij alle lastige vragen zei Luul nog steeds 'hmmm, hmmm, hmmm' en krabde aan zijn kin – meer kwam er niet uit. Zelfs over het uiterlijk van onze moeder kreeg ik geen helderheid. Toen ik Luul ernaar vroeg, zei hij slechts: 'Ze was groot en stevig.'

Ik vroeg daarop: 'Viel onze vader dan op dikke vrouwen?'

Luul zei vervolgens dat ze nou ook weer niet dik was geweest, maar alleen vrouwelijk, veel vrouwelijker dan alle andere vrouwen in de familie. Maar zelfs daarover had ik altijd het tegendeel gehoord, dat ze mager was geweest.

Ik kon me haar zelf van onze ontmoeting dertien jaar geleden in Addis maar vaag herinneren. Ik wist nog wel dat ik haar niet mooi vond, ik vond haar gewoon niet knap. Ze zag er net zo uit als tante Said, haar zus, en die vond ik ook niet aantrekkelijk.

'Ik zal er waarschijnlijk wel nooit achter komen hoe mijn moeder echt was,' zuchtte ik en liet mijn blikken over de eindeloze hoogvlakte gaan die aan ons autoraampje voorbijtrok.

Toen we Addis weer naderden, stokte ons gesprek, niet omdat ons niets meer te binnen schoot, maar omdat ik me op de weg moest concentreren. Onze chauffeur sloeg allang geen kruizen meer en had zich ontpopt als een wegpiraat, die alles wat leefde en bewoog van de straat toeterde, vloekte en voor het brute geweld van zijn motorkap in de berm liet springen. Dat Luul me inwijdde in de details van de dood van onze moeder, maakte het er ook niet beter op. Hij was indertijd bijna samen met haar verongelukt, want eigenlijk zou hij haar naar Asmara vergezellen, naar de bruiloft van een oom, maar hij was toen toch thuisgebleven om te werken. Pas weken later, toen hij zich inmiddels onmetelijke zorgen maakte en al naar Asmara wilde reizen om zijn moeder te zoeken, kreeg hij het bericht dat ze was overleden. Er was destijds oorlog, er was geen telefoon en het duurde weken voordat een boodschap bij de 'geadresseerde' was aangekomen.

Terwijl er zulke dingen werden verteld, stoven wij over de weg vol haarspeldbochten langs de ravijnen boven de stad – tot ik definitief genoeg had deze kamikazeactie. 'Ga meteen normaal rijden, anders stap ik hier uit!' blafte ik de chauffeur toe. Moest ik mijn broer en mijn eigen leven op dezelfde manier verliezen als onze moeder indertijd? De chauffeur keek me stomverbaasd aan, maar hij reed wel langzamer. Niet omdat hij inzag dat zijn rijstijl misda-

dig was, maar omdat hij bang was dat hij geen fooi kreeg als ik me
te veel ergerde.

ONRUST

Zodra we Addis Abeba weer binnenreden, was te merken dat er iets
was veranderd sinds we de stad die ochtend hadden verlaten. Alleen
op het eerste gezicht leek alles normaal: de bedelaars zaten te bedelen, de straathandelaars verkochten hun spullen, de bezitters van
mobieltjes stonden te telefoneren en de wachtenden zaten aan de
rand van de straat te wachten. Maar de juweliers op de Cunning-
ham Street hadden allemaal hun rolluiken naar beneden, de cafés
op de Adwa Avenue in het centrum waren gesloten en hier waren
geen straatkooplieden te zien. We zagen een afgezette straat, een
auto die dwars op de rijrichting stond en waar niemand in zat. We
zagen een paar politieauto's en een groep soldaten die ergens op
wachtten. Wat was er gebeurd?

In het hotel was alles zoals altijd: de mensen aan de bar, de prostituees in de lobby, de zakenlieden in het restaurant. Pas op mijn
kamer hoorde ik wat er gebeurd was. 'De grens van de tolerantie is
bereikt,' zei een beeldvullende tekst op de Ethiopische televisie en
een serieuze commentator las onder het opschrift 'genoeg is
genoeg' teksten voor over de noodzaak om de gewelddadige oppositie een halt toe te roepen. Daar waren beelden bij te zien van met
stenen gooiende jongeren, brandende autobanden en de kapotgeslagen ruiten van een bus. Kennelijk waren de langverwachte onlusten uitgebroken. Wat moest ik doen? Vertrekken?

Ik belde mijn oom op, maar hij stelde me gerust – zo'n vaart zou
het niet lopen, er zou weinig veranderen. 'We mogen ons niet door
elk klein opstootje uit het veld laten slaan,' zei hij, 'anders hebben
we geen leven.'

Die beste Tsegeab neigde tot theatrale uitspraken, maar toch wist
hij me gerust te stellen. Bovendien had ik al voor over twee dagen
een vlucht naar Khartoem geboekt en tot dan zou het systeem nog
wel blijven bestaan.

Ik wilde weliswaar beslist niet fatalistisch worden, zoals veel van mijn landgenoten, maar op dat moment was er voor mij geen andere mogelijkheid. Net als alle andere mensen in Addis moest ik met de situatie leven zoals die was en er het beste van proberen te maken.

Ik was immers nog iets van plan. Ik wilde in het bijzonder Luuls verloofde leren kennen en ik wilde een paar dingen voor hem kopen. Een mobieltje zodat ik hem vanuit Duitsland kon bereiken. Een paar broeken, overhemden en schoenen zodat hij er beter uitzag en naar een betere baan kon solliciteren – want daar komt het op aan als je in Afrika iets wilt bereiken: op je huidskleur, op je kleding en op je houding. Wat je kunt komt ongeveer op de laatste plaats. Aan Luuls tamelijk donkere huidskleur kon ik niets veranderen, maar wel aan zijn kleren. Als hij de juiste uitmonstering maar had, dan kwam de houding vanzelf wel. Met andere woorden: ik kon gewoon nog niet weg.

De volgende ochtend werd ik net als elke dag gewekt door de televisie. Zodra ik overschakelde van een muziekzender naar het Ethiopische net, hoorde ik weer oproepen van de regering en beschuldigingen aan het adres van de oppositie. Goed dat Luul me wilde afhalen. Met hem erbij zou me niets overkomen, zei ik tegen mezelf. Hij had zich nog overal doorheen geslagen.

Alles leek inderdaad volkomen normaal toen we door de stad reden. Luul was als een kind zo blij met zijn mobieltje, ook al werd hij er een beetje zenuwachtig van. Hij kon niet er niet bij dat hij zoveel cijfers moest intoetsen om te kunnen telefoneren. Van zoiets als een pincode had hij nog nooit gehoord. 'Wat is dat?' vroeg hij. 'Van een dorpsjongen als ik kun je niet verwachten dat hij dat weet!' Wat kon Luul grappig en vol zelfspot zijn!

Met het mobieltje was hij van het ene moment op het andere opgeklommen tot de categorie belangrijke mensen. Iedereen kon nu zien dat Luul iets te zeggen had, anders kon hij zich immers geen mobieltje veroorloven. Die apparaten kostten veel meer dan in Duitsland en ook het telefoneren was duur, maar ongelooflijk simpel geregeld. Contracten en handtekeningen waren niet nodig, er hoefde niets te worden vrijgegeven, want elk apparaat had al een telefoonnummer toegewezen gekregen. Wie wilde telefoneren kocht een kaart, kraste een nummer tevoorschijn, toetste dat in en kon beginnen. Dat moest ook wel, want geen mens in Afrika zou achteraf een telefoonrekening betalen voor gesprekken die hij al had gevoerd. In deze maatschappij heerste het absolute wantrouwen van iedereen jegens iedereen. Je kon bij een benzinepomp nog geen vijf liter benzine tanken als je niet van tevoren had betaald – iedere klant kon immers een dief zijn.

GOUD

's Middags stond onze ontmoeting met zijn verloofde Seble op het programma, een afspraak die voor Luul gevoelig lag. We wachtten in hetzelfde café op haar als waar ik de eerste keer op Luul had gewacht. Luul schoof zenuwachtig op zijn stoel heen en weer en hield de straat scherp in de gaten. 'Ik hoop zo dat ze bij je in de smaak valt,' mompelde hij telkens weer, alsof het voortbestaan van zijn relatie ervan afhing. Toen sprong hij plotseling op – Seble kwam de straat overgestoken.

Ze viel buitengewoon bij me in de smaak. Seble was een verlegen maar charmant meisje, ze zag er geweldig uit en ze leek goed bij Luul te passen. Ze was duidelijk ook echt verliefd op hem, net als Luul op haar. Ik gaf haar het cadeau dat ik samen met hem voor haar had uitgezocht. Meteen deed ze de oorbellen in en de ketting om en stak de ring aan haar vinger. Het goud stond haar uitstekend. Alle sieraden die ik had gekocht waren weliswaar goedkoop, maar van echt goud en Seble zag er meteen uit als een echte verloofde. Luul straalde nog het meest. Hij was gelukkig omdat hij merkte dat wij tweeën goed met elkaar konden opschieten. Het was alsof ik zijn relatie mijn zegen had gegeven.

En dat was ook iets wat ik heel graag wilde: Luul mijn zegen geven! Ik had het nadrukkelijke gevoel dat ik iets goeds voor hem moest doen, nadat bijna iedereen in onze familie hem had laten zitten.

Het meest waardeerde ik aan Luul dat hij door de vele slagen van het noodlot niet bitter was geworden. In dat opzicht kon ik nog veel van hem leren. Hij was aardig gebleven, mild en blijmoedig van geest en ondanks alles was hij in de beste zin van het woord een gelovig mens geworden – niet uit traditie, maar uit overtuiging. Door de innerlijke rust waarin hij leefde zei hij zonder het te weten de mooiste dingen, omdat hij zijn woorden niet op een goudschaaltje woog maar direct uit zijn hart liet komen, of ze nu positief waren of negatief.

Zo zei Luul onomwonden tegen me dat hij niet wilde dat ik onze andere zussen en broer zou ontmoeten, de drie kinderen uit het tweede huwelijk van onze moeder. Hij was bang dat ik van hen verhalen zou horen die waarheden aan het licht zouden brengen die zijn waarheid zouden aantasten. Luul was vooral bang dat ik nog meer negatieve dingen over onze moeder zou horen – en dat terwijl ik al zoveel erge dingen over haar wist dat het genoeg was voor mijn hele leven.

Ook de vader van onze zussen en broer moest ik niet ontmoeten, als het aan Luul lag. Hij woonde in Asmara, waar ik, na een kort bezoek aan Khartoem, naartoe wilde vliegen. 'Dat meen je niet,' vroeg Luul onthutst, 'je wilt toch geen contact met die invalide?'

Op dat soort momenten praatte hij net zo als onze moeder. Natuurlijk kende hij de ex-man van Adhanet wel omdat hij hem zelf al had opgezocht in Asmara, maar ze hadden meteen ruzie gekregen. De ex-man en zijn kinderen foeterden op ons en onze moeder omdat wij hen in de steek hadden gelaten. Daarom wilde Luul niet dat ik ze leerde kennen. Voor hem was Adhanet zijn moeder, zij was zijn vlees en bloed. Het is weliswaar niet juist om zo te denken, maar er zit ook iets goeds aan, waardoor het zijn eigen waarheid heeft. God geve dat ik ooit deel kan hebben aan die waarheid.

Maar nu, aan het eind van mijn bezoek aan Ethiopië, wilde ik Luul niet met dat soort dingen belasten. Ik wilde met hem en zijn verloofde *enjera* gaan eten, over de toekomst praten en over wanneer we elkaar weer zouden zien. Bij zijn bruiloft? Bij mijn volgende bezoek aan Afrika? Of was het mogelijk dat hij naar Duitsland zou komen?

Zo ging het ook en het werd een ontspannen avond, de laatste in Addis.

We kwamen goedgehumeurd in het hotel terug. Ik had allemaal goede indrukken opgedaan: niet alleen mijn broer, eigenlijk alles wat ik in Ethiopië had gezien was me prima bevallen. De mensen waren hier toegankelijker dan in Eritrea. Ze liepen niet zo te koop met hun trots op alle oorlogen die ze hadden gewonnen, op hun onafhankelijkheid en hun eigen staat. De Ethiopiërs koesterden niet zo'n superioriteitsgevoel tegenover alle anderen, wat bij de Eritreeërs vaak als een tang op een varken sloeg, gezien alle honger, ellende en onrechtvaardigheid die in hun land heersten.

Terwijl ik naar mijn kamer ging om mijn spullen in te pakken, wachtten Luul en Seble in de lobby, want ze wilden me samen naar het vliegveld brengen. Mijn vlucht naar Khartoem ging heel laat, ver na middernacht, zoals veel vluchten in Afrika, want hier wordt geen rekening gehouden met bezwaren van omwonenden die last hebben van geluidshinder. Het belangrijkste is dat de mensen niet tijdens de ergste hitte hoeven te reizen en waarschijnlijk ook dat de capaciteit van de toestellen 's nachts volledig wordt benut.

Toen ik tijdens het inpakken de televisie aanzette, bracht CNN actuele beelden uit Afrika, die het bloed in mijn aderen deden stollen: de onlusten in de stad hadden zich uitgebreid, er waren al een aantal, waarschijnlijk zelfs tientallen doden te betreuren, omdat regeringstroepen de menigte hadden beschoten om de demonstranten te bewegen zich terug te trekken. Snel schakelde ik over naar de Ethiopische televisie maar daar werd alleen volksmuziek gedraaid en er was een documentaire te zien over de gunstige ontwikkeling van een irrigatieproject. Ik kon het nauwelijks bevatten. Terwijl wij gezellig *enjera* zaten te eten, waren misschien een paar straten verderop mensen doodgeschoten en niemand had er iets van gemerkt, ja, het leek niemand te interesseren.

Haastig stopte ik mijn spullen in mijn koffer en snelde naar beneden, maar in de lobby ging het leven zijn gewone gangetje: overal werd gepraat, er werden grapjes gemaakt en geanimeerde gesprekken gevoerd. Ik vroeg Luul of hij iets gehoord had, maar hij wist natuurlijk van niets. Alle anderen zoals de portiers, de mannen bij de receptie en ook Salomon, onze chauffeur, relativeerden het. Het was verder niet erg, de rit naar het vliegveld was geen probleem. Alsof het mij er alleen om ging dat ik op tijd kon inchecken!

Maar zo bekeken zij het wel en ze waren verbaasd dat ik meer wilde weten. Het leek bijna alsof ze dat onprettig vonden. Alsof ze in mij ineens weer de vreemdeling zagen, die zich interesseerde voor dingen die haar niets aangingen. Dingen die henzelf niet eens interesseerden omdat ze immers geen directe invloed op hun leven hadden.

Tijdens de rit naar het vliegveld reageerde Salomon onverschillig op afgesloten straten waar we voorbijreden, alsof er achter de politieblokkades alleen opgebroken wegen schuilgingen, waar je omheen moest rijden, en niet het decor van protesten en doden. Ik kon er nog steeds nauwelijks bij. Als er in Berlijn dertig door de politie doodgeschoten mensen op straat zouden liggen, lag de stad plat, maar hier ging alles zijn gewone gangetje, alsof het om een heel gewone demonstratie ging, waardoor je een stukje moest omrijden.

Nadat ik op het vliegveld in tranen afscheid had genomen van Luul en Seble, veranderde mijn verbazing in irritatie over de beambten die me in opperbeste stemming, maar haarfijn, uithoorden alsof ik een staatsvijand was die moest worden doorgelicht: 'Wat ga je in Soedan doen?' wilden ze van me weten. 'Waarom spreek je geen Amhaars? Waar kom je vandaan?'

Toen ik hun uitlegde dat ik Duits was en in Berlijn woonde, maakte dat de zaak er niet beter op. 'Waarom ga je dan naar Khartoem?'

Ik sprong bijna uit mijn vel, maar ik hield me in, omdat ik geen problemen wilde. Wat was dit weer kenmerkend voor Afrika – alle beambten en mensen in uniform deden alsof het hen erom ging een hoogstaand soort orde te handhaven, maar in werkelijkheid was het één grote chaos en probeerden ze uit alle macht de bestaande structuren te redden, waar ze optimaal profijt van hadden, ook al bestond het maar uit een armzalig baantje als douanebeambte op het vliegveld.

Zonder protest liet ik al die zinloze controles langs me heen gaan. Drie, vier, vijf keer keken de beambten mijn paspoort door alsof ze er een goed verstopt geheim in zouden kunnen ontdekken als ze er maar lang genoeg in bladerden. Ik wond me niet op toen ze me telkens weer vroegen waar ik naartoe wilde, ik zei niets toen al die vette zakenlieden als halve wilden kwamen aanstormen en me bijna omverrenden toen de stewardess de deur opende zodat we konden instappen in de luchthavenbus. Ik nam het allemaal voor lief, omdat ik alleen nog maar weg wilde.

Het enige probleem was dat ik helemaal niet naar Khartoem wilde, waar het vliegtuig me zonder twijfel naartoe zou brengen, maar naar mijn behaaglijke Berlijnse woonhol, waar ik me nu graag zou hebben teruggetrokken om te huilen, over mezelf na te denken of gewoon mijn ogen dicht te doen. Waarom deed ik mezelf dit eigenlijk allemaal aan?

Ik vond het nog steeds geweldig om een grote familie te hebben. Ik vond het de moeite waard om met mijn naaste verwanten van gedachten te wisselen, maar op dat moment wilde ik niets anders dan in Berlijn in mijn bed liggen en de deken over mijn hoofd trekken.

SOEDAN

Zelfs in het vliegtuig kon ik de deken niet over mijn hoofd trekken, omdat mijn buurman me al voor we waren opgestegen uit mijn overpeinzingen haalde. Hij was een Soedanees, stelde zich voor als Ahmed en sprak me aan in onberispelijk Duits met een Weens accent omdat hij bij het inchecken mijn Duitse paspoort had gezien. Hij had die taal geleerd tijdens zijn studie in Wenen. Ik had eigenlijk totaal geen trek in een gesprek, maar maakte in dit geval een uitzondering, want het was echt verschrikkelijk vermakelijk om op de vlucht van Addis naar Khartoem met iemand over de Weense keuken en manier van leven te praten.

Ik merkte al snel dat Ahmed niet alleen veel afwist van kalfsschnitzels en de Weense eetcultuur, maar ook van zijn geboortestad Khartoem. Hij was architect, had er een bureau en hield zich bezig met woningbouw. Na even nadenken ging ik in op zijn aanbod om me te helpen als ik in Khartoem iets nodig had. Ahmed was weliswaar niet mijn type, maar ik kende in Khartoem geen hond en mijn Arabisch was net goed genoeg om in een restaurant *foul* en een glas cola te bestellen.

Op het vliegveld omhulde de nachtlucht van Khartoem me als een warme, zachte wolk. Terwijl het in Addis door de hoge ligging 's avonds meestal al zo koel is dat een jas geen kwaad kan, heerste hier op deze winteravond een temperatuur die in Berlijn tijdens hoogstens twee of drie zomernachten wordt gemeten en iedereen van zijn slaap berooft omdat je er zo van moet transpireren. In Soedan was de lucht zo zwaar van de hitte dat ik het gevoel had dat ik tijdens het lopen iets voor me uit schoof. De lucht was als een stof, een vloeistof, een mantel, geen gewichtloos gas.

Al voor het luchthavengebouw merkte ik dat die taaiheid niet alleen aan de lucht lag maar ook aan de mensen die erin bleven plakken. Hier werd elke futiliteit opgeblazen tot iets reusachtigs, hier gebeurde niets vanzelf, alles werd een geweldig drama. Ahmed, die met mij naar buiten was gekomen, wilde me meenemen naar de stad, zijn oom kwam hem afhalen.

Op het parkeerterrein voor het gebouw was het één grote chaos van wachtende mensen en auto's, maar wie er ook was, niet Ahmeds oom. Er waren overigens niet eens zo veel mensen, maar de mensen die er waren maakten een tamtam alsof ze wel tien staatshoofden moesten ontvangen. Iedereen schreeuwde, gebaarde, toeterde en zat de ander zo dicht op de huid, dat er relatief weinig mensen voor nodig waren om de indruk te wekken dat het om een massale samenscholing ging.

Ahmed stond intussen doodgemoedereerd te telefoneren en hoorde dat zijn oom nog onderweg was omdat hij door het tijdverschil per ongeluk een uur te laat met hem had afgesproken. Daarop besloot ik een taxi te nemen en zelf naar de stad te gaan, want ik was zo moe dat ik nauwelijks meer op mijn benen kon staan – het liep tenslotte al tegen vieren. Maar daar wilde Ahmed niets van weten. Hij beweerde dat de taxichauffeur me zou afzetten, dat ik geen geschikt hotel zou vinden en dat het überhaupt te gevaarlijk was. Waarom bleef ik niet met hem op zijn oom wachten, het was immers een kwestie van minuten? Maar als ik absoluut niet wilde wachten, kon hij een taxi voor me regelen. En meteen wilde hij al gaan onderhandelen met een taxichauffeur.

Daarmee was voor mij het punt bereikt waarop ik genoeg had van Soedan. Ik wist net zo goed als Ahmed dat zijn oom hier nooit binnen een paar minuten zou zijn en zelfs als ik geloofde dat Ahmed het beste met me voorhad, dan kon ik toch niet tegen de manier waarop alles hier gebeurde. Ik vond het niet prettig als dingen over mijn hoofd heen werden beslist. Ik kon er niet tegen als mensen zich opwierpen als mijn beschermer. Maar het meest stoorde het me als dingen die slechts een paar seconden hoefden te duren, uren in beslag namen.

Op dat moment wist ik dat het de komende dagen steeds zo zou zijn, omdat ineens alle herinneringen aan Soedan terugkwamen: het gevoel alsof je door een moeras waadt. Dat slome gedoe. De arrogantie van de mannen die autoritair vasthielden aan hun rechten. De omslachtigheid waarmee alles gebeurde. Het stond me allemaal weer haarscherp voor de geest, alsof ik het land niet negentien jaar geleden, maar pas eergisteren had verlaten.

De actie met de taxi paste goed in dat beeld. Ahmed stelde me de taxichauffeur voor als zijn vriend, terwijl me duidelijk was dat hij hem nog nooit eerder had gezien. Hij wist dat ik dat wist, maar het maakte nu eenmaal een betere indruk. Vervolgens begon hij zo stevig met de chauffeur over het tarief te onderhandelen alsof het niet om een taxirit, maar om de aankoop van de hele taxi ging. De chauffeur begon met een bedrag waar Ahmed niet eens notitie van wilde nemen – hij deed gewoon alsof hij het niet had verstaan. Toen de chauffeur het bedrag herhaalde, glimlachte Ahmed alsof hij het nu wel met zijn oren had opgevangen, maar het inhoudelijk niet tot hem was doorgedrongen – het moest echt een vergissing zijn. Nu noemde de chauffeur het bedrag voor de derde keer, maar Ahmed schudde slechts zijn hoofd – dan moest hij een andere vriend met een taxi zoeken.

Nu was de beurt aan de taxichauffeur om Ahmed tegen te houden. Over het bedrag viel natuurlijk te praten, dat stond buiten kijf. Daarop noemde Ahmed een prijs die op ongeveer een derde van het geëiste bedrag lag. De chauffeur deed alsof hij het verkeerd had verstaan en toen Ahmed het bedrag nog een keer noemde, schudde hij zijn hoofd. Nee, zei hij, voor dat geld kon hij zijn taxi niet eens starten. En zo ging het maar door...

Iedereen gedroeg zich hier alsof hij het middelpunt van de wereld was en alsof alles om hem draaide. Natuurlijk was het een spel, een show, maar ik zag er op dit tijdstip de lol niet van in om een half uur te onderhandelen over een taxirit van tien minuten.

Toen we eindelijk in het gammele busje zaten, deed ik een schiet-gebedje dat nu niet Ahmeds oom zou opduiken, omdat alles dan ongetwijfeld weer van voren af aan zou beginnen. Maar ik had geluk. We vertrokken en reden door een agglomeratie waar zeven-enhalf miljoen mensen woonden. Khartoem was door de begin-nende oliekoorts in Soedan een bloeiende, explosief groeiende stad geworden, maar maakte desondanks een volkomen uitgestorven indruk. Er was geen mens te zien, geen auto, geen fiets, niets. Zodra we de belangrijkste verkeersroute verlieten, stoven we over wegen die over met vuilnis en stenen bezaaid braakland leken te gaan. Veel huizen zagen eruit als ruïnes of als noodwoningen die na een oor-log of een natuurramp haastig in elkaar waren getimmerd. Ramen en deuren waren gebarricadeerd, rolluiken naar beneden gelaten. Het enige wat bewoog waren over de straat vliegende plastic zakken en door de warme wind opgewaaide stukken papier.

Hoe beter ik keek, hoe meer schokkende dingen ik zag: in een hoekje tussen twee huizen lag een man op de grond. Op een oprit stond een jeep met op de laadvloer een machinegeweer dat door een paar roerloos ernaast zittende mannen werd bewaakt. Op een andere oprit stonden zwaarbewapende soldaten, met hun wapens in de aanslag om er elk moment op los te kunnen knallen.

Ondanks de hitte liepen de koude rillingen me over de rug. Ik kon er niet tegen dat men zo te koop liep met wapens die gereed waren om elk moment te worden ingezet. Schietklare wapens had ik in mijn leven al te veel gezien.

Het werd er niet beter op toen we voor het eerste hotel stopten. Gewapende mannen beveiligden de ingang, waarachter alleen een zwak licht brandde. Ik was zielsblij toen Ahmed zei dat hij wel ging kijken of ze een kamer vrij hadden. Maar in dit hotel, het volgende en het daaropvolgende was niets vrij. Alle hotels waren bezet door vn-troepen, die de kamers voor maanden hadden gehuurd. Van-wege het conflict in Darfoer was het land vol vn-soldaten.

Dus bleef alleen het Hilton over, het duurste hotel van Khar-toem, zoals een portier ons vertelde. Maar ook dat hotel stelde me niet gerust: de oprijlaan werd bewaakt door zwaarbewapende sol-daten. Dikke betonnen plantenbakken zorgden ervoor dat nie-mand in volle vaart de oprijlaan kon opstuiven, je moest hem door de krappe bochten in een slakkengangetje oprijden. Kennelijk wilden ze op die manier bomaanslagen voorkomen.

Na urenlang afdingen bij de receptie over de kamerprijs stelde ik onderweg naar mijn kamer vast dat zelfs voor de kamerdeuren bewakers zaten te dommelen, hun wapen binnen handbereik op hun schoot. Wat voor gasten logeerden hier in 's hemelsnaam, die zo panisch bang waren voor hun leven? Of was het alleen maar verstandig om hier bang te zijn?

In de kamer zat ik vooral in over kakkerlakken, want het zag eruit alsof de boel hier in geen tien jaar was gedaan. Het behang bobbelde of kwam naar beneden, de meubels waren doorgezeten en de vloerbedekking was vlekkerig. Vanwege de airconditioning konden de ramen niet open, maar toch drongen geluiden als de klagende oproep van een muezzin naar binnen.

Aan de horizon tekende zich de eerste lichtstreep van de nieuwe dag af, het was tijd voor het ochtendgebed – en voor een stevige maaltijd, want we zaten aan het eind van de ramadan, de vastenmaand, waarin gelovige moslims tussen zonsopgang en zonsondergang niet mogen eten of drinken. Over twee dagen begon het suikerfeest, het belangrijkste islamitische feest van het jaar, de feestelijke afsluiting van de vastenmaand.

Met dat vooruitzicht kostte het me moeite om in te slapen, ook al boorde ik mijn hoofd nog zo diep onder het kussen in het laken.

ZON

Toen ik eindelijk mijn bed uit kon komen, kon er allang niet meer ontbeten worden. Er zat niets anders op dan in de lobbybar koffie en jus d'orange te bestellen en er wat frietjes bij te eten. Vanwege de ramadan vroeg ik van tevoren aan de ober of dat wel kon, maar de ravenzwarte man in zijn kreukelige zwarte pak grijnsde van oor tot oor en zei dat dat hier geen probleem was. Ik wist niet zeker of hij met 'hier' het hotel bedoelde of de hele stad. Toen ik om me heen keek, zag ik dat de andere mensen zichzelf ook geen geweld aandeden.

Er waren rijzige, erg donkere mannen in te krap zittende pakken, die zenuwachtig met hun mobieltjes speelden. Twee zwaarlijvige Arabische huisvaders in hun djellaba's, witte gewaden die tot op de grond komen, van top tot teen getooid met gouden kettingen en gouden ringen, waren geanimeerd met elkaar aan het praten, terwijl hun zeker zes min of meer gesluierde vrouwen aan de tafel ernaast een niet minder levendig gesprek voerden. En er waren mannen die zo zwart waren dat het bijna blauw leek – ze behoorden tot de Dinka, een volk in het zuiden van Soedan, waarmee de moslims uit Noord-Soedan, waar ook Khartoem ligt, al meer dan vijftig jaar in oorlog waren. Deze Dinka's droegen uniformen met veel goud en bonte onderscheidingen, ze hadden donkere zonnebrillen op en zagen eruit alsof ze zo overeind konden springen om om zich heen te gaan schieten. Zo'n eigenaardige houding was dat niet, want de slechts gedeeltelijk gekerstende natuurvolkeren uit het zuiden werden door de meeste Arabisch georiënteerde Noord-Soedanezen als minderwaardige mensen en zelfs als grote vijanden beschouwd. Maar kennelijk was er de laatste jaren veel veranderd, want toen ik nog in Khartoem woonde, waren daar bijna geen Dinka's te zien geweest en als ze er waren, dan waren het bedelaars of straatvegers, op wie werd neergekeken. Als ze zich toen in zo'n hotel hadden vertoond, zouden ze meteen de deur uit zijn gezet.

Een paar tafeltjes verderop zag ik een blanke, de enige in de lobby. Toen ik merkte dat hij Engels met een sterk Duits accent in zijn mobieltje blafte, sprak ik hem aan en ik verbaasde me over mijn eigen brutaliteit. Het was voor het eerst dat ik iemand aansprak alleen omdat hij blank was, maar in deze vreemde omgeving voelde ik een zekere verbondenheid met hem, hoewel ik toch alles behalve licht van huid ben. Hij heette Georg en was klaarblijkelijk even blij om iemand te ontmoeten met wie hij Duits kon praten. Hij zei dat hij communicatietechnicus was en voor een Duits bedrijf een nieuw Soedanees mobiel netwerk opzette. Ik was blij iemand gevonden te hebben die me kon uitleggen wat hier aan de hand was. 'Hier logeren wapenhandelaars, drugsdealers, ambtenaren van het ministerie en oliehandelaren,' legde hij met een samenzweerderige blik uit, 'en sommigen van hen bekleden verschillende van die functies tegelijk.'

Dat leek me rijkelijk overdreven, ook al moest ik toegeven dat de mensen in de hal er wel zo uitzagen, maar in de loop van ons gesprek bleek Georgs inschatting gebaseerd op een grondige kennis van het land. Hij was een magere, nerveuze kettingroker, die van het harde werken diepe groeven in zijn gezicht had gekregen en al maanden in Soedan woonde. Hij werkte al jaren in landen in Afrika en Arabië, sprak goed Arabisch en had een goed overzicht over de culturen van die landen. Hij was duidelijk niet alleen een technicus, maar ook een avonturier, wat nodig is om in zulke landen te kunnen werken. De voorzichtigheid waarmee hij zich in de stad bewoog, gaf me te denken over mijn eigen veiligheid.

'Dit land is al tientallen jaren in burgeroorlog,' zei hij. 'Hier lopen zoveel zwaarbewapende kerels rond van wie niemand weet wat ze morgen van plan zijn, dat je niet voorzichtig genoeg kunt zijn.'

Georg was geschokt dat ik de vorige avond met een wildvreemde Soedanees een taxi had gedeeld en me van hotel naar hotel had laten rijden. Maar wat dat betreft was ik het niet met hem eens. Ik had een zekere intuïtie als het om mensen ging en meende heel goed te kunnen onderscheiden wie gevaarlijk voor me kon worden en wie niet. Op al mijn reizen heb ik de mensen altijd redelijk open benaderd, ik heb me nooit afgezonderd in toeristengetto's, ik ben nooit overdreven voorzichtig geweest en het heeft me nooit opgebroken. Maar Soedan was natuurlijk geen normale toeristenbestemming, dat werd me tijdens ons gesprek in de lobby steeds duidelijker. Buitenlanders mochten bijvoorbeeld de hoofdstad niet verlaten – daar had je toestemming van de regering voor nodig. Het had Georg weken gekost om een vergunning voor een dagtripje naar de piramiden aan de benedenloop van de Nijl te krijgen.

Dat beloofde gezellig te worden. In mijn gedachten schrapte ik de geplande tocht naar Kessala aan de Eritrese grens al. Ik was van plan geweest de plek te bezoeken waar ik op mijn vlucht uit Eritrea Soedan was binnengekomen, de plek die voor mij toen synoniem was met vrijheid.

Georg had besloten de komende periode in het hotel door te brengen, want de volgende dag zou het suikerfeest beginnen, en dat is in islamitische landen heilig. Dan staat het openbare leven stil, de mensen gaan niet naar hun werk, maar verzamelen zich voor het *eid*-gebed in de moskee om vervolgens grote feestmaaltijden aan te richten, vrienden en familieleden te bezoeken, iedereen geluk te wensen voor de feestdagen en de kinderen zoetigheid en speelgoed te geven, als ze daarvoor het geld hebben.

Ik liet me er niet van weerhouden de laatste dag van de ramadan buiten mee te maken, maar veel was er niet te zien. De straten waren uitgestorven, de mensen dommelden in de schaduw hun volgende nachtelijke maaltijd tegemoet. De mensen die wel op pad waren, maakten echter geen goede indruk. Geen wonder, ze waren flink vermagerd door de vastenmaand en nu moesten ze de laatste inkopen voor het suikerfeest doen, hoewel de meeste winkels al gesloten waren. De sfeer leek op die van de middag voor kerstavond, als huisvaders gestrest op zoek gaan naar de laatste kerstboom.

Ik bekeek echter in alle rust de stad. Hoewel hier twintig jaar geleden niet zevenenhalf maar minder dan anderhalf miljoen mensen hadden gewoond, was er weinig veranderd – afgezien van de vele kantoren die in het centrum waren neergezet als gebouwen van een andere planeet en afgezien van de omvang van de stad.

Rondom de betonkolossen vol glas van de banken, oliemaatschappijen en de regeringsgebouwen ging het leven zijn oude gangetje. Dicht op elkaar langs de stoffige straten stonden huizen van doorgaans één verdieping. Hun afwijzende façades verdedigden het leven dat zich op de schaduwrijke binnenplaatsen afspeelde met hoge muren tegen de buitenwereld en vooral het hele jaar tegen de bloedhete zon.

Zelfs nu, in de winter, leek de hitte alleen op het eerste gezicht draaglijk, de thermometer kwam nauwelijks boven het dertiggradenstreepje uit. Maar het was kennelijk een andere zon dan in Duitsland. Hier scheen een zon die de planten, de dieren en ook de hoofden van de mensen als een grijparm pakte. Hij brandde pal van boven met een kracht waardoor je huid verbrandde, je hersens smolten en je duizelig werd. Ik merkte dat pas toen ik een paar minuten in de zon stond om de weg te vragen. Het begon te draaien in mijn hoofd, mijn tong hing als een droge lap uit mijn mond en ik greep onwillekeurig naar een lantaarnpaal voor steun. Wat onvoorzichtig van me om mijn hoofd niet te bedekken, dacht ik, en trok de doek die ik om mijn schouders droeg over mijn haar.

Zo'n doek had ik in dit soort landen altijd bij me om me te beschermen tegen de blikken van de mannen, die een onbedekte vrouw al snel als loslopend wild beschouwden. Maar ik wilde me principieel niet sluieren, ik wilde niet de hele dag een hoofddoek om, want ik ben niet islamitisch en ik vind dat iedereen vrolijk mag geloven wat hij wil, als hij het anderen maar niet opdringt. Ik heb er tenslotte ook niets op tegen dat half Kreuzberg met een hoofddoek loopt.

Nu was ik blij met mijn doek die me tegen de intense kracht van deze zon kon beschermen en het schoot me te binnen dat ik ook als kind vaak met een doek over mijn hoofd door Khartoem had gelopen – niet uit geloofsoverwegingen of omdat het van me werd geëist, maar alleen vanwege de hitte. Ook nu voelde ik me beschermd door mijn doek meteen beter, en helemaal toen ik een slok water uit een aarden kruik nam, die hier *torbo* werden genoemd en overal op straat stonden, meestal in de schaduw van golfplaten afdakjes. Als je tong aan je verhemelte kleefde, kon je je daar bedienen. Ook dat herinnerde ik me nog uit mijn jeugd. Wat had ik dat uitstekende gebruik, dat de wandelaars van de stad het leven draaglijker maakte, prettig gevonden!

HERINNERINGEN

Khartum Talata betekent vertaald Khartoem, derde district. Daar ging ik de volgende ochtend naartoe, toen de spanning van de laatste vastendag bij de meeste mensen had plaatsgemaakt voor een weldadige voldaanheid. De welgestelden moesten er volgens de voorschriften van de islam voor zorgen dat ook de armsten van een royale suikerfeestmaaltijd konden genieten. De straten lagen er nog altijd tamelijk verlaten bij doordat veel mensen naar het platteland waren gereisd om de feestdagen bij hun familie door te brengen, maar de stemming leek ontspannener.

Ik was op zoek naar de vier jaar die ik met mijn twee zussen bij oom Haile in Khartoem had doorgebracht, nadat hij ons het kamp van de ELF uit had gesmokkeld en over de Soedanese grens in veiligheid had gebracht. Ik wilde proberen het huis te vinden waar we toen hadden gewoond en de straat waar ik elke dag inkopen ging doen, de binnendoorweggetjes die ik naar school had gelopen.

Natuurlijk wist ik geen straatnamen, geen namen van buren of vriendinnen meer. Ik had zelfs niemand naar de school kunnen vragen. Dus ging ik maar gewoon wat op goed geluk door de straten, reed een straat in en de volgende weer uit en ineens stond mijn afgepeigerde gele taxi voor oom Hailes huis.

Ik keerde me om, keek naar links en naar rechts en bekeek de hoek van de straat. Er was geen twijfel mogelijk: hier was het. De metalen deur en de muur om de tuin zagen er weliswaar niet veel anders uit dan de meeste metalen deuren en tuinmuren hier, maar toch kwam in dit stukje straat alles me zo vertrouwd voor alsof ik het in mijn dromen al vaak had gezien. De laatste twijfels verdwenen toen mijn blik op het restaurant aan de overkant van de straat viel: 'Madame'. Ja, dat was het. Dat buitenlandse opschrift, de onbekende belofte van die Franse naam had me als kind al betoverd, hoewel ik er nooit binnen was geweest, want een bezoek aan een restaurant konden wij ons niet permitteren. Bovendien hadden kinderen toen in restaurants niets te zoeken.

En nu? Mijn chauffeur moedigde me aan gerust op de tuinpoort te kloppen. Er werd ons opengedaan door een slaperig uit zijn ogen kijkende man, die ik kennelijk uit zijn siësta had doen opschrikken. Na wat aarzelen liet hij ons toch de binnenplaats op. Ik zag de ramen van onze kinderkamers, de ingang onder het kleine golfplaten dak, het schijthuisje in de hoek, de ramen van de Egyptische buurvrouw die ons altijd '*Hawesj, Hawesj!*' had nageroepen als wij in haar ogen iets verkeerds hadden gedaan. *Hawesj* betekent in het Arabisch niets anders dan 'Ethiopiër', maar in onze oren had het een negatieve bijklank, net als het woord 'gastarbeider' voor Turken.

Net als vroeger stonden de bedden op de binnenplaats, zoals dat overal gebruikelijk is. Men brengt de bijna tweehonderd gruwelijk hete nachten per jaar buiten door, in de hoop dat een nachtelijk briesje voor enige verkoeling zal zorgen.

Ik stond midden op de binnenplaats te mijmeren, tot ik merkte dat de bezitter van het huis niet van plan was me vragen te stellen of me te vragen binnen te komen. Hij was vriendelijk maar bleef afstandelijk, ook toen mijn chauffeur hem mijn verhaal in het kort had verteld. Of misschien wel juist daarom. Hij was een Soedanees en voor hem bleef ik natuurlijk een *hawesj*, een vreemdeling uit Ethiopië of Eritrea, dat was voor hem waarschijnlijk één pot nat.

Wat zat er anders op dan vriendelijk afscheid te nemen en te accepteren dat ik hier niets meer te zoeken had? Als een soort toegift verzekerden de buren die voor het huis stonden me dat er in deze buurt geen *hawesj* meer woonden en het klonk niet alsof ze dat betreurden. Zelfs de Egyptische vrouw uit het buurhuis kenden ze niet. Had ons leven hier geen enkel spoor achtergelaten?

Ik slenterde verder door de buurt en ontdekte de moskee waarvan de muezzin ons elke ochtend had gewekt. Grappig genoeg vond ik zelfs de steen waarop ik 's middags als ik uit school kwam had uitgerust. Van hieruit kon ik de school moeiteloos terugvinden – de weg door de laatste paar straten legde ik af op de automatische piloot. Natuurlijk waren de leraren en de leerlingen er niet vanwege de feestdagen, maar de conciërge was net bezig met schoonmaken en ik mocht door het hele gebouw lopen. Ik liep van de ene klas naar de andere, zelfs de kamer van de directeur en de lerarenkamer mocht ik in.

Ik kon haast niet bevatten hoe klein alles was. De klaslokalen waren laag en kaal, de kalk brokkelde van de muren, er zat geen glas in de kozijnen, er waren alleen metalen luiken tegen de zon. Afgezien van de schoolborden en een paar stukjes krijt was er geen lesmateriaal, en op de stoelen en tafels na, die op de kale betonvloer stonden, was er geen meubilair. Je kon je nauwelijks voorstellen, dacht ik, wat wij meisjes met z'n dertigen de halve dag in dit krappe hok hadden uitgevoerd.

Ik begon me steeds meer te herinneren: de klimboom op het schoolplein, de waterkruiken bij de ingang, het kleine podium ernaast, waarop we altijd hadden gezongen – maar dat de kale muur erachter werd opgeluisterd door een Koranvers, dat wist ik niet meer.

'De soera is nieuw,' zei de conciërge toen ze mijn vragende blik zag, 'die is er pas sinds tien jaar.'

Mijn hemel, dacht ik, en ik ging hier twintig jaar geleden naar school. Maar wat had ik verwacht? Was het een wonder dat ik me hier na al die jaren een vreemde voelde?

De sterkste verbondenheid met de stad voelde ik in een Eritrese wijk die er in mijn jeugd nog niet was geweest. Daar voelde ik me meteen thuis, nadat een paar mensen die ik nog nooit had gezien naar me zwaaiden omdat ze aan mijn uiterlijk meteen konden zien dat ik een Eritrese was, hoewel ze aan mijn kleren zagen dat ik niet van hier was. Algauw zaten we voor een klein winkeltje op omgekeerde limonadekratten midden op straat Seven-Up te drinken en praatten we over de wegen die ons naar Soedan hadden gebracht. Het waren eenvoudige mensen, boeren uit de westelijke provincies van Eritrea, die al heel wat jaren geleden voor de droogte en de oorlog hiernaartoe waren gevlucht en in mij een landgenote zagen wie het gelukt was de grote stap naar Europa te maken. Op momenten als deze voelde ik bijna lichamelijk hoe sterk de band van herkomst of gemeenschappelijke taal was. Hij ging uit boven nationale grenzen of sociale klasse.

Het laatste programmapunt van mijn sentimentele reis moest het bezoek aan het hoofdkwartier van het Rode Kruis zijn, waar mijn oom Haile al die jaren had gewerkt, alvorens ook hij naar Europa was geëmigreerd. Voor de poort van de villa, die ik me nog goed herinnerde omdat ik Haile daar vaak had afgehaald, stonden Rfaat en Kamal. De twee Soedanezen waren chauffeurs van de hulporganisatie en stonden gewoon maar wat te kletsen. Er was niet veel te doen want de kantoren waren tijdens de feestdagen uitgestorven.

Rfaat sprak heel goed Engels en zag eruit alsof hij in de verkeerde film speelde: hij droeg een enorme zwarte cowboyhoed, een gigantische Ray-Ban-bril (of liever een goede imitatie), een spijkerbroek, een grof geruit houthakkershemd en cowboylaarzen. En hij kende Haile.

Hij was blij verrast toen ik hem vertelde dat mijn oom nu in Zwitserland woonde en getrouwd was met een jonge vrouw met wie hij twee kinderen had. Ik kon mezelf wel wat doen dat ik geen foto's van Haile had meegenomen – maar ik had er totaal geen rekening mee gehouden dat ik nog een oude kameraad van hem zou aantreffen. Zelfs Kamal, Rfaats collega, wist zich mijn oom vaag te herinneren, en dat terwijl hij maar een paar maanden met hem had samengewerkt. Ook Rfaat was, dat bleek al snel, hoogstens een jaar samen met hem bij de 'Zwitsers' geweest, zoals de mensen van het Rode Kruis hier werden genoemd, maar het leed geen twijfel dat we het over dezelfde Haile hadden.

Rfaat had, net als Haile, de internationale contacten die hij bij het Rode Kruis had kunnen leggen gebruikt om zijn familieleden naar het veilige Westen te brengen. Zijn vrouw en kinderen woonden al jaren in de Verenigde Staten. Hijzelf, dat bleek uit zijn uitmonstering, hield ook van de *American way of life* en ooit, zei hij, zou hij er zelf waarschijnlijk ook naartoe gaan, hoewel... En toen aarzelde hij, er was kennelijk iets wat hem nog in Khartoem hield.

'Ach wat,' zei hij, 'je moet morgen gewoon bij mij thuis komen eten. Ik nodig nog twee meisjes uit Europa uit en dan maken we er een groot feest van.'

Dat idee beviel me en ik beloofde spontaan te zullen komen. Hier waren de hartelijkheid en gastvrijheid weer, die ik uit mijn vaderland kende. Zonder het te weten had oom Haile, die al jaren mijn beschermengel was, voor deze vriendelijke ontvangst gezorgd.

EIND VAN DE VASTEN

's Avonds zat ik met Ahmed, de Weense Soedanees uit het vliegtuig, in een straatrestaurant aan het eind van de vasten, als bijna enige vrouw tussen allemaal mannen. En in elk geval als enige vrouw zonder hoofddoek. Ik voelde weliswaar dat ik veel bekijks had, maar die avond liet dat me koud. Dit was voor mij een succesvolle dag geweest, met herinneringen die ik niet wilde laten verpesten.

Gelukkig was het restaurant niet afgeladen vol. Ook de eerste dag van het suikerfeest waren er traditiegetrouw niet heel veel mensen op stap omdat de meesten deze avond met hun familie doorbrachten. Pas de tweede avond van het suikerfeest was gereserveerd om uit te gaan. Geamuseerd luisterde ik naar Ahmeds verhalen over de tamtam die er in zijn familie – net als in de meeste andere islamitische families – van dit feest werd gemaakt. De deuren van de huizen stonden dag en nacht open voor familieleden, wat gezien de omvang van een doorsnee islamitische familie betekende dat honderden ooms en tantes en oudooms en oudtantes en neven en nichten en zwagers en schoonzussen in de vijfde graad kwamen binnenvallen om prettige feestdagen te wensen en flink te eten.

'De eersten waren er al voor zonsopgang,' klaagde Ahmed. 'En ver na middernacht waren de laatsten nog niet vertrokken.' Gelukkig bracht de moderne techniek uitkomst, zodat je niet alle familieleden persoonlijk hoefde te groeten. 'Je mag ze ook per telefoon gelukwensen, en vrienden zelfs per sms'je,' knipoogde hij. 'Maar kijk uit dat je dat niet bij iemand doet die zichzelf als een belangrijk familielid beschouwt en vindt dat hij persoonlijk gelukgewenst moet worden! Die is dan minstens een jaar lang zwaar beledigd – tot je hem bij het volgende suikerfeest toch weer persoonlijk de hand schudt.'

Tijdens dat soort bespiegelingen aten we heerlijke *foul*, met een kleine salade en het knapperigste en vanbinnen toch smeuïgste brood van de wereld: Soedanese baguette. Als ik daar nog een koel biertje bij had kunnen drinken, was de maaltijd perfect geweest, maar alcohol was in een land als Soedan, dat zich onderwierp aan de sharia, het islamitische recht, volkomen taboe en dat terwijl naar verluidt het eerste bier van de wereld in Soedan werd gebrouwen. Van alcohol drinken werd nu een veel groter probleem gemaakt dan twintig jaar geleden. Ik herinnerde me dat Haile ons zusje toen regelmatig naar een buurvrouw toestuurde om haar zelfgebrouwen dadelbier te kopen. Tegenwoordig, verzekerde Ahmed me, was zelf brouwen volkomen illegaal en stonden er hoge geldboetes op, wat veel Zuid-Soedanezen er echter niet van weerhield er toch telkens weer aan te beginnen. Ik vond dat begrijpelijk, tenslotte waren deze mensen allemaal christenen of aanhangers van natuurgodsdiensten, voor wie alcohol geen taboe was. Maar de kwestie van het bier is waarschijnlijk slechts een van de vele die een vreedzaam samenleven van Noord- en Zuid-Soedanezen onmogelijk schijnen te maken...

Hoewel ik merkte dat Ahmed er veel zin in had, wilde ik liever niet met hem over politieke onderwerpen discussiëren. Ik wilde onder geen beding in een van de vele valkuilen trappen die bij een dergelijk gesprek in Soedan als vliegen om een herkauwende koe op de loer liggen. Het zou hetzelfde zijn als wanneer ik in Addis een gesprek over de Eritrese onafhankelijkheid begon. Dat zijn onderwerpen waar je oeverloos over kunt discussiëren en waar je nooit uitkomt als je niet verschrikkelijk oppast. Maar Ahmed droeg mijn terughoudendheid met kalmte – hij kwam sowieso ontspannener over dan de vorige keer. Waarschijnlijk had de spanning van de ramadan en het naderende feest hem de vorige dag evenzeer dwarsgezeten als zijn landgenoten.

OORLOG?

Toen ik goedgehumeurd weer terugkwam in het hotel, keek ik naar de berichtgeving van de Arabische nieuwszenders over het suikerfeest in de grote islamitische landen. Het was ontroerend en bijna een beetje beangstigend wat voor mensenmassa's daar op straat waren, wat voor enorme vuurwerken er werden afgestoken en wat voor geweldige feesten daar werden gevierd. Daarmee vergeleken stelde het in Khartoem, dat ondanks de oliehausse een van de armste plaatsen van de islamitische wereld was, simpelweg niets voor. Overigens waren er ook een paar commentatoren te horen die kritiek leverden op de vercommercialisering van het feest – net als in Duitsland als het om koopwoede rond kerst gaat.

Ik genoot van de meest kleurrijke beelden, toen de telefoon ging. Georg belde me vanuit zijn kamer dat ik over moest schakelen naar de Soedanese zender, waar nieuws in het Engels op was. Daar sprak een bezorgde correspondent uit Addis Abeba over troepenconcentraties aan de Ethiopisch-Eritrese grens; over het mogelijk weer oplaaien van de oorlog die pas een paar jaar geleden was uitgemond in een door VN-troepen voorlopig gewaarborgde vrede die door beide zijden echter werd afgewezen. Eritrea had de uitzonderingstoestand al afgekondigd, zei de commentator, er werd in allerijl gemobiliseerd. Ik was sprakeloos en ik vergat dat Georg nog aan de lijn was.

'Vlieg niet naar Eritrea,' zei hij, 'ik heb de eerste berichten daarover vanmiddag al op internet gelezen.'

Ik zweeg en zat verstijfd op mijn bed, terwijl mijn gedachten rondtolden. Hoe moest het met mijn familie? Wat kwam er van mijn reis naar Asmara terecht die voor overmorgen gepland stond – en die ik heel omslachtig via Caïro had geboekt omdat er geen directe vlucht van Khartoem naar Asmara was, omdat mijn kleine vaderland ook met Soedan in bittere vijandschap leefde, net als met al zijn buren.

'Doe het niet, Senait,' zei Georg nog een keer smekend. 'Het is te gevaarlijk. De situatie kan elk moment escaleren. De Eritreeërs sluiten misschien de luchthaven of de grenzen en de Ethiopische regering grijpt alles aan wat afleidt van haar eigen problemen. Ze zijn ertoe in staat om Asmara te bombarderen, het zou niet de eerste keer zijn. Ga er alsjeblieft niet naartoe!'

Met een brok in mijn keel bedankte ik hem voor zijn waarschuwing. Georg was niet alleen technicus, hij had ook bij de Bundeswehr gezeten en hij meende nog steeds belast te zijn met het inschatten van gevaarlijke situaties. Maar wat moest ik doen? Misschien was het bericht immers slechts een van de vele valse berichten van gruwelen waar de Afrikaanse publieke opinie zich dag en nacht mee bezighoudt?

Ik zapte de zenders langs maar kwam er verder geen nieuws over tegen, wat niets betekende want het conflict tussen de twee landen had de wereldpers ook nauwelijks geïnteresseerd toen er decennialang honderdduizenden mensen op de slagvelden omkwamen. Er wonen geen blanken, er is geen olie, er is geen toerisme, er zijn geen bodemschatten die belangrijk zijn voor de wereld en dus trekken de oorlogen in dat gebied nauwelijks aandacht.

Slapeloos lag ik tot 's ochtends vroeg in mijn bed te woelen, en na de oproep van de muezzin stormde ik het zogenaamde *Business Center* van het hotel binnen, dat wel twee computers met internetaansluiting had. Het duurde eindeloos voor de pagina's geladen waren, maar na een dik uur internetten was me duidelijk dat de Soedanese televisie niets te veel had gezegd. Ook de internationale persbureaus maakten er melding van en zelfs schrijvers van Duitse websites wisten al dat er binnenkort misschien een nieuwe oorlog te verwachten was: de vn waren al begonnen met onderhandelingspogingen.

Wat moest ik doen? Ik pakte de telefoon en belde een ambtenaar op de Duitse ambassade in Asmara, met wie ik vanuit Berlijn al een paar keer contact had gehad – een rechtstreekser verslag van de situatie kon ik nauwelijks krijgen. De man liet me rustig maar beslist weten dat ik op dat moment beter niet naar Eritrea kon reizen. Asmara was weliswaar nog rustig, maar de straten buiten de stad waren al afgesloten en vooral naar het zuiden, naar de Ethiopische grens, was er geen doorkomen aan. Dat was nu net de weg die ik moest nemen als ik naar mijn familie in Ādī K'eyih wilde. Binnenlandse reizen, zei de ambtenaar, werden in elk geval afgeraden.

Teleurgesteld, wanhopig, maar ook een beetje opgelucht legde ik de hoorn op de haak, want nu was er in elk geval een eind aan de onzekerheid gekomen. Ik zou niet naar Eritrea reizen, met de onlusten in Addis en de gespannen situatie in Khartoem had ik mijn portie wel gehad. Wat het in mijn geval namelijk nog lastiger zou maken was dat de Eritrese douanebeambten in mijn paspoort meteen konden zien dat ik net uit Addis en Khartoem kwam, uit vijandelijk gebied – en bij Afrikaanse beambten wisten je nooit hoe ze dan zouden reageren. Soms werd je al bestempeld als spion voor je begreep waaraan je die eer te danken had.

LIED VAN DE WOESTIJN

Vanaf het moment waarop ik had besloten niet zoals gepland verder te reizen naar Eritrea, bekeek ik alles om me heen met andere ogen. Over een paar dagen zou ik weer thuis zijn, want ik beschouwde Berlijn als thuis, vooral vanaf deze in elk opzicht enorme afstand. Ik boekte mijn vlucht en zou inderdaad nog geen twee dagen later op de luchthaven van Frankfurt landen – een idee dat een ongelooflijke hoerastemming bij me opriep. Eindelijk weer alles verstaan wat de mensen zeiden! Eindelijk weer vrij over straat lopen zonder erover na te hoeven denken of een bepaalde hoek van de stad misschien gevaarlijk was. Eindelijk weer elk restaurant binnen kunnen gaan, zonder te hoeven overwegen of dat voor een vrouw wel kon. Eindelijk weer gewoon over straat lopen, zonder er gedachten aan te hoeven wijden of ik beter een hoofddoek kon dragen of niet. Eindelijk geen kopzorgen meer over de vraag of een

T-shirt te veel liet zien, of een bepaalde spijkerbroek te strak zat.

Want op de tweede dag van het suikerfeest, toen de straten zich langzaam weer vulden, merkte ik steeds vaker dat de mensen me aangaapten. Dat deden ze niet onvriendelijk, niet haatdragend, maar toch zo opvallend dat ik niet van het gevoel afkwam dat ik continu in de kijkerd liep en iedereen me onder de loep nam. Waar komt ze vandaan? Hoe gaat ze gekleed? Is ze rijk? Komt ze uit het Westen? Waarom draagt ze geen hoofddoek? Wat wil ze hier?

Ook al had het verder geen gevolgen, het kon op den duur behoorlijk vermoeiend zijn.

Maar daar wilde ik me nu niet het hoofd over breken, ik wilde liever van de laatste twee zonnige dagen genieten. Ik wandelde over de markten om een paar dingen voor mijn vrienden in Berlijn te kopen en een paar mooie stoffen voor mezelf. Ik liep over de bruggen die de sappige weilanden met elkaar verbonden, waar de Witte en de Blauwe Nijl doorheen stroomden voor ze samenvloeiden. 's Avonds was iedereen daar, iedereen was op de been: op de oever stroomden de mensen uit een amusementspark, anderen versperden de voetpaden omdat ze zich tijdens het avondgebed in de richting van Mekka op de grond wierpen en zelfs uit sommige langsrijdende auto's puilden de mensen, anderen vielen bijna van vrachtauto's, waarvan de laadvloer een en al armen en benen was. Ze droegen allemaal djellaba's, de vrouwen hoofddoeken, de lucht was vol blikken en geuren en stank en wind en zand, dat van de nabijgelegen bouwterreinen opstoof en samen met de schemering alles tot één lawaaierige en hete brij deed samenkolken, tot het mij te veel, te vol en te benauwd werd.

Ik was blij dat ik bij Rfaat op bezoek kon, die voor twee medewerkers van het Rode Kruis, een buurman en mij een geweldige maaltijd had aangericht. En ik genoot van de grote gastvrijheid die deze mensen tentoonspreidden als ze een vreemde eenmaal vertrouwden – in elk geval mensen als Rfaat, die door hun werk wat meer van de wereld en van andere culturen wisten. Ik waardeerde het erg dat hij traditioneel Soedanees had gekookt, met gebraden schapenvlees en deegpannenkoeken, met gegrilde tomaten en aubergines erbij, bieslooksaus, hardgekookte eieren, komkommer, en als klap op de vuurpijl verse chilipepers met citroen. Rfaat schepte zoveel op dat het niemand opviel dat ik geen vlees at. Ik vond het ook prettig dat hij thuis een djellaba droeg en dat we beschermd tegen de zon onder een grote doek half liggend aan tafel zaten, als nomaden. Met dit verschil dat de tafel niet in de woestijn was gedekt, maar op de binnenplaats naast zijn piepkleine huisje. Daar zag ik overigens wat de boef ervan weerhield om naar Amerika te emigreren: het was de ongelooflijk aardige vrouw met wie hij hier samenwoonde.

Het werd een vredige avond en het was alsof ik op vleugels werd gedragen. We lachten ons slap om de grappen die Rfaat en zijn buurman vertelden. Rfaat ontpopte zich als een begenadigd verteller, die zijn verhalen opsmukte met oriëntaalse kleurenpracht. Het best beviel me een kleine, simpele parabel, die hij in een paar zinnen vertelde. 'Een arme en een rijke man gingen naar een wijze oude man om erachter te komen wie het het beste had in het leven. De rijke zei dat hij het het beste had omdat hij alles kon kopen wat hij zich maar wenste. De arme zei dat hij wel niets kon kopen, maar veel vrienden had en daarom de gelukkigste man ter wereld was. Toen besloot de oude man dat de bedelaar het beste leven had, want als ze samen op reis zouden zijn en de rijke werd bestolen van al zijn geld, zou hij niets meer hebben en moeten verhongeren. De arme kon zich echter tot zijn vele vrienden wenden en die zouden hem in elke situatie helpen.'

We klapten enthousiast en Rfaat bezwoer ons plechtig: 'Vergeet deze dag nooit, net zoals ik hem nooit zal vergeten. Dit betekent voor mij nou echt leven: vrienden uitnodigen, lachen, eten, verhalen vertellen en een prettige avond hebben. Moge het ons altijd zo goed gaan!'

En wat hadden we het goed! De achtergrondmuziek bij ons geluk bestond uit prachtige, klaaglijke Soedanese liefdesliederen, maar ook uit Ethiopische schlagers, een Bob Marley-cassette en een van de Rolling Stones, kennelijk was dat de nieuwe sound van de woestijn. Daar dronken we cassis en cola uit flesjes met opgedrukte gelukwensen voor de ramadan, en thee bij. Dat er geen alcohol was, deed geen afbreuk aan de stemming. We werden nog vrolijker toen Rfaat zijn waterpijp neerzette en hem met veel poespas aanstak – deze manier van roken kende ik tot nu toe alleen van zien en ik moet zeggen dat sigaretten daarbij vergeleken maar kinderachtige dingen waren. Ik had slechts een paar trekken aan de slang nodig om een opgewekt gevoel te krijgen, zoals ik dat anders in het gunstigste geval na een half pakje sigaretten had, als mijn keel dan tenminste nog geen pijn deed.

Laat in de nacht, terugrijdend naar het hotel, zag ik wegversperringen en zwaarbewapende patrouilles, net als een paar dagen daarvoor in Addis Abeba. Was er weer iets gebeurd? Rfaat, die me naar huis bracht, stelde me gerust. Het was normaal dat de wijk met de regeringsgebouwen 's nachts werd afgesloten. Met welke angsten moesten de machthebbers in landen als deze leven dat ze zulke veiligheidsmaatregelen namen? Hoeveel vijanden hadden ze gemaakt dat ze zich zo moesten verschansen?

Alsof slecht nieuws altijd 's nachts moest komen, ging later, toen ik al op mijn kamer was, de telefoon – een beller uit Ethiopië! Salomon, mijn chauffeur uit Addis, had de jobstijding van de dag voor me: Luul was gearresteerd. Hij bevond zich in de buurt van een demonstratie waaraan hij niet eens had deelgenomen. Hij was – echt mijn broer – op het verkeerde moment op de verkeerde plaats geweest en dat was voldoende.

Wat moest er nu gebeuren? Salomon, die vriendschap had gesloten met Luul, beloofde er alles aan te zullen doen om hem weer uit de gevangenis te krijgen – er waren tenslotte duizenden mensen opgepakt, vooral studenten, eenvoudigweg te veel om voor lange tijd op te sluiten.

Na weer een onrustige nacht en een aantal vruchteloze pogingen Luul of Salomon te bereiken, kreeg ik de volgende ochtend het goede nieuws dat Luul weer vrij was. De soldaten hadden hem 's nachts al vrijgelaten, maar omdat hij nog niet zo goed wist hoe hij zijn mobieltje moest bedienen, had ik hem niet bereikt. Wat een opluchting! Ik moest lachen toen Luul me aan de telefoon beloofde dat hij zich door Salomon een 'inleiding in de kunst van het mobiel telefoneren' zou laten geven.

Zo kon ik het allemaal langzaam loslaten. Ik pakte mijn koffers, want laat op de avond zou mijn vliegtuig naar Frankfurt vertrekken. Daarvóór had ik nog een ontmoeting met Ahmed om afscheid van hem te nemen. We hadden afgesproken in de bar van een hotel dat ooit heel luxueus moest zijn geweest, maar dat zijn beste tijd allang had gehad. De façade, die in de jaren zestig modern was geweest, was grijs geworden en bladderde overal af, de kunstleren banken in de lobby waren tot op de binnenveren doorgezeten. In de tuin lag een troebel zwembad dat er 's avonds bij kunstlicht toch nog heel aardig uitzag. Om het water heen waren gemakkelijke stoelen opgesteld in de richting van een enorm scherm, waarop actuele dvd's met Soedanese en Ethiopische hits te zien waren. Er werden alcoholvrije vruchtencocktails geserveerd en waterpijpen, waarvan de gloeiende stukjes tabak in het donker een geheimzinnige gloed verspreidden. Telkens weer liep de ober tussen de rijen door met een dienblad waarop een nieuwe voorraad lag te gloeien die hij met een tang naar behoefte verdeelde.

We praatten over koetjes en kalfjes tot we op het onderwerp godsdienst kwamen. Ahmed was moslim en ik christen, maar we waren allebei niet erg dogmatisch. Toch kon ik de quasi tolerante praatjes waar vrijzinnige moslims vaak de mond van vol hebben niet verdragen. 'Wat heb ik aan die verhalen dat het allemaal op hetzelfde neerkomt, dat we allemaal dezelfde God hebben? Mijn God stuurt er niemand op uit om te vuur en te zwaard zijn religie te verbreiden. Ik voel me als christin vrij, maar jullie moslims zijn dat niet, omdat jullie geloof jullie in een keurslijf dwingt. Wie weet hebben we dezelfde God, maar onze godsdiensten verschillen en daardoor de gelovigen ook.'

Ahmed sprak me niet tegen, hij moest toegeven dat de islam zich historisch gezien in een ander stadium bevond dan het christendom.

'Het gaat vooral om de vrouwen.' Dat kon ik nu niet inhouden. 'Jullie zijn bang voor vrouwen, daarom onderdrukken jullie ons. Vrouwen voeren geen oorlog, ze praten alleen en denken, ze voelen. Daarom haten jullie ze, omdat jullie mannen je inferieur voelen.'

Dat was krasse taal midden in Khartoem, maar Ahmed nam mijn aanval verbazingwekkend kalm op. Waarschijnlijk had hij in Europa al veel van dat soort discussies meegemaakt en wie weet had hij een andere mening, maar hij hield zich op de vlakte, wat op dat moment een goede oplossing was.

Want ik genoot liever van de oriëntaals aandoende sfeer dan dat ik discussieerde. De zangeressen en zangers op het scherm bezongen natuurlijk de liefde, zoals ze dat meestal doen in de Arabische muziek, ze zongen van slapeloze nachten vol verlangen, van het lot om verliefd te zijn en van de betovering door een mooi gezicht. De palmen achter het zwembad ruisten zacht in de wind, die ook laat in de avond nog warm was en uit de verre woestijnen kwam die Khartoem omringen en deze liederen van verlangen en liefde meevoerde naar de andere kant van de stad, terug naar de woestijn, waar de mensen in tweedracht en ellende leefden.

Maar dat waren gedachten die me waarschijnlijk ingegeven werden door de rookslierten van de waterpijp, want natuurlijk kwam de muziek niet eens verder dan het volgende kruispunt, waar de motoren van oude, gammele taxi's om het hardst loeiden met die van uitgemergelde bussen en de achtcilinder-aggregaten van de geheel airconditioned VN-terreinwagens. Zo bleef van mijn voorstelling waarschijnlijk alleen de woestijnwind over, die over het nachtelijke Khartoem streek en de palmtakken boven mij liet trillen.

TERUG!

Tijdens de vlucht slapen is een kunst die ik jammer genoeg niet beheers. De meeste tijd die ik in vliegtuigen doorbreng ben ik druk doende de gezagvoerder te controleren. Ik houd op de monitoren de vlieghoogte en de vliegroute in de gaten, luister naar eventuele onregelmatigheden in de geluiden van de motoren en gluur uit het raam om te kijken of er geen schade aan de vleugels is. Zo blijft er nauwelijks tijd over om de hoofdfilm te volgen, vooral doordat er ook nog duizend-en-een gedachten door mijn hoofd schieten – van slapen kan geen sprake zijn.

Ook ditmaal had ik mijn portie wel gehad toen ik door de mensenzuigende slurf meer struikelend dan lopend uit het vliegtuig het luchthavengebouw binnenkwam. Ik was echter wakker genoeg om twee dingen vast te stellen. Buiten was het zo guur, dat ik het ondanks de beschermende metalen huid van de terminal door en door koud had. En ik was zo blij dat ik het liefst de grond had gekust. Ik voelde me duidelijk thuis, ik was opgelucht en het liefst zou ik de douanebeambten om de hals zijn gevlogen, die al vóór de eigenlijke paspoortcontrole de paspoorten van de passagiers controleerden die misschien geen visum hadden – dus vooral van de Afrikanen, bijvoorbeeld van mij. Dat deden ze om te voorkomen dat mensen zonder visum het luchthavengebouw betraden en asiel aanvroegen.

Mij maakte die gang van zaken op dat moment niets uit, want alles verliep vriendelijk, correct en professioneel. Niemand hoefde omgekocht te worden, er stond niemand te schreeuwen, niemand deed uit de hoogte of stelde zinloze vragen. Alles verliep zoals vriendelijke, beschaafde mensen met elkaar omgaan en het was een genoegen het aan den lijve te ervaren.

Omdat ik nog een paar minuten had vóór mijn aansluitende vlucht naar Berlijn, trakteerde ik mezelf op een snelle cappuccino. De vrouw achter het koffiekraampje was Ethiopisch. We zagen meteen dat we afkomstig waren uit hetzelfde deel van de wereld.

'Hoe is het? Kom je er net vandaan?' vroeg ze.

Ik vertelde haar een beetje over wat ik in Addis had meegemaakt.

'Het is erg,' zei ze, 'er zijn al tientallen doden. Ik wilde er binnenkort heen, maar ik heb alles geannuleerd. Het gaat op dit moment niet.'

Daar was de verscheurdheid van mijn volk weer. We dragen het verlangen naar het land waar we vandaan komen in ons hart. We worden altijd getrokken naar waar we vandaan komen. Maar wat daar gebeurt kunnen we op den duur niet meer verdragen zodra we eenmaal hebben gezien dat het ook anders kan. Mijn mensen moesten net als ik erkennen dat de mensen in dit land in vrijheid, zonder angst en ellende en met alle rechten konden leven – en ze zien dat die voordelen niet onderdoen voor alles wat Afrika te bieden heeft: warmte, het volle leven en een intense, vitale cultuur.

GALA

Toen ik de golvende mensenmassa voor het Schauspielhaus aan de Berlijnse Gendarmenmarkt zag, wilde ik rechtsomkeert maken.

'Jobst! Jobst!' schreeuwde ik tegen mijn manager die naast me in de limousine zat. Dat luxe voertuig hadden de mensen van de Berlinale voor ons geregeld om ons naar het grote liefdadigheidsgala 'Cinema for Peace' te brengen. Daar moest ik die avond optreden, tussen Richard Gere, Bob Geldof, Bärbel Schäfer, Milla Jovovich en de Chinese toppianist Lang Lang... Mijn hemel, eigenlijk iedereen die in de internationale film- en showbusiness aan de top stond en er waarde aan hechtte iets voor een goed doel te doen, zou er zijn. De netto-opbrengst van het gala kwam immers ten goede aan UNICEF-kinderhulp.

Jobst, die zich net relaxed in de leren stoel had genesteld, schrok. 'Wat is er aan de hand?'

Omdat de chauffeur onrustig werd, dempte ik mijn stem zo goed het me in mijn opwinding lukte. 'Laten we hier weggaan,' fluisterde ik in Jobst oor. 'Ik kan niet over de rode loper lopen. Laten we de leveranciersingang nemen of wat dan ook, als we hier maar niet langs hoeven!'

Ik zag de hele ellende al voor me. Onze auto schoof in een hele rij limousines onbarmhartig telkens een stukje verder naar het begin van een felverlichte, rode loper, die naar me leek kilometerslang het prachtige Schauspielhaus in ging – aan beide kanten omzoomd door duizenden kijklustigen en nog erger, honderden fotografen en cameramensen, die fel vochten om de plaatsen in de voorste rij. Wat had ik een hekel aan dat soort mensenmassa's! Wat vond ik het onaangenaam om zo in de schijnwerpers te staan, ver weg van de beschermende atmosfeer van het podium, waar ik geen angst kende!

'Dat is onmogelijk,' zei Jobst en hij schudde zijn hoofd. 'Je moet er doorheen,' voegde hij er nuchter aan toe.

Eigenlijk mocht ik hem juist graag om zijn nuchterheid, daarom was hij ten slotte ook manager geworden, maar op dat moment kon ik hem wel wurgen. Nu wist ik dat er geen ontkomen meer aan was.

'Ik ben immers bij je,' fluisterde Jobst nog en daar stonden we al op de loper.

Wat er toen gebeurde wordt een *photocall* genoemd en is voor mij zo ongeveer het ergste wat er bestaat – ik denk dat het meteen na lopen onder vijandig geweervuur komt. Die fotografen maakten namelijk niet alleen maar foto's, ze stonden ook nog uit alle macht tegen me te schreeuwen. Iemand herkende me en riep meteen: 'Senait, hier!' Daarna viel de volgende hem in de rede en vervolgens weer degene daarna. *'Senait, look to me!'* – *'Over here, Senait!'* – *'Smile, come on, give me a smile!'*

Dan moest je een beetje blijven staan, glimlachen, hierheen en daarheen kijken, maar ze hadden nog lang niet genoeg. *'Senait, once again!'*

'Maar natuurlijk,' schreeuwde ik terug. 'Verder nog iets?'

Dat maakte totaal geen indruk op de meute. Het geschreeuw werd er alleen nog maar ondraaglijker op.

Ik heb geen idee hoe ik door die erehaag heen kwam, maar op de een of andere manier lukte het me toch het gebouw in te komen. Ik was nat van het zweet, terwijl het buiten berekoud was. Je kon nauwelijks geloven wat mensen allemaal deden om een paar ellendige plaatjes te schieten, die er in elke krant hetzelfde uitzagen!

Binnen was je weliswaar veilig voor de fotografen, maar daar begon meteen de parade. Wat de meeste galagasten als vanzelfsprekend accepteerden was voor mij maar moeilijk te verteren – en al helemaal niet zo vlak na een uitgebreid bezoek aan Afrika. Hier paradeerden dames en heren rond in avondkleding en smokings die zo duur waren dat een Eritrees gezin van zes personen er een jaar lang een luxe leventje van kon leiden. Ik zag sieraden die zoveel waard waren dat hele dorpen er tientallen jaren door uit de brand zouden zijn, ik werkte me tussen opgestoken kapsels door waaraan genoeg geld was uitgegeven om de hele opleiding van een Ethiopisch kind, van basisschool tot en met het eindexamen van de middelbare school, te betalen.

Dat hield ik Jobst voor, terwijl ik me tussen de sterren, sterretjes en sponsors een weg naar ons tafeltje baande. Het was niet eens vals bedoeld, ik was juist blij dat al die mensen er waren, want ze hadden veel geld voor hun kaartje betaald en zouden deze avond nog meer uitgeven – ongeveer een half miljoen, hoorde ik later. Geld dat voor het best denkbare doel werd gebruikt, namelijk om kinderen te helpen in delen van de wereld waar het echt nodig is. Alleen eigenaardig dat deze mensen het geld dat ze kennelijk overhadden niet gewoon zo konden weggeven, maar dat ze hun bijdrage met zoveel tamtam moesten vieren, dat ze een dergelijke glamoureuze aanleiding nodig hadden om in de stemming te komen om iets te geven – of pas voor de camera echt van het geven konden genieten.

Ik denk dat ik, als ik zo veel geld had, gewoon heel veel zou weggeven, en als ik zin had in glamour dan kocht ik kaartjes voor het bal in de Wiener Oper. Ik had in elk geval geen zesgangenmenu nodig om een paar duizendjes neer te tellen voor kinderen die al blij zouden zijn met een handvol *tef*-meel.

Maar ik was blij dat ik mijn steentje kon bijdragen door tijdens het gala een lied te zingen van mijn nieuwe cd, die net was verschenen. Bovendien mocht ik Bärbel Schäfer omhelzen en, wat voor mij nog belangrijker was, een lang gesprek met Terry Jones voeren, de regisseur van de film *Hotel Ruanda*, die bij mij aan tafel zat. Zijn film over de burgeroorlog tussen de met elkaar overhoop liggende Hutu's en Tutsi's, die in 1994 in Europa praktisch niemand interesseerde, had ik al minstens vijf keer gezien – niet alleen omdat ik hem zo goed vond, maar ook omdat ik alleen op die manier de verschrikkingen waarover de film gaat kon verwerken. Om de nachtmerries uit te bannen die ik kreeg nadat ik hem voor het eerst had gezien.

Ik sprak met Terry over mijn betrokkenheid bij de campagne tegen de inzet van kindsoldaten, ik vertelde hem van de Aktion Weißes Friedensband, waar ik al veel voor heb gedaan, en vond in hem een gesprekspartner met verstand van zaken, die zeer goed geïnformeerd was over het verschrikkelijke feit dat er over de hele wereld ongeveer driehonderdduizend kinderen onder de wapenen staan en dat honderdtwintigduizend daarvan, dus bijna de helft, meisjes zijn.

Op dat soort momenten interesseerde het me niet dat veel mensen me nog altijd niet als zangeres, als kunstenares zien, maar vooral als iemand die kindsoldaat is geweest of als schrijfster van *Strijden voor mijn land*. Het maakte me niets uit omdat ik wist dat ik er iets mee kon betekenen. Verder zing ik gewoon vrolijk verder, zoals mijn hart me ingeeft. Op een gegeven moment zal het wel loslopen met mijn carrière als zangeres. Dan horen de mensen niet alleen dát ik iets te zeggen heb, maar dan concentreren ze zich ook op wát ik zeg, namelijk in mijn liederen, in mijn taal, in mijn eigen muziek.

Ik zat midden in een gesprek toen ik alweer het podium op werd geroepen. Alle deelnemers moesten samen een afscheidslied zingen, een teken van goede wil en van hoop, 'Imagine' van John Lennon. Daar stond ik in het licht van de schijnwerper, in naam van de muziek, te zingen tussen een popster als Anna Maria Kaufman en een showbizzster als Bärbel Schäfer, tussen nachtclubkoning Rolf Eden en boxkampioen Wladimir Klitschko, tussen Rolf Schenker van de Scorpions en mijn manager Jobst Neerman, die tenslotte een opleiding als operazanger heeft gehad:

'Imagine there's no countries
It isn't hard to do
Nothing to kill or die for...'

Als dat geen goed voornemen voor de toekomst is, dan weet ik het niet!

Woord van dank

Graag wil ik Lukas Lessing bedanken, die me door gesprekken over mijn verleden, mijn land en mijn leven heeft gestimuleerd en me op reizen heeft vergezeld, waardoor ik mijn herinneringen op papier heb gezet. Mijn dank gaat ook uit naar mijn literair agente Lianne Kolf voor haar professionele advies, maar vooral voor haar vriendschap. Ik bedank mijn manager Jobst-Henning Neermann voor de geweldige samenwerking, de vriendschap en het vertrouwen dat ons bindt.

Ik bedank alle leden van mijn familie die mijn onderzoek naar mijn eigen verleden verder hebben gebracht, met name mijn broer Luul, mijn ooms Tsegeab en Haile, en mijn vrienden, die me in moeilijke tijden bijstonden.

Ik wil alle mensen in Eritrea, in Ethiopië en in Soedan bedanken die me bij de realisering van mijn boek hebben gesteund en bemoedigd: Lula, Dawit en Tesfay uit Asmara, Salomon uit Addis Abeba en Ahmed en Rfaat uit Khartoem.

Ik wil ook het hele team van uitgeverij Droemer bedanken voor de vruchtbare samenwerking, in het bijzonder Hans-Peter Übleis, alsmede mijn redacteur en mijn pr-medewerkster Susanne Klein.

Senait Ghebrehiwet Mehariim   april 2006

Appendix

ETHIOPIË EN ERITREA — DE GESCHIEDENIS VAN TWEE OMSTREDEN LANDEN

In 2900 voor Christus werd de hoorn van Afrika nog als het 'land van de goden' beschouwd. Hier handelde men in goud, wierook, ebbenhout, ivoor en slaven. Op het grondgebied van de huidige staten Ethiopië en Eritrea lag het machtige koninkrijk Aksoem, waar de trots van de huidige bewoners nog steeds op stoelt. Die trots is ongebroken, hoewel de Eritreeërs na een onafhankelijkheidsoorlog van dertig jaar tegen Ethiopië (van 1961 tot 1991) en een bloedige grensoorlog tegen het onbeminde buurland om een stuk woestijn (1998 tot 2000) voor de totale ondergang staan. Ethiopië vergaat het weinig beter. Het land lijdt onder een steeds sterker wordende droogtecatastrofe in het zuiden van het land en onder de interne spanningen tussen de circa tachtig etnische groeperingen die het land rijk is, die door de Tigré, die de regeringsmacht bezitten, met harde hand onder de duim worden gehouden. Bovendien vormen de Tigré een minderheid, want dit in het noorden wonende christelijke volk van boeren, herders en krijgers omvat slechts vijf procent van de totale bevolking.

De langste oorlog in de Afrikaanse geschiedenis van de twintigste eeuw heeft ongeveer 65 000 mensen het leven gekost (op een bevolking van slechts ongeveer 3,7 miljoen mensen, waarvan 1,9 miljoen onder de achttien); in de nog bloediger grensoorlog (100 000 doden in nauwelijks drie jaar) werden de kinderen rechtstreeks bij het geweld betrokken: de generaals aan beide zijden zetten bij hun aanvallen duizenden kindsoldaten in als 'menselijke golf' om een bres in de reguliere troepen te slaan. Meer dan een miljoen inwoners, bijna een derde van de bevolking sloeg op de vlucht.

Toen Eritrese strijdkrachten in 1991 de onafhankelijkheid van hun land bevochten, brachten ze het Ethiopische leger, dat niet alleen veel groter was, maar ook nog eens door de Amerikanen en de Russen zwaar werd ondersteund, de nederlaag toe. De overwinning op het Ethiopische legers was des te verbazingwekkender omdat de Eritrese bevrijdingstroepen tegelijkertijd onderling oorlog voerden. Een van die partijen was het in 1960 in Caïro opgerichte, islamitisch georiënteerde ELF (Eritrean Liberation Front) of 'Jebha' (Arabisch voor 'front'), waarvoor Senait ten strijde trok. Aan het begin van de jaren tachtig moest het ELF het onderspit delven tegen het sterk sociaal-revolutionair georiënteerde EPLF (Eritrean People's Liberation Front) of 'Shabia' (Arabisch voor 'Volk') waaruit de huidige regering van Eritrea onder leiding van president Isaias Afewerki is voortgekomen.

ETHIOPIË EN ERITREA NU

Eritrea noemt zichzelf weliswaar een democratie, maar met slechts één toegestane partij, zonder vrije verkiezingen, met een door de staat gecontroleerde pers en een ontoereikende scheiding tussen de drie staatsmachten lijkt deze betiteling vanuit Europees gezichtspunt onjuist.

Ook na de beëindiging van de oorlogshandelingen maakte Eritrea economisch moeilijke tijden door. Veel verdrevenen keren nu pas terug naar de gebieden waar zij van oudsher woonden, maar er liggen nog overal landmijnen. Humanitaire hulporganisaties schatten dat ongeveer zestig procent van de bevolking onder de armoedegrens leeft en alleen door buitenlandse voedselhulp kan overleven. De situatie is nog ernstiger geworden door een jarenlang aanhoudende droogte, waaraan nog geen einde is gekomen waardoor de meeste oogsten zijn mislukt. Trots op de stam waar men van afstamt en het star vasthouden aan van oudsher overgeleverde gebruiken leveren weliswaar een rijke traditionele cultuur op, maar belemmeren ook de ontwikkeling die het land nodig heeft. Ook tegenwoordig nog wordt in Eritrea vijfennegentig procent van de vrouwen besneden – ofwel de 'kleine besnijdenis', waarbij 'alleen' de clitoris van de meisjes wordt ingekort, of in sommige gevallen nog steeds de 'grote besnijdenis', waarbij niet alleen de clitoris maar ook de schaamlippen worden verwijderd. Het daaropvolgende dicht-naaien van de genitaliën (infibulatie) geldt als de ernstigste vorm van vrouwelijke genitale verminking.

Ook al wordt Ethiopië economisch als stabiel land beschouwd, de situatie in dit reusachtige rijk in de Hoorn van Afrika is niet veel beter. De economische groei loopt in de dubbele cijfers, maar slechts weinig mensen plukken er de vruchten van. Het noorden kon de afgelopen jaren redelijke oogsten binnenhalen, maar in het zuiden gaan de kuddes en de veehouders dood, omdat de regen al jaren uitblijft, het land ernstig overbegraasd is en het ontbreekt aan water en veevoer. Het hele gebied van de Hoorn van Afrika heeft eronder te lijden – het zuiden van Eritrea en het zuidoosten van Ethiopië, het dwergstaatje Djibouti en Somalië – in totaal elf miljoen mensen in een gebied zo groot als Duitsland, Oostenrijk en Zwitserland bij elkaar.

Tot overmaat van ramp staan Ethiopië en Eritrea op de rand van een nieuw gewapend conflict. Eind 2005 zette de Eritrese regering vn-waarnemers aan de grens met het buurland Ethiopië het land uit en beperkte de bewegingsvrijheid van de daar gestationeerde vn-troepen. Daarmee wil de regering kennelijk de aandacht van de wereld vestigen op het feit dat het grensprobleem nog steeds niet is opgelost: een internationale, onafhankelijke commissie had het grensstadje Badme plus de omgeving ervan toegewezen aan Eritrea, maar Ethiopië weigert hardnekkig gevolg te geven aan die uitspraak en het verder volkomen onbelangrijke, godvergeten plaatsje, waar veehouders en boeren wonen, aan Eritrea af te staan. Het is goed mogelijk dat het aantal van honderdduizend mensen, die voor een paar vierkante kilometer onvruchtbaar bergland hun leven moesten geven, snel zal stijgen...

... *aan een vreedzame toekomst bouwen!*

Ondanks sombere prognoses blijft het noodzakelijk iets tegen deze waanzin te doen – vooral tegen de verdere inzet van kindsoldaten. Voor veel jongeren werd Senait in verband hiermee een begrip. Samen met haar lieten ze op 12 februari 2004 hun rode hand zien tegen het misbruiken van kinderen in oorlogen. En dat zullen ze op de jaarlijks terugkerende Red Hand Day opnieuw doen (www.red-handday.org). Deze 'Aktion Rote Hand' wordt gesteund door UNICEF, Terre des Hommes, Kindernothilfe, MISEREOR en de Evangelische Entwicklungsdienst. Door de projecten van deze organisaties kunnen kindsoldaten de weg terug vinden naar een normaal leven.

Aktion Weißes Friedensband is een Duitse organisatie die is opgericht door journalisten om kinderen op scholen voor te lichten over kindsoldaten. Help ook kinderen en jongeren de ogen te openen voor de situatie van kinderen over de hele wereld. Op onze website vind je veel informatie over kindsoldaten, maar ook over andere onderwerpen.

www.friendensband.de

Adressen in Nederland:

UNICEF
www.unicef.nl
Jacob van den Eyndestraat 73
2274 XA Voorburg
Postbus 30603
2500 GP Den Haag

Mensen in nood
www.menseninnood.nl
Postbus 16436
2500 B K Den Haag

Terre des Hommes
www.terredeshommes.nl
Zoutmanstraat 42-44
2518 G S Den Haag

WarChild
www.warchild.nl
Singel 118
1015 A E Amsterdam
Postbus 10018
1001 E A Amsterdam